De gevallen engel

D0608649

2602

Van dezelfde auteur

M'n lieve Audrina

Dollanganger-serie:
Bloemen op zolder
Bloemen in de wind
Als er doornen zijn
Het zaad van gisteren
Schaduwen in de tuin

Casteel-saga:
Hemel zonder engelen
De duistere engel
De droom van een engel
Een engel voor het paradijs

Dawn-saga:
Het geheim
Mysteries van de morgen
Het kind van de schemering
Gefluister in de nacht
Zwart is de nacht

Bezoek onze internetsite www.awbruna.nl
voor informatie over al onze boeken en softwareproducten.

Virginia Andrews

De gevallen engel

Zwarte Beertjes

Oorspronkelijke titel
Fallen hearts
© 1988 Virginia C. Andrews Trust
Vertaling
Parma van Loon
© 1996 A.W. Bruna Uitgevers B.V., Utrecht
Eerder verschenen bij De Kern, Baarn

ISBN 90 449 2602 0
NUGI 331

Derde druk, augustus 2000

Niets uit deze uitgave mag worden openbaar gemaakt en/of verveelvoudigd door middel van druk, fotokopie, microfilm of op welke andere wijze dan ook zonder voorafgaande schriftelijke toestemming van de uitgever.

Beste pa,

Ondanks alle droefenis en moeilijkheden van het verleden, ben ik bereid te vergeven en om vergeving te vragen, pa. Het is bijna twee jaar geleden sinds Tom is gestorven – twee jaar waarin er geen dag voorbij is gegaan dat ik Tom en opa niet heb gemist. Maar nu is mijn tijd van rouw voorbij en begint mijn tijd van geluk en liefde en leven. Want ik heb fantastisch nieuws. Ik ga trouwen. Met Logan Stonewall, mijn jeugdliefde, zoals je je nog wel zult herinneren. Ik woon in Winnerow, en mijn droom is uitgekomen: ik ben lerares geworden, net als Marianne Deale, die me heeft geïnspireerd om te lezen en te leren en te dromen en altijd te geloven dat ik alles kon worden wat ik wilde. Het schijnt dat al mijn jeugddromen eindelijk werkelijkheid worden – allemaal, dat wil zeggen, behalve mijn verhouding met jou. Ik wil dat jij en Drake en Stacie op mijn huwelijk komen, pa. Pa, ik wil dat je over het middenpad met me loopt als mijn vader en me weggeeft aan mijn echtgenoot. Ik ben zo gelukkig. Pa, ik wil alle bitterheid van het verleden vergeven. Ik wil jou vergeven, en ik wil dat je mij vergeeft. Misschien dat we nu, na al die tijd, ons kunnen gedragen zoals een familie dat hoort te doen. Fanny wordt mijn getuige. Ik hoop dat jij eindelijk mijn vader zult zijn.

Liefs,
Heaven

1. VOORJAARSBELOFTEN

Ik zat op de lange veranda aan de voorkant van de hut mijn brief aan pa te lezen en te herlezen. Het was een warme ochtend in mei, de lente begon al te rijpen tot een hete zomer. Het leek of mijn wereld in de Willies gelijk met mij was ontwaakt. De mussen en roodborstjes zongen en fladderden van tak tot tak en deden de bladeren zachtjes trillen. Het zonlicht baande zich een weg door het bos en spon gouden draden van berk naar hickory naar esdoorn, en maakte de bladeren transparant. De wereld leefde en zag er schitterend uit.

Ik haalde diep adem, snoof de zoete, frisse geur op van bloeiende bomen en welig groen. Boven mij was de lucht hemelsblauw en de kleine, op gesponnen suiker lijkende wolkjes rekten en kronkelden zich in de prachtigste vormen.

Logan was er geweest vanaf de dag waarop ik terugkeerde naar Winnerow. Hij was er in de afschuwelijke dagen na Toms dood, toen pa in het ziekenhuis lag. Hij was er toen pa met Stacie en de kleine Drake terugging naar zijn eigen huis in Georgia. Hij was er toen opa stierf en me alleen liet in de hut van mijn jeugd, die nu verbouwd en gerenoveerd was tot een gezellig thuis. Hij was er toen ik de eerste dag begon met het onderwijs op de school in Winnerow. Ik moest even lachen toen ik terugdacht aan die eerste dag waarop ik mijn proeve van bekwaamheid moest afleggen, om te zien of ik werkelijk de onderwijzeres was die ik altijd gedroomd had.

Ik was uit de hut gekomen, net als vanmorgen, met het plan om, zoals bijna elke dag, even rust te nemen in oma's oude schommelstoel en naar de Willies te staren voor ik afdaalde naar de school. Maar op deze ochtend, toen ik de deur opendeed, stond Logan met een stralende glimlach naast de trap.

'Goedemorgen, juffrouw Casteel.' Hij maakte een zwierige buiging. 'Ik ben hierheen gestuurd om u naar uw klas te brengen.'

'O, Logan!' riep ik uit. 'Dat je zo vroeg bent opgestaan om hier naar toe te lopen...'

'Zo vroeg was het niet. Ik sta altijd vroeg op om de drugstore te openen. Die driemaal zo groot is als toen we naar school gingen,' zei hij trots. 'En hij vergt heel wat meer werk, juffrouw Casteel,' ging hij verder, zijn hand naar me uitstekend. Ik liep de trap af, pakte zijn hand vast, en samen liepen we het bergpad af, zoals we deden toen we nog een paar verliefde schoolkinderen waren.

Het leek zoveel op vroeger – als Logan en ik achter Tom en Keith en

Onze Jane liepen, terwijl Fanny ons hoonde en probeerde Logan uit te dagen en van mij vandaan te lokken met haar geile gedrag, tot ze het tenslotte opgaf en pruilend wegrende als ze zag dat hij zijn aandacht niet van mij liet afleiden. Ik kon de stemmen van mijn broers en zusjes bijna horen. Al was ons leven toen nog zo moeilijk geweest, toch bracht de herinnering tranen in mijn ogen.

'Hé, hé,' zei Logan, toen mijn ogen vochtig werden van de tranen, 'dit is een blijde dag. Ik wil je lach horen weergalmen door de Willies, net als vroeger.'

'O, Logan, dank je. Dank je dat je hier bent, dat je om me geeft.'

Hij bleef staan en draaide me naar zich toe; zijn ogen waren ernstig en vol liefde.

'Nee, Heaven. Ik ben degene die jou moet bedanken omdat je nog net zo mooi en lief bent als ik me je herinner. Het is alsof' – hij keek om zich heen, zoekend naar woorden – 'alsof de tijd voor ons heeft stilgestaan en alles wat we dachten dat er sindsdien gebeurd is een droom is geweest. Nu worden we wakker en ben je weer hier, ik ben bij je, en ik houd jouw hand in de mijne. Ik zal hem nooit meer loslaten,' zwoer hij.

Een tinteling ging door mijn vingers, een tinteling van geluk die mijn hart net zo hard deed bonzen als die eerste keer toen we elkaar kusten, en ik pas twaalf was. Ik wilde dat hij me weer kuste, ik wilde weer datzelfde onschuldige meisje zijn, maar dat was ik natuurlijk niet. En hij evenmin. Een paar maanden geleden gingen er nog geruchten dat hij van plan was met Maisie Setterton te trouwen. Maar Maisie scheen uit Logans leven te zijn verdwenen zodra ik terug was.

Zwijgend liepen we over het door struikgewas overwoekerde pad. Rode kardinaalvinken en bruingespikkelde mussen volgden ons; ze fladderden door de schaduwen van het bos en bewogen zich zo snel en sierlijk dat we nauwelijks een tak zagen trillen.

'Ik weet,' zei Logan tenslotte, 'dat onze levens een heel andere richting zijn uitgegaan sinds de tijd waarin ik je thuisbracht uit school, en misschien lijken alle beloftes die we elkaar toen hebben gedaan nu een dwaze droom. Maar ik hoop zo dat onze liefde voor elkaar zo sterk was dat hij alle tragedies en moeilijkheden heeft overleefd.'

We bleven staan en keken elkaar aan. Ik wist dat hij de twijfel in mijn ogen kon zien.

'Logan, ik zou het zo graag willen geloven. Ik heb zo genoeg van dromen die sterven, dromen die te oppervlakkig waren om blijvend te zijn of sterker te worden bij het opgroeien. Ik wil weer in iemand kunnen geloven.'

'O, Heaven, geloof in mij,' smeekte hij, en nam mijn hand in zijn beide handen. 'Ik zal je niet teleurstellen. Nooit.'

'Ik zal het proberen,' fluisterde ik, en hij glimlachte. Toen kuste hij me, een kus die een belofte moest bezegelen, maar ik had nooit anders meegemaakt dan dat beloftes werden verbroken. Logan voelde mijn aarzeling, mijn angst. Hij omhelsde me.

'Ik zal zorgen dat je in me gelooft, Heaven. Ik zal alles zijn wat je in een man kunt wensen.' Hij drukte zijn gezicht tegen mijn haar. Ik voelde zijn adem in mijn hals, zijn fel kloppende hart tegen het mijne. Ik wilde zo graag weer kunnen hopen; ik voelde me zwak worden en greep de belofte van geluk gretig aan. 'Ik denk dat ik mettertijd in je zal gaan geloven, Logan.'

'O, Heaven, lieve Heaven, je bent echt thuisgekomen.' Logan zoende me steeds opnieuw.

Hoe kwam het dan dat ik, terwijl hij me zo vol liefde en hartstocht kuste, aan Troy moest denken, aan mijn verboden, gestorven liefde? Waarom voelde ik Troys lippen op de mijne? Waarom hunkerde ik naar Troy, naar Troys armen? Maar toen kuste Logan mijn ogen. Ik deed ze open en zag zijn jonge, frisse gezicht, een gezicht dat nooit de angstwekkende afgrond had gekend van angst en wanhoop waaraan mijn geliefde Troy ten onder was gegaan. Ik wist in mijn hart dat Logan me het soort leven zou geven dat mij, en mijn moeder vóór mij, ontzegd was – een leven van rust, respect en rechtschapenheid.

Logan maakte me tijdens het hele schooljaar het hof, en op een dag klopte hij op de deur van mijn hut en zei: 'Ik heb een verrassing voor je, Heaven.' Hij keek als een ondeugende kleine jongen die een kikker in zijn zak heeft.

'Ga je me blinddoeken?' vroeg ik plagend.

Hij kwam achter me staan en legde zijn handen voor mijn ogen. 'Hou ze dicht, Heaven!' Hij pakte mijn hand vast en ik liep struikelend achter hem aan naar zijn auto. Ik voelde de frisse bries in mijn gezicht toen we wegreden, zonder dat ik wist waarheen. Toen stopte de auto en Logan maakte het portier aan mijn kant open en pakte mijn arm. 'Stap uit, we zijn er bijna,' zei hij, en leidde me over een trottoir.

Toen hij de deur van de drugstore opendeed, rook ik onmiddellijk de vertrouwde geur van parfum en toiletartikelen, vermengd met antiverkoudheidsmiddelen en medicijnen uit de apotheek, maar ik liet niet merken dat ik wist waar ik was. Ik wilde geen domper zetten op zijn enthousiasme. Hij zette me neer op een kruk en was ergens mee bezig achter de toonbank. Het leek wel een halfuur te duren voordat ik zijn vrolijke stem hoorde roepen: 'Nu mag je je ogen weer opendoen, Heaven!'

Voor me stond een regenboogkasteel – gemaakt van ijs, slagroom en alles wat zoet en lekker was. 'Logan,' zei ik, 'het is schitterend. Maar als ik dat opeet, weeg ik over een uur honderdvijftig kilo. Zul je dan nog steeds van me houden?'

'Heaven' – zijn stem klonk laag en schor – 'mijn liefde voor jou is groter dan jeugd en schoonheid. Maar dit is niet om op te eten – ik wilde het mooiste, zoetste kasteel voor je bouwen dat je ooit had gezien. Ik weet dat ik niet kan concurreren met de rijkdom van de Tattertons en het grote landhuis Farthinggale. Maar dat huis is gemaakt van koude, grijze stenen, en mijn liefde voor jou is zo warm als de eerste dag van het voorjaar. Mijn liefde zal een kasteel om je heen bouwen, waarmee geen stenen huis kan wedijveren. Heaven' – hij liet zich op zijn knieën vallen voor de verbaasde ogen van de klanten in de drugstore – 'Heaven, wil je mijn vrouw worden?'

Ik keek diep in zijn ogen en zag de liefde erin. Ik wist dat hij alles zou doen wat hij kon om me gelukkig te maken. Wat betekende de hartstocht waarnaar ik verlangde – de hartstocht die me was ontstolen door Troys dood – vergeleken met een levenslange, tedere liefde, zorg en trouw? 'Ja,' zei ik, met tranen in mijn ogen. 'Ja, Logan, ik wil je vrouw worden.'

Plotseling klonk er een applaus op, en alle klanten keken lachend naar het pas verloofde paar. Logan werd vuurrood en liet mijn hand los, juist toen ik op het punt stond hem te omhelzen.

'Hier, Heaven,' zei hij, en stopte snel een kers in mijn mond om zijn verlegenheid te verbergen. Toen gaf hij me een zoen op mijn wang. 'Ik zal altijd van je houden,' fluisterde hij.

En zo bloeide een liefde op, die jaren geleden was geboren. Ik had de cirkel voltooid, het verdriet van het verleden uitgewist. Ik betrad de paden van mijn jeugd, alleen baande ik nu mijn eigen weg in plaats van de weg te volgen die voor me was uitgestippeld. Nu kon ik mijn eigen lot bepalen, zoals het bos zijn natuurlijke paden vormt. Het was of ik een van die magische open plekken in het bos had bereikt, en ik was verstandig genoeg om daar mijn huis te willen bouwen.

Nu zou mijn jeugdliefde de liefde van mijn leven worden. Ik was gelukkig en hoopvol. Op die open plek, die ik in het bos had gevonden, waar de zon ons koesterde, zouden Logan en ik als stoere jonge bomen uitgroeien tot machtige eikebomen die de hevigste winterstormen konden weerstaan.

De volgende paar weken bracht ik door met het plannen van het huwelijk. Deze bruiloft zou meer worden dan zo maar een huwelijk tussen een man en een vrouw uit Winnerow. Zelfs al was ik in opa's hut in de bergen blijven wonen, toch reed ik nog in een dure auto, droeg chique kleren en gedroeg me als een ontwikkelde en mondaine vrouw. Ik mocht dan een rijk bestaan hebben afgewezen als erfgename van het Tatterton- speelgoedimperium, de mensen hier zagen me nog steeds als een hillbilly-Casteel. Ook al hadden ze mijn manier van lesgeven aan hun kinderen goedgekeurd, ze vonden het nog steeds bezwaarlijk me in de voorste banken van hun kerk te zien zitten.

Toen Logan en ik die zondag samen naar de kerk gingen, nadat onze verlovingsfoto in *The Winnerow Reporter* had gestaan, volgden alle ogen ons, toen we naar de voorste bank liepen – de plaats van Logans familie in de kerk – een plaats waar ik nooit had durven zitten. 'Welkom, Heaven,' zei mevrouw Stonewall een beetje nerveus, terwijl ze me het psalmboek overhandigde. Logans vader knikte slechts, maar toen we opstonden om te zingen, klonk mijn stem trots en krachtig, een stem uit de bergen, die door de hele kerk weergalmde. En toen de dienst voorbij was, en ik dominee Wise had begroet met een glimlach waarmee ik hem wilde bewijzen dat zijn voorspellingen onjuist waren, zei Logans moeder tegen me: 'O, Heaven, ik heb nooit geweten dat je zo'n goede zangstem hebt. Ik hoop dat je bij ons in het koor komt.' Op dat moment wist ik dat Loretta Stonewall eindelijk had besloten me te accepteren. En op dat moment wist ik ook dat ik ervoor zou zorgen dat alle anderen dat eveneens zouden doen, dat ik hun ogen zou openen en hen zou dwingen de bergbewoners te zien als de eerlijke, hardwerkende mensen die we waren.

Daarom plande ik die bruiloft. Logan deed zijn best mijn motivatie te begrijpen en trotseerde zelfs de bezwaren van zijn ouders. Ik was hem dankbaar. Hij moest zelfs lachen om de manier waarop ik van plan was de mensen van Winnerow te dwingen zich te vermengen met de bergbewoners. Ik was vastbesloten het mooiste feest te geven dat Winnerow ooit had meegemaakt, en als ik door de kerk liep zouden de bewoners van het dorp niet het rijkgeworden blanke uitschot zien, maar iemand die even goed en beschaafd was als zij zichzelf vonden. Ik herinnerde me hoe ik jaren geleden in Winnerow was teruggekomen en als een modeplaatje in die kerk was verschenen, behangen met kostbare juwelen, en hoe ze desondanks hun neus voor me hadden opgehaald. De bergbewoners werden geacht op de achterbanken plaats te nemen en de door God uitverkorenen op de voorste banken.

Mijn huwelijk zou anders zijn. Ik nodigde een aantal families uit de bergen uit. Ik nodigde alle kinderen in mijn klas uit. Ik wilde dat mijn zusje Fanny getuige was. Ik had Fanny niet vaak gezien sinds mijn terugkeer naar Winnerow, omdat Fanny nog steeds jaloers op me leek, ook al probeerde ik haar, zoals altijd, op alle mogelijke manieren te helpen. Logan hield me op de hoogte van Fanny's doen en laten. Blijkbaar was ze vaak het onderwerp van gesprek bij de jonge mannen en vrouwen van Winnerow, en Logan hoorde die gesprekken in zijn drugstore. Sinds haar scheiding van "de Ouwe Mallory", werd er geroddeld over haar flirt met een veel jongere man, Randall Wilcox, de zoon van de advocaat. Randall was pas achttien, een eerstejaars student, en Fanny was een gescheiden vrouw van tweeëntwintig.

De week nadat onze verloving bekend was gemaakt, reed ik naar het huis dat Fanny had gekocht met het geld van de oude Mallory – een huis hoog op een heuvel, opzichtig roze geschilderd met rood langs de ramen. Ik had Fanny al langer dan een jaar niet gesproken, sinds ze me ervan had beschuldigd dat ik haar alles had ontstolen dat van haar was, terwijl zij juist had geprobeerd mij alles af te troggelen, vooral Logan.

'Nou, nou, wat een verrassing!' zei ze op overdreven toon, toen ze opendeed. 'Mejuffrouw Heaven in eigen persoon, die op bezoek komt bij haar arme zuster, het blanke uitschot.'

'Ik kom niet om ruzie te maken, Fanny. Ik ben te gelukkig om kwaad te worden.'

'O?'

Ze ging erbij zitten, haar belangstelling was gewekt.

'Logan en ik gaan in juni trouwen.'

'Is het heus?' teemde Fanny. Uit haar hele houding sprak teleurstelling.

Waarom kon ze niet eens één keer blij voor me zijn? Waarom konden we geen echte zusters zijn en van elkaar houden?

'Je wist dat we weer met elkaar omgingen.'

'Hoe kan ik dat nou weten? Je komt hier nooit en we praten bijna nooit met elkaar.'

'Je weet heel goed wat er in Winnerow gebeurt, Fanny. In ieder geval wil ik graag dat je mijn getuige bent.'

'Heus?' Haar ogen begonnen te glinsteren, maar toen zag ik de oude rancuneuze blik weer terugkomen. 'Ik kan nog niks beloven, m'n beste Heaven. Ik heb zelf een druk programma. Wanneer is je huwelijk precies?

Ik vertelde het haar.

'Hm' – Fanny deed of ze erover nadacht – 'Ik had plannen voor dat weekend, je weet dat mijn nieuwe vriend me overal mee naar toe neemt – naar studentenbals en zo. Maar misschien kan ik mijn plannen omgooien. Wordt het een dure bruiloft?'

'Zo duur als maar kan.'

'En koop je een mooie, dure jurk voor je lieve zus? En neem je me mee naar de stad om er een uit te zoeken?'

'Ja.'

Ze dacht even na.

'Kan ik Randall Wilcox meebrengen?' vroeg ze. 'Je weet zeker wel dat hij me het hof maakt. Hij zal er geweldig uitzien in een smoking. De mannen komen toch in smoking, hè?'

'Ja, Fanny. Als je dat graag wilt, zal ik een uitnodiging bij hem thuis laten afgeven.'

'Ja, dat wil ik wel. Waarom niet?' vroeg ze.

En zo gebeurde het.

Mijn uitnodiging aan pa was de laatste die ik op de post deed. Ik ging die ochtend vroeger op weg dan anders, zodat ik langs het postkantoor kon vóór ik mijn laatste les ging geven. Ik geloof dat ik even opgewonden was als toen ik als kind voor het eerst naar school ging. Toen ik de klas binnenkwam keken mijn leerlingen verwachtingsvol naar me op. Zelfs de gewoonlijk trieste en vermoeide gezichten van de kinderen uit de Willies stonden vanmorgen vrolijk en opgewekt. Ik wist dat ze iets bijzonders van plan waren.

Patricia Coons stak haar hand op.

'We hebben iets voor u, juffrouw Casteel,' zei ze verlegen.

'O?'

Ze stond langzaam op en kwam naar voren, trots dat ze was gekozen als vertegenwoordigster van de klas. Ze schuifelde met haar voeten en beet op een van haar al afgekloven nagels.

'We wilden u dit geven voordat u al uw andere huwelijkscadeaus zou krijgen,' zei ze. 'Het is van ons allemaal,' voegde ze eraan toe, terwijl ze me een pakje overhandigde in mooi blauw papier met een roze lint. 'We hebben het papier gekocht in uw verloofde Logan, ik bedoel in de winkel van meneer Stonewall,' zei ze. Ik lachte.

'Dank je. Ik dank jullie allemaal.'

Ik maakte het pakje open. In een eikehouten lijstje was een keurig uitgevoerd borduurwerkje van mijn hut in de Willies, en daaronder stond: "*Home Sweet Home*, van uw klas."

Even kon ik geen woord uitbrengen, maar ik wist dat alle gezichtjes met stralende ogen naar me keken.

'Ik dank jullie, kinderen,' zei ik. 'Wat voor cadeaus ik hierna ook zal krijgen, geen enkel zal me zo dierbaar zijn als dit.'

En zo was het.

De tijd tussen de laatste schooldag en mijn trouwdag leek eeuwen te duren. Minuten leken uren en uren leken dagen. Zelfs alle plannen en voorbereidingen deden de tijd niet voorbijvliegen, zoals ik gehoopt had. Mijn opwinding werd steeds groter, en Logan was zoveel mogelijk bij me. De antwoorden op onze uitnodigingen bleven binnenstromen. Ik had Tony Tatterton niet meer gesproken sinds de dag waarop ik Farthinggale Manor had verlaten, de dag waarop ik gehoord had dat Troy dood was. Gedeeltelijk omdat ik hem niet kon vergeven wat er met Troy gebeurd was, gedeeltelijk omdat ik bang was voor de waarheid die Troy de dood in had gestuurd. Ik wist dat ik Tony's stem niet meer zou kunnen horen zonder mijn eigen stem daarin te horen. Wat hij me verteld had over hemzelf en mijn moeder deed me nu, twee jaar later, nog rillen. Zo lang te hebben geleefd met de leugen dat pa mijn vader was, pa die me keer op keer had afgewezen en aan wiens liefde ik zo'n behoefte had gehad – om dan te ontdekken dat als pa naar me keek, hij alleen maar de vroegere minnaar van mijn moeder zag, haar eigen stiefvader, mijn vader en grootvader, Tony Tatterton.

Die wetenschap maakte me bang, niet alleen omdat het slecht en verkeerd was, maar omdat het me zoveel duidelijk maakte over mijn erfgoed. Ik durfde het niet aan Logan te vertellen. Hij was te onschuldig om het verachtelijke gedrag te begrijpen van de rijke mensen die de wereld beheersten. Maar er was nog iets. Die laatste dag op het strand met Tony, toen hij me had verteld over Troys afschuwelijke dood, had ik een blik in zijn ogen gezien die niets met rouw te maken had, een blik van zo'n openlijke begeerte, dat ik wist dat ik uit zijn buurt moest blijven. Dat was de reden waarom ik zijn telefoontjes niet beantwoordde, waarom zijn brieven zich onbeantwoord op mijn bureau opstapelden, waarom ik wilde dat pa, en niet Tony, me als vader naar het altaar zou leiden. Want ondanks alles, ook al wist ik nu dat hij niet mijn echte vader was, verlangde ik nog steeds naar pa's liefde; ik had genoeg van Tony's liefde.

Maar al wilde ik niet dat Logan de waarheid over mijn afkomst kende, toch stuurde ik Tony plichtsgetrouw een uitnodiging voor het huwelijk. En Tony, als de sluwe vos die hij was, schreef niet aan mij maar aan Logan, en legde uit dat grootmoeder Jillian zo ziek was dat hij haar onmogelijk alleen kon laten om het huwelijk bij te wonen, maar erop stond dat wij naar Farthinggale Manor zouden komen, waar hij voor ons de mooiste huwelijksreceptie zou geven die Massachusetts ooit had meegemaakt. Logan was zo opgewonden over die uitnodiging dat ik er met tegenzin in toestemde vier dagen in Farthy door te brengen vóór we op huwelijksreis gingen naar Virginia Beach. Daarna zouden we teruggaan naar Winnerow en in de hut wonen tot we ons eigen huis konden bouwen in de buitenwijken van Winnerow.

Maar niet al onze plannen liepen zo vlot van stapel. Op de ochtend van mijn huwelijk werd er op de deur van de hut geklopt. Ik was bijna de hele nacht op geweest, te zenuwachtig en te opgewonden om te kunnen slapen. Nog in mijn nachthemd liep ik naar de voordeur om de postbode te begroeten.

'Goedemorgen,' zei hij opgewekt. 'Een expressebrief. Wilt u hier tekenen? '

'Goedemorgen.'

Het wás een goede morgen, en niet alleen omdat het mijn trouwdag was. Er was geen wolkje te bekennen in de blauwe zomerlucht. Vandaag was het míjn dag, en God had glimlachend op me neergekeken en deze dag mooi gemaakt; Hij had alle schaduwen verjaagd en alleen het zonlicht voor me achtergelaten. Ik was zo blij en tevreden dat ik de postbode wel had kunnen omhelzen.

'Dank u wel,' zei hij, toen ik het klembord aan hem teruggaf. Toen glimlachte hij en tikte aan zijn pet. 'En ik wens u veel geluk. Ik weet dat u vandaag gaat trouwen.'

'Dank u.' Ik keek hem na toen hij naar zijn jeep liep en zwaaide toen hij wegreed. Toen deed ik de deur dicht en liep haastig naar de keukentafel om de expressebrief open te maken. Het moest een gelukwens zijn. Of misschien was hij van Tony, misschien had hij op het laatste ogenblik besloten beide recepties bij te wonen.

Ik scheurde de envelop open en haalde het dunne velletje papier eruit. Ik las het, en mijn hart zonk in mijn schoenen. Langzaam ging ik zitten. Het gerikketik van mijn hart ging over in het zware gebons van een trom. Mijn glimlach verdween, tranen sprongen in mijn ogen en vertroebelden de woorden op het papier dat ik in mijn hand hield.

Beste Heaven,

Helaas maken zakelijke beslommeringen in verband met het circus het me onmogelijk je huwelijk bij te wonen. Stacie en ik wensen jou en Logan veel geluk.

Je pa

Een van mijn tranen viel op de brief en begon een snelle reis over het papier en vervormde pa's woorden. Ik verfrommelde het briefje en leunde achterover. De tranen stroomden over mijn wangen naar mijn mondhoeken; ik kon het zilte vocht proeven.

Ik huilde om een hoop redenen, maar ik huilde vooral omdat ik had gehoopt dat mijn huwelijk pa en mij tot elkaar zou brengen. Weliswaar had Logan me overgehaald hem uit te nodigen, maar die invitatie was een heimelijke ambitie van me geweest. Ik had gedroomd dat hij slank en knap in zijn smoking naast me zou staan, mijn hand zou vasthouden en met *Ik* zou antwoorden als de dominee vroeg: 'Wie geeft de bruid weg? '

Mijn huwelijk zou het hoogtepunt zijn van vergevensgezindheid – hij zou mij vergeven omdat ik de dood had veroorzaakt van zijn engel, Leigh, toen ik werd geboren, en ik zou hem vergeven dat hij ons had verkocht. Ik was bereid Toms opvatting te aanvaarden dat pa ons had verkocht omdat hij niet voor ons kon zorgen en hij dacht dat het voor ons het beste zou zijn.

Maar nu zou dat allemaal niet gebeuren.

Ik hield mijn adem in en veegde mijn tranen weg. Er was niets meer aan te doen, dacht ik. Ik moest me nu concentreren op Logan en ons huwelijk. Ik had geen tijd voor zelfmedelijden of woede. Bovendien had pa me al lang geleden weggegeven. Op mijn huwelijk zou ik mijzelf weggeven.

Ongeveer een uur vóór het huwelijk kwam mijn zuster Fanny met Randall Wilcox om me naar de kerk te brengen. Randall was een beleefde, schuchtere jongeman met bietrood haar en een melkblanke huid. Zijn voorhoofd was bedekt met kleine sproeten, maar hij had helderblauwe ogen die glansden als gekleurd kristal. Ik had gedacht dat hij er misschien ouder zou uitzien dan hij was, maar hij had een onschuldig en fris gezicht en volgde Fanny als een jong hondje.

'Nou, nou, Heaven Leigh Casteel, wat zie jij er maagdelijk uit vanmorgen!' riep ze uit. Ze gaf Randall een arm en drukte zich bezitterig tegen hem aan. Ze had haar gitzwarte haar laten krullen en tegenkammen, zodat ze er zo wild en losbandig uitzag als een straathoertje. Ik had voorgesteld dat ze haar haar zou opsteken, omdat ik al verwacht had dat ze zoiets zou doen. 'Vind je niet, Randall?'

Hij keek snel van mij naar haar, niet voorbereid op Fanny's sarcasme.

'Je ziet er beeldig uit,' zei Randall zacht en diplomatiek.

'Dank je, Randall,' meesmuilde Fanny. Ik bekeek mezelf in de spiegel, trok een paar lokken recht en bevestigde mijn polscorsage.

'Ik ben klaar,' zei ik.

'O ja,' zei Fanny. 'Je bent altijd klaar geweest voor deze dag.' Haar stem klonk een beetje bedroefd, en even had ik medelijden met haar, ondanks haar duidelijke jaloezie. Fanny eiste altijd de aandacht op en wilde bij iedereen geliefd zijn, maar deed het altijd op de verkeerde manier en zou dat waarschijnlijk ook altijd blijven doen.

'Fanny, die jurk staat je erg goed,' zei ik. We waren naar de stad gereden en hadden een lichtblauwe crinoline uitgezocht voor Fanny om op het huwelijk te dragen. Maar Fanny had een paar veranderingen aangebracht. Ze had de hals zo diep uitgesneden dat de bovenkant van haar buste te zien was. Ze had het lijfje ingenomen, zodat het op haar lichaam geschilderd leek.

'Heus? Ik heb een beter figuur gekregen, hè?' zei ze. Ze gleed met haar handen omhoog over haar heupen naar haar borsten en keek met een wellustige blik naar Randall. Hij bloosde. 'Zelfs na de bevalling ben ik nog even slank gebleven en niet dikker geworden zoals zoveel vrouwen.' Ze keek naar mij. 'Randall kent ons geheimpje van Darcy. Pas maar op, schat, dat een heel nest van kleine Stonewalls jouw figuur niet gaat bederven.'

'Ik ben niet van plan meteen kinderen te krijgen, Fanny,' zei ik.

'O, nee? Misschien denkt Logan Stonewall er anders over. Maisie Setterton zegt dat hij altijd zei dat hij een groot gezin wilde hebben. Dat heb jij me toch verteld, hè, Randall? ' Ik wist dat Fanny Maisie Setterton alleen ter sprake bracht om mij jaloers te maken.

'Nou, ik heb niet direct...' Hij keek totaal verward.

'Het geeft niet, Randall,' viel ik hem snel in de rede. 'Fanny zegt het niet om gemeen te zijn, hè, Fanny?'

'O, nee,' zei ze lachend. 'Ik zei alleen maar wat Maisie had gezegd.'

'Zie je wel?' Randall begon te lachen.

'Nou, ze heeft het echt gezegd,' hield ze vol. 'Als jij het me niet hebt verteld, heeft iemand anders het gedaan.' Haar lach ging over in een zelfgenoegzame glimlach. 'Maar ik kan nog steeds niet geloven dat je je door Waysie wil laten trouwen.'

'Ik heb mijn redenen.' Ik glimlachte bij mezelf. En of ik die had! En Fanny kende ze. Want dominee Wise had Fanny gekocht van pa, haar in huis genomen, haar zwanger gemaakt, en haar baby opgeëist voor hemzelf en zijn vrouw. Ik had getracht Fanny te helpen haar kind terug te kopen, maar vergeefs, en Fanny had me nog steeds niet vergeven dat ik daar niet in geslaagd was. We deelden het duistere geheim van haar dochtertje, en ik wilde dominee Wise in de ogen kijken als Logan en ik onze huwelijksbelofte uitspraken. Ik wilde de woorden uitwissen die hij tegen me had gezegd toen ik naar hem toe ging om Fanny's kind terug te vragen. We hadden een discussie en ik zei tegen hem: 'U kent me niet.'

Hij kneep zijn ogen halfdicht, zodat ze twee flonkerende spleten leken in de schaduw van zijn oogleden, en hij zei: 'Je vergist je, Heaven Leigh Casteel. Ik ken je heel goed. Je bent het gevaarlijkste soort vrouw dat de wereld kent. Velen zullen je liefhebben om je mooie gezicht, om je verleidelijke lichaam; maar je zult ze allemaal in de steek laten, omdat je zult geloven dat ze jou eerst in de steek hebben gelaten. Je bent een idealiste van de meest verwoestende, tragische soort – de *romantische* idealiste. Geboren om zichzelf en anderen te vernietigen.'

Ik wilde hem een andere Heaven Leigh Casteel laten zien, ik wilde dat hij zijn voorspellingen zou inslikken, zijn religieuze arrogantie en zijn zondige schijnheiligheid.

'Jij kan je redenen hebben,' meesmuilde Fanny. 'Maar ik geef je de verzekering dat Waysie uit zijn vel springt van woede als hij jou en Logan tot man en vrouw verklaart, en ik popel van verlangen om daarbij te zijn. Reken maar!'

'Zullen we gaan?' vroeg ik.

De plechtigheid was precies zoals ik gedroomd had dat hij zou zijn, en meer. Bijna iedereen die we hadden uitgenodigd kwam. Vier van mijn mannelijke leerlingen waren plaatsaanwijzers in de kerk. Ik had ze specifiek opdracht gegeven de mensen naar hun plaatsen te brengen op basis van het principe: wie het eerste komt, het eerst maalt, waarmee de ongeschreven apartheidswet werd overtreden. De bergbewoners zaten vooraan met de mensen uit Winnerow, van wie sommigen gedwongen waren achteraan te zitten met andere berg- en dalbewoners.

Alle bergbewoners glimlachten naar me met blijde, opgewonden gezichten. De meeste dorpsbewoners keken ernstig en goedkeurend. Per slot trouwde ik met Logan Stonewall, en daarmee was in hun ogen de volledige transformatie tot stand gekomen van het meisje uit de bergen tot een fatsoenlijk meisje uit Winnerow. Ik zou uit de hut verhuizen naar een huis in Winnerow. Ik kon het op hun gezichten lezen – ze dachten dat ik mettertijd de bergbewoners zou vergeten. Ik had hun respect verworven, maar niet hun begrip. Ze dachten dat ik alles wat ik had gedaan alleen had gedaan om een van hen te worden.

Logans vader stond naast hem op de plaats, waar Tom, mijn lieve overleden broer, had moeten staan. Het leek of mijn hart even stilstond, en de tranen sprongen in mijn ogen, toen ik dacht aan zijn tragische dood door een woedend wild dier. Behalve Fanny, die trots voor me uit liep met suggestieve schouderbewegingen en flirtende blikken wierp op de mannen, was niemand van mijn familie aanwezig. Opa was dood. Luke en zijn nieuwe vrouw werkten in zijn nieuwe circus. Tom was dood. Keith en Jane waren op de universiteit, en met geen van beiden was ik zo intiem als ik graag had gewild. Mijn echte grootmoeder was in Farthy, verstrikt in het verleden en wartaal sprekend. Tony stond aan het hoofd van de Tatterton Toy Corporation en betreurde waarschijnlijk deze dag, waarop ik aan een andere man zou toebehoren en niet aan hem.

Dominee Wise, lang en indrukwekkend als altijd achter zijn katheder, sloeg zijn blik op uit de bijbel en keek me dreigend aan. Zijn dure, zwarte maatpak deed hem even slank lijken als toen ik hem voor het eerst had gezien.

Heel even joeg hij me net als altijd angst aan, maar toen ik naar Logan keek, verdwenen alle droevige herinneringen. Het was als een bewolkte dag die plotseling helder werd. Dit was mijn huwelijk, mijn tijd, mijn ogenblik in de zon, en Logan, knapper dan ooit, stond te wachten om mijn hand in de zijne te nemen.

Hoe fantastisch kon een huwelijk zijn van twee mensen die oprecht van elkaar hielden, dacht ik. Het was heilig en kostbaar en gaf me het gevoel dat ik op wolken liep. Ik herinnerde me de nachten waarin ik naar de sterren had gekeken en gewenst dat er een tijd zou komen waarin Logan en ik als een prins en een prinses zouden zijn. Hij was zo dramatisch in mijn leven verschenen, als een dappere sprookjesridder, om zijn leven aan het mijne te verbinden, en ik was ervan overtuigd dat we waren voorbestemd om man en vrouw te worden.

Mijn hart bonsde onrustig en mijn blozende gezicht was verborgen achter mijn sluier.

Dominee Wise staarde me zwijgend aan. Toen hief hij zijn ogen op naar de zoldering van de kerk en begon.

'Laat ons bidden. Laat ons dankzeggen. Want de Here is edelmoedig geweest. Hij vervult ons hart met vreugde. Een huwelijk is een nieuw begin, het begin van een nieuw leven en een kans om God op nieuwe manieren te dienen. Dit kan niet méér waar zijn dan voor Logan Stonewall en Heaven Leigh Casteel.'

Hij wendde zich tot Logan. 'Logan Stonewall,' intoneerde hij. 'Neemt gij deze vrouw, Heaven Leigh Casteel, tot uw wettige echtgenote, om haar lief te hebben en te steunen in goede en slechte tijden, in ziekte en in gezondheid, in rijkdom en in armoede, tot de dood u scheidt?'

Logan keek naar mij met ogen vol liefde. 'Ja, met heel mijn hart,' verklaarde hij.

'Heaven Leigh Casteel' – dominee Wise richtte zich nu tot mij – 'neemt gij deze man, Logan Grant Stonewall, tot uw wettige echtgenoot, om hem lief te hebben en te steunen in goede en slechte tijden, in ziekte en in gezondheid, in rijkdom en in armoede, tot de dood u scheidt?'

Ik keek Logan in de ogen en fluisterde: 'Ja.'

'Wie heeft de ringen?' vroeg dominee Wise.

Fanny schoot naar voren. 'Ik, dominee,' zei ze meesmuilend, terwijl ze haar handen ophief met de palmen naar boven gekeerd – op elk ervan lag een ring. Toen boog ze zich naar voren en liet haar diepe decolleté zien aan de dominee, zich ervan overtuigend of hij wel keek, en overhandigde Logan en mij onze ringen.

Logan glimlachte naar me, een lieve, tedere glimlach, en schoof de met diamanten bezette trouwring aan mijn vinger. 'Met deze ring huw ik u,' zei hij.

Ik deed hetzelfde.

'Met de macht die me is verleend door God en onze Heiland Jezus Christus,' dreunde dominee Wise met plechtige stem, 'verklaar ik u tot man en vrouw. Wat God tezamen heeft gebracht zal door geen mens worden gescheiden. Je mag nu de bruid kussen, Logan.'

Logan kuste me hartstochtelijker dan hij ooit had gedaan, en gearmd liepen we vervolgens over het middenpad. Toen we bij de deur waren riep dominee Wise: 'Dames en heren, u hebt thans de gelegenheid de heer en mevrouw Stonewall geluk te wensen.'

Iedereen verdrong zich om ons heen, vooral de mensen uit Winnerow. Het leek of ik door de huwelijksplechtigheid, het uitspreken van de woorden, het dragen van de ringen, definitief in hun midden was opgenomen.

Vóór de kerk speelden de Longchamps een slepende wals. Toen iedereen ons had gefeliciteerd, moesten Logan en ik het bal openen. Ik zag dat de bergbewoners aarzelend en onzeker op de achtergrond bleven. Ik had hun nervositeit gevoeld toen ze langs die plechtige receptierij liepen. Ik gaf Logan een zoen op zijn wang en zei: 'Wacht even, schat.' Toen liep ik naar de violist, een van de grootste bergfiedelaars, en zei: 'Speel wat country music voor me.' Hij begon te spelen en overal om me heen hoorde ik de klappende handen en stampende voeten van de bergbewoners. Ik vatte mijn echtgenoot om zijn middel en begon de Willies' swing te dansen.

De dorpsbewoners bleven staan kijken toen de mensen uit de bergen één voor één naar voren kwamen om af te tikken. Logan werd meegevoerd door een knappe leerlinge van me, terwijl mijn oude buurman Race McGee met mij wegdanste. Toen begonnen de bergbewoners de stadsmensen in de dans te betrekken. Ik voelde me intens gelukkig. Iedereen lachte, klapte, zwaaide rond. Eindelijk waren de Willies en Winnerow één.

Plotseling zag ik Fanny in haar strakke blauwe jurk over de dansvloer schuiven en Logans partner op de schouder tikken. 'Maak plaats voor de schoonzuster, voor de getuige!' schreeuwde Fanny, zodat iedereen het kon horen. Ze sloeg haar armen om Logans hals, drukte haar boezem tegen zijn borst, legde haar handen op zijn billen en zwaaide mijn verbaasde Logan rond over de dansvloer. Toen de muziek stopte, kondigde ze aan: 'En nu is het tijd om de bruidegom te zoenen.' Ik zag haar tong tussen haar lippen te voorschijn komen en in Logans mond verdwijnen.

Eindelijk rukte Logan zich los uit haar greep, maar Fanny's lach klonk boven de muziek uit en luidde de alarmklok om me te waarschuwen. Ik hoorde het. Maar dit was mijn dag, en die liet ik niet door Fanny, door niets of niemand, bederven.

2. IN HET HUIS VAN MIJN VADER

Logan en ik liepen giechelend als schoolkinderen de trap van het vliegtuig af op de luchthaven van Boston. We waren allebei zo opgewonden dat de stewardess de opmerking maakte dat we eruitzagen als een jonggetrouwd paar.

'O?' zei Logan plagend. 'En hoe ziet een jonggetrouwd paar er dan wel uit?'

'Hoopvol, lachend en zo duidelijk verliefd, dat zelfs de ongevoeligste mens die naar hen kijkt moet glimlachen,' citeerde de stewardess.

'Zoals wij dus,' antwoordde Logan. Zo waren we tijdens de hele vliegreis geweest, we hadden elkaar omhelsd en gezoend, we hadden gegiecheld en smachtend gekeken. Telkens als een stewardess voorbij kwam, had ze even naar ons gelachen.

Nu liepen we snel hand in hand door de lange gang van de luchthaven; we hadden haast met ons bezoek, Tony's huwelijksreceptie voor ons en onze huwelijksreis. Toen we een hoek omgingen zag ik Tony staan bij de gate. Hij droeg een van zijn donkerblauwe pakken met twee rijen knopen en had een opgevouwen *Wall Street Journal* in de hand. Hij hief hem omhoog om me te wenken toen hij ons zag. 'Daar is Tony.' Ik zwaaide terug. 'Ik dacht dat hij ons gewoon door Miles, de chauffeur, zou laten afhalen.'

'Dat is geen manier om een jonggetrouwd paar te behandelen,' zei Logan spitsvondig.

'Je hebt gelijk,' zei ik, maar ik bleef even staan en klemde mijn vingers om Logans hand, omdat ik zoveel wist wat hij nooit zou weten.

Tony was wat grijzer geworden bij de slapen, maar dat verhoogde alleen maar zijn waardigheid. Toen we dichterbij kwamen veranderde de scherpe, doordringende blik in een geschokte uitdrukking.

'Leigh?' fluisterde hij bijna. Maar toen herstelde hij zich onmiddellijk. 'Heaven!' Hij kwam naar voren om ons te begroeten. 'Heaven, welkom thuis. Je hebt je haar in dezelfde kleur geverfd als je moeder. Blond...' Zijn stem stierf weg, alsof die ontvoerd werd door het verleden.

'O, ja, dat was ik vergeten, Tony,' zei ik snel.

'Ik heb haar gezegd dat ze er beter uitziet als een natuurlijke brunette,' kwam Logan snel tussenbeide, zijn hand uitstekend naar Tony.

'Tony, dit is mijn man, Logan,' stelde ik hem voor, terwijl ze elkaar de hand schudden. Ik kon zien dat Tony Logan scherp opnam, hem taxeerde, in zijn gezicht zocht naar sporen van zijn zwakheden en zijn kwetsbare plekken, om te zien waar en hoe hij hem zou kunnen manipuleren.

'Welkom, Logan,' zei Tony tenslotte. Toen richtte hij zijn blik op mij. 'Ik ben zo blij je hier weer terug te zien, Heaven. Ik heb je verschrikkelijk gemist...' Hij zweeg even en zijn stem werd vaag. 'Het is griezelig zoveel als je nu op haar lijkt. Ik vraag me af...' Toen beheerste hij zich en wendde zich tot Logan. 'En ik ben ook blij jou hier te hebben, jongen.'

'Dank u, meneer.'

'O, noem me alsjeblieft Tony.' Zijn blauwe ogen begonnen te stralen. 'Er zijn hier al genoeg mensen die me meneer noemen. Hebben jullie een goede reis gehad?'

'Prachtig. Maar natuurlijk is het altijd heerlijk met Heaven ergens naar toe te gaan,' zei Logan. Hij sloeg zijn arm om mijn schouders en drukte me even tegen zich aan om de nadruk erop te leggen. Tony knikte met een geamuseerde blik.

'Goed zo. Jullie gedragen je zoals een jonggehuwd paar zich hoort te gedragen. Ik ben blij dat jullie je huwelijksreis in Farthy zijn begonnen. De auto staat buiten. Maak je geen zorgen over je bagage. Ik heb iemand die ervoor zorgt. Laten we naar Farthy gaan, waar je kunt uitrusten en we elkaar gauw kunnen leren kennen,' zei hij tegen Logan.

Hij wendde zich weer naar mij; zijn blauwe ogen waren kalm en ondoorgrondelijk. Hij had zich weer beheerst en was zoals altijd de situatie weer volkomen meester.

'Hoe gaat het met Jillian?' vroeg ik zachtjes.

'Dat zul je zelf wel zien,' zei hij. 'Laten we geen domper zetten op de vreugde van je aankomst. Ik heb een mooie receptie gepland en het weer belooft perfect te zijn,' zei hij, terwijl we naar de aankomsthal liepen. 'Mijn personeel heeft als een paard gewerkt om het terrein onberispelijk in orde te maken. Farthy heeft er nog nooit zo trots en majestueus uitgezien, maar het heeft ook zelden reden ertoe.'

'Ik brand van verlangen om het te zien,' zei Logan. Tony keek me met een zelfingenomen glimlachje aan toen we uit de luchthaven kwamen. Zijn lange zwarte limousine stond bij het trottoir. Miles stond ernaast en hield het portier voor ons open.

'Miles.' Ik holde naar hem toe om hem te omhelzen.

'Fijn u weer te zien, juffrouw Heaven. Iedereen is erg blij met uw bezoek.'

'Dank je, Miles. Dit is mijn man, Logan Stonewall.'

'Hoe maakt u het, meneer.'

'Goed. Dank u,' zei Logan, en we gingen gedrieën achterin de auto zitten. 'Dit is nog eens een manier om te reizen,' zei Logan, die zijn benen uitstrekte en achterover leunde op de zachtleren bank. Toen boog hij zich weer snel naar voren. 'Is dat een bar?'

'Ja. Wil je wat drinken?' bood Tony aan.

'Graag,' zei Logan, wat me verbaasde. Hij dronk niet vaak alcohol. Tony trok het drankkastje naar voren en Logan vroeg om een highball.

'Heaven?'

'Nee, dank je, Tony. Als ik nu iets dronk, zou ik in slaap vallen,' zei ik. Tony maakte Logans drankje klaar terwijl we over de drukke hoofdweg reden.

Tony keek naar me met een geamuseerde glimlach. Mijn hart begon sneller te kloppen. Het landschap buiten flitste voorbij, maar alles – geluiden, vormen, kleuren – was levendig, elektrisch.

'Is Curtis, de butler, er nog en Rye Whiskey, de kok?' vroeg ik aan Tony.

'Natuurlijk. Farthy zou Farthy niet zijn zonder die twee.'

'Rye Whiskey?' lachte Logan.

'Zijn echte naam is Rye Williams, maar iedereen noemt hem Rye Whiskey.'

'Niet iedereen,' zei Tony. 'Ik houd nog altijd een schijn van waardigheid op tegenover mijn personeel.'

Ik draaide me om en keek uit het raam. Ik wilde Farthinggale Manor net zo zien als die eerste keer. Ik wilde dezelfde opwinding voelen, hetzelfde gevoel van iets nieuws. Ik herinnerde me dat ik onder de indruk was van een huis dat een naam had, en nu dacht ik dat dat heel terecht was, want Farthy was iets dat leefde voor me; het had zijn eigen persoonlijkheid, zijn herinneringen en zijn verleden. Ook al wilde ik het niet bekennen, ik kwam thuis, keerde terug naar een deel van mezelf dat ik gehoopt had te overwinnen door met Logan te trouwen.

We reden naar het noorden, weg van de stad. Na een tijdje werd de weg omzoomd door hoge, sierlijke, schaduwrijke bomen en uitgestrekte groene gazons. Het was een heldere zomerdag en het gebladerte pronkte in volle glorie. Het was een dag om hoop te koesteren, een dag om een nieuw leven te beginnen.

'Weet je,' zei Logan terwijl we verderreden, 'ik heb het nooit zo beseft, maar New England lijkt veel op de Willies, zonder de bergen en de hutten. Deze huizen zijn allesbehalve hutten, hè, Heaven?'

'Ja,' zei ik. 'Maar de Willies zouden de Willies niet zijn zonder die hutten,' voegde ik er zachtjes aan toe.

'We gaan in Winnerow wonen,' legde Logan snel uit. 'We blijven voorlopig nog in de hut, maar we zijn van plan binnenkort een eigen huis te bouwen.'

'Is het heus?' vroeg Tony. Hij keek met half dichtgeknepen ogen naar Logan. Ik kon zijn gedachten bijna horen. Hij was bezig zijn oorspronkelijke mening over Logan te herzien, alsof hij een onverwachte ontdekking had gedaan. 'Je zult straks een heel mooi en groot huis zien,' ging hij verder. 'Farthy is gebouwd door mijn over-over-overgrootvader, en elke oudste zoon die het overneemt brengt een verbetering aan.'

'O, ja?' zei Logan met opengesperde ogen. Hij keek met zoveel opwinding en enthousiasme naar mij dat hij me even deed denken aan een kleine jongen die op het punt staat een prachtig nieuw stuk speelgoed te krijgen.

'Je kunt het direct zien,' kondigde Tony aan. Logan leunde naar voren om uit te kijken naar de opening tussen de bomen. Miles nam een bocht en reed de lange, smalle privé-weg op, aangegeven door de hoge, smeedijzeren hekken waarop met sierlijke letters stond FARTHINGGALE MANOR.

'Ik ben eens langs dit hek gereden,' zei Logan weemoedig. 'Toen probeerde ik genoeg moed te verzamelen om naar binnen te gaan en Heaven op te zoeken.'

'O? Het schijnt dat je geduld en doorzettingsvermogen succes hebben gehad,' zei Tony met een knipoog naar mij. Ik drukte mijn gezicht tegen de ruit en zag de balsem-, pijn- en sparrebomen voorbijzoeven, toen we de ronde oprijlaan naderden. Het grote huis van grijze steen doemde voor ons op. Het rode dak rees omhoog en vormde een schitterend silhouet tegen het kobaltblauw van de lucht. Het was nog even adembenemend als altijd. Toen ik naar Logan keek, zag ik dat hij onder de indruk was.

'Het ziet er echt uit als een kasteel,' zei hij.

'En de prinses komt thuis,' voegde Tony eraan toe, en legde glimlachend zijn hand op de mijne.

Miles stopte voor de brede trap die naar de gebeeldhouwde, poortvormige houten deur leidde.

'De rondleiding begint,' kondigde Tony aan. Ik kon Logans enthousiasme en opwinding voelen toen hij de rest van zijn drankje naar binnen sloeg en haastig uitstapte. Ik volgde hem een stuk langzamer, ik was plotseling bang. Ik keek even naar de hoge heggen van de doolhof. Aan het andere eind van die gangen lag Troys kleine bungalow. Ondanks de stralende zon en de heldere blauwe lucht leek het of er een nevel hing rond die heggen die hun geheim bewaakte.

Logan wist niet waar de doolhof naar toe leidde, maar hij wist wel hoeveel ik vroeger van Troy had gehouden. Hij was zelfs op de hoogte van onze korte en tragische verloving. Hij was dat allemaal te weten gekomen toen hij me had verpleegd toen ik met hoge koorts in de hut lag. Het was Troy om wie ik riep, Troy die ik meende te zien als ik mijn koortsachtige ogen opende en Logans bezorgde gezicht zag. Ik herinnerde me hoe gekwetst hij zich gevoeld had.

'Waarom vertrouw je me niet?' had hij gevraagd toen hij dacht dat ik sliep. Zijn stem klonk teder, zijn handen waren zorgzaam en liefdevol toen hij het vochtige haar van mijn voorhoofd streek. 'Ik heb je gezien met die Cal Dennison en ik had hem door de muur willen schoppen. Ik heb je één keer gezien met die Troy om wie je steeds maar roept, en ik haatte hem. Ik ben een idioot geweest, Heaven, een verdomde idioot, en nu ben ik je kwijt.'

Maar achteraf was hij me toch niet kwijtgeraakt, en nu voelde ik me schuldig als ik zelfs maar naar de doolhof keek en dacht aan Troy en de liefde die verloren ging toen hij zich van het leven beroofde. Ik kon er niets aan doen dat die herinneringen bij me opkwamen en de tranen in mijn ogen deden springen. Ik verborg mijn gezicht voor Logan, want ik wist hoe oneerlijk het was om te denken aan een andere man van wie ik had gehouden, zelfs al dacht ik maar een paar seconden aan hem.

'Ongelooflijk,' zei Logan, met zijn handen op zijn heupen. Zijn hoofd ging op en neer toen hij het land voor hem overzag.

'We zullen naar binnen gaan, jullie frissen je een beetje op en dan zal ik je rondleiden... of wil jij het liever doen, Heaven?' vroeg Tony snel.

'Wat? Nee, nee, het is goed. Ik ga eerst even naar Jillian,' zei ik, terwijl ik naar de donkere, hoge en brede ramen keek waarachter mijn grootmoeder van moeders kant zich had opgesloten.

'Natuurlijk,' zei Tony, en bracht ons naar de voordeur, die Curtis precies op het juiste moment, als op een wachtwoord, opende. Hij deed glimlachend een stap achteruit en ik liep naar hem toe om hem te begroeten.

'Welkom thuis, Miss Heaven,' zei hij, en ik bloosde. Toen ik naar Tony keek, zag ik een tevreden uitdrukking op zijn gezicht. Ik verdacht hem er half en half van dat hij Curtis had opgedragen dat te zeggen. Ik stelde Logan voor, die hem snel en oppervlakkig begroette en toen naar binnen ging. Logan liep langzaam rond; hij leek een beetje op een bergbewoner die voor het eerst uit de bergen afdaalt. Het deed me denken aan de eerste keer dat ik Farthy had gezien. Hoe lang geleden leek dat nu. Hoe snel was ik gewend geraakt aan al die rijkdom.

Ik tuurde in de enorme zitkamer en staarde naar de vleugel waarop Troy altijd speelde als hij naar het grote huis kwam. Even meende ik weer de melodieuze klanken te horen van Chopin, de muziek die me altijd weer verrukte en ontroerde. In gedachten zag ik Troy daar zitten, terwijl hij zijn lange, slanke vingers over het toetsenbord liet glijden. Bevend bleef ik in de deuropening staan.

'Heaven?'

'Wat?' Ik draaide me langzaam om en keek naar Logan en Tony.

'Je lijkt wel versuft!' zei Logan.

'Sorry. Wat zei je?'

'Ik vertelde Logan dat ik je oude kamer voor je in gereedheid heb laten brengen; ik dacht dat je je daar het prettigst zou voelen,' zei Tony.

'O, natuurlijk. Dank je, Tony. We gaan meteen naar boven.'

'Jullie koffers zijn aangekomen en worden nu naar boven gebracht,' ging hij verder. We liepen naar de marmeren trap.

'Ik heb nog nooit zoveel muurschilderingen in één kamer gezien,' zei Logan, toen hij in de muziekkamer keek. 'Het lijkt wel een museum.' Tony lachte. 'Mijn vrouw maakte illustraties voor kinderboeken. Dat was voordat ze gek werd...' Tony aarzelde, wilde kennelijk het woord terugnemen.

Hij schraapte zijn keel. 'Ik ben bang dat ik haar een beetje te veel de vrije hand heb gegeven hier.'

Logan spande zich in om het koepelvormige plafond te bekijken met de geschilderde lucht, de vliegende vogels, een man op een tovertapijt en een geheimzinnig kasteel dat half verborgen was achter de wolken.

'Kinderen zouden het hier prachtig vinden,' zei Logan.

'Dat ben ik met je eens,' zei Tony snel. 'Ik hoop dat er hier eens kinderen zullen zijn om ervan te genieten.' Weer keek hij me scherp aan. 'Ik stel voor dat de twee verliefde kinderen nu naar boven gaan om zich wat op te frissen. Jullie zullen vast wel even alleen willen zijn vóór het eten.'

Maar Logan bleef het plafond bestuderen of hij Tony niet gehoord had.

'Logan,' zei ik. 'Ik wil graag een douche nemen.' Ik liep de trap op. 'Logan?'

'Wat? O, ja, natuurlijk.'

Haastig liep hij achter me aan de trap op naar mijn oude kamers. 'Hemel, wat een suite,' zei hij, toen we door de brede dubbele deur naar binnen gingen. De bedienden hadden onze koffers boven gebracht en een van de dienstmeisjes was al bezig onze kleren in de kasten van de slaapkamer te hangen.

De heldere middagzon scheen door de ivoorkleurige gordijnen naar binnen, zodat de zitkamer nog warmer leek dan gewoonlijk. Het groen, violet en blauw in het ivoorkleurige, zijden behang leken nog levendiger dan vroeger. Het was of de kamer al zijn charme en schoonheid gebruikte om me terug te winnen. Logan had er maar een klein deel van gezien, maar hij was diep onder de indruk, bedwelmd door Farthy's majestueuze omvang en schoonheid. Hij plofte neer op een van de twee kleine bankjes en strekte zijn armen naar me uit.

'Je hebt inderdaad geleefd als een prinses,' zei hij. 'Ik kan niet geloven dat je dit alles hebt opgegeven om in een hut in de Willies te gaan wonen.'

'Toch is dat zo,' zei ik. 'En je hoort blij te zijn dat ik het heb gedaan. Anders hadden we elkaar misschien nooit meer teruggevonden.' Toen ging ik op zachtere toon verder: 'Ik ben zo blij dat ik je bruid ben, meneer Stonewall.'

Spontaan boog ik me naar hem toe en kuste hem.

'Heaven, schat,' zei hij. 'Ik weet niet wat ik zonder jou had moeten beginnen... Als jij niet...' Hij pakte mijn schouders beet. 'Ik zou je voorgoed verloren hebben.' We kusten elkaar weer, tot ik besefte dat het dienstmeisje op de drempel stond.

'Kan ik nog iets voor u doen, mevrouw Stonewall?' vroeg ze. Ze was nieuw, een vrouw van waarschijnlijk begin veertig, een beetje te stijf en netjes naar mijn smaak, maar waarschijnlijk een uitstekende hulp.

'Nee, ik geloof het niet. Hoe is je naam?'

'Donna.'

'Dank je, Donna. Hoe lang werk je al in Farthy?'

'Net een week, mevrouw.'

'Speciaal voor ons aangenomen,' zei Logan. Ik vroeg me af of dat waar was.

'Dat is alles, Donna. Dank je.' Ik keek haar na toen ze wegging, terwijl Logan de slaapkamer inliep en zachtjes floot.

'Over slaapkamers voor prinsessen gesproken,' zei hij. Hij stond naast het reusachtige hemelbed met de kanten baldakijn.

'En een bed dat voor vorsten bestemd is,' zei ik plagend. Ik pakte zijn hand en trok hem naast me.

Hij wipte op en neer op de matras. 'Geweldig.' Hij stond ogenblikkelijk weer op en liep door de garderoberuimte naar de badkamer, terwijl ik me uitkleedde om een douche te nemen. 'Ik geloof niet dat er een mooiere huwelijkssuite bestaat in welk hotel dan ook,' zei hij.

'Dat weet ik nog zo net niet, meneer Stonewall. We zullen de proef op de som moeten nemen, hè?' Ik voelde me opgewonden. Hier was mijn eigen man. Ik verlangde naar de voltrekking van ons huwelijk. Al was ik geen maagd meer, ik was een maagd met hem en ik verlangde ernaar hem te kennen als mijn eerste minnaar – daar had ik al meer dan tien jaar naar verlangd. En nu waren we hier, en hij leek nerveus, onzeker hoe hij zijn jongensachtige liefde voor me moest omzetten in de rijpe hartstocht van een man voor een vrouw. Ik wachtte tot hij me in zijn armen zou nemen, met zijn lichaam zijn liefde zou bewijzen.

'Ik hoop maar dat de suite in Virginia Beach net zo mooi is!' zei Logan. Hij draaide zich om en keek naar me. Ik stond in mijn bustehouder en slipje voor hem.

'Ga je een douche nemen en je verkleden?' vroeg hij.

'Ik wilde wat gaan liggen en rusten. Voel jij je niet een beetje moe, schat?' Ik bracht een tedere en dromerige uitdrukking mijn ogen, wilde hem in gedachten dwingen bij me te komen.

'Nee, ik ben veel te opgewonden om te rusten. Ik denk dat ik naar beneden ga om met Tony te praten,' zei hij.

'Als je dat graag wilt,' antwoordde ik en probeerde de teleurstelling uit mijn stem te weren.

Hij gaf me een vlugge zoen en ging weg. Dit was niet de manier waarop ik onze middag had gepland. Ik verlangde ernaar dat hij me in zijn armen zou nemen en alle geesten van mijn liefde voor Troy, die in dit huis rondspookten, zou verjagen. Ik had er behoefte aan met hem alleen te zijn; ik wilde dat hij me zou bewijzen dat ik de hartstocht kon vinden in de armen van mijn echtgenoot. Waarom leek mijn man liever op onderzoek uit te gaan dan onze innige liefde te ervaren? Ik ging voor de toilettafel zitten en keek in de spiegel. Plotseling moest ik lachen.

'Dit is niet te geloven, Heaven Leigh Stonewall. Je bent jaloers op een huis. Dat is toch werkelijk al te gek, niet?' Mijn beeld in de spiegel reageerde niet.

Nadat ik had gedoucht en me aangekleed liep ik de gang af naar Jillians suite. Het was meer dan twee jaar geleden sinds ik haar die dag had verlaten, staande voor de boogvormige erkerramen, terwijl het zonlicht op haar haar scheen. Ik was haar gaan verachten en wilde haar nooit meer zien.

Martha Goodman begroette me in de zitkamer. Ze had in de stoel met de hoge rug zitten breien, rechts van de deur naar Jillians slaapkamer. Zodra ze me binnen zag komen, stond ze glimlachend op om me te begroeten.

'Heaven, wat goed u weer te zien,' zei ze, haar hand uitstekend. 'Gefeliciteerd met uw huwelijk. Meneer Tatterton vertelde me dat u zou komen.'

'Dank je, Martha. Hoe gaat het met... mijn grootmoeder?' informeerde ik. 'Beseft ze dat ik terug ben? Weet ze dat ik getrouwd ben?'

'O, ik ben bang van niet. Heeft meneer Tatterton u niet op dit bezoek voorbereid?' vroeg ze. Ik schudde mijn hoofd. 'Ze is veranderd, heel erg veranderd.'

'Hoe?'

'Kijk zelf maar,' zei ze bijna fluisterend. 'Mevrouw Tatterton zit voor haar toiletafel, ze maakt zich klaar voor de gasten.' voegde ze eraan toe. Ze boog haar ronde gezicht naar rechts en knikte triest.

'Gasten?'

'Mensen die ze zegt te hebben uitgenodigd om een oude film te bekijken in haar privé theatertje.'

'O.' Ik keek naar de deur van de slaapkamer. 'Ik kan het maar beter zo gauw mogelijk achter de rug hebben.' zei ik, en klopte zachtjes op de deur. Na een ogenblik hoorde ik Jillians stem, die zachter, jonger en gelukkiger klonk.

'Ja?'

Ik keek naar Martha Goodman, die even haar ogen sloot en knikte, voor ze terugliep naar haar stoel. Ik ging naar binnen.

Jillian zat achter haar marmeren toilettafel, gekleed in een van haar wijde ivoorkleurige gewaden, afgezet met perzikkleurige kant. Ze zag eruit als een circusclown. Haar haar was helgeel geverfd en opgestoken in dunne, stijve pieken. Haar gezicht leek op gebarsten porselein, op haar wangen waren felrode plekken rouge. Over haar oogleden was eyeliner gesmeerd; de lijn liep omlaag in de gerimpelde ooghoeken. De vuurrode lippenstift was dik opgebracht en zat aangekoekt in haar mondhoeken.

Maar toen ik langs haar heen keek naar de spiegel, zag ik tot mijn afschuw een ovaal stuk kale muur. Het glas in de spiegel boven de toilettafel was eruit gehaald. Jillian zat voor de lege lijst en staarde naar een herinnering van zichzelf.

Ik keek naar haar bed en zag de ene jurk na de andere uitgespreid op de deken liggen. Tientallen paren schoenen stonden op de grond naast het bed. Laden van kasten stonden open en ondergoed en kousen hingen over de zijkanten. Al haar juwelenkistjes stonden open. Glinsterende kettingen, met juwelen bezette oorhangers, armbanden met diamanten en smaragden lagen verspreid op de ladenkast.

De kamer zag eruit of hij overhoop was gehaald door een krankzinnige. Ik wist niet wat ik moest doen. Jillian was veel meer achteruitgegaan dan ik me ooit had kunnen voorstellen.

Toen zag Jillian me en ze glimlachte, een demonische glimlach, die haar clowneske uiterlijk nog angstaanjagender en pathetischer maakte.

'Leigh,' zei ze met geforceerde opgewektheid. 'God zij dank dat je er bent. Ik word helemaal gek; ik weet gewoon niet wat ik vandaag aan moet trekken. Je weet toch wie er komen, hè?' ging ze hardop fluisterend verder.

Ze keek om zich heen in de kamer, alsof iemand haar kon afluisteren. 'Iedereen die belangrijk is. Ze komen mijn theater bekijken.'

'Hallo, grootmoeder,' zei ik, haar woorden negerend. Als ik er niet op inging, zou ze er misschien wel mee ophouden. Maar in plaats daarvan leunde ze achterover en keek me kwaad aan, alsof ze heel iets anders had gehoord.

'Wat bedoel je, dat je er niet bij wilt zijn? Ik heb met opzet invloedrijke mensen uitgenodigd op Farthinggale, zodat zij en hun zoons kennis met je kunnen maken. Je hoort belangstelling te hebben voor jongens van je eigen leeftijd. Het is niet gezond voor je om... om alleen maar met Tony om te gaan.'

'Grootmoeder, ik ben Leigh niet. Ik ben Heaven, je kleindochter,' zei ik, terwijl ik een stap de kamer in deed. 'Ik ben getrouwd, grootmoeder. Hij heet Logan, Logan Stonewall, en we zijn teruggekomen in Farthy omdat Tony een receptie voor ons geeft.'

Ze schudde haar hoofd, hoorde blijkbaar geen woord van wat ik zei.

'Ik heb je zo vaak gezegd, Leigh, dat je niet half gekleed naar mijn slaapkamer moet komen. Je bent geen kind meer. Je kunt niet zo rondlopen, vooral niet waar Tony bij is. Je moet meer zelfrespect hebben, discreter zijn. Een dame, een echte dame, doet zoiets niet. Ga je nu aankleden.'

'Jillian.' Ik dacht dat ze zou inzien dat ik het was als ik haar voornaam gebruikte. Ik wist hoe verschrikkelijk ze het vond om grootmoeder te zijn. 'Leigh is weg; Leigh is dood,' zei ik zachtjes. 'Ik ben Heaven.'

Ze knipperde met haar ogen en ging stijf rechtop zitten.

'Dit is de laatste keer dat ik zoiets verdraag,' zei ze met schorre stem. 'Je stookt iedereen tegen me op. Maar iedereen kent de waarheid, Leigh, de waarheid over je verachtelijke, verleidelijke gedrag. Jaloers? Ik?' snoof ze verontwaardigd. 'Jaloers op mijn eigen dochter? Belachelijk.' Ze draaide zich om, keek in de denkbeeldige spiegel en glimlachte kalm en zelfverzekerd. 'Je zult nooit met mijn schoonheid kunnen wedijveren, Leigh, de schoonheid van een rijpe vrouw. Je bent nog een kind.'

Ze bekeek zichzelf in de zogenaamde spiegel en begon haar haar te borstelen. 'Ja, ik weet wel wat je doet, Leigh,' zei ze. 'Tony heeft erover geklaagd en ik heb het je zien doen, dus probeer maar niet het te ontkennen. Je lichaam is bezig zich te ontwikkelen. Dat zal ik niet ontkennen. Per slot ben je mijn dochter. Je zult mooi worden, opwindend mooi, en als je goed luistert en goed je best doet met je haar en je make-up, en voor jezelf zorgt zoals ik, zul je op een dag even mooi zijn als ik.' Plotseling hield ze op met borstelen en sloeg met de borstel op de rand van de toilettafel. 'Wat verwacht je dat Tony doet? Natuurlijk kijkt hij naar je, maar dat betekent niet wat jij denkt dat het betekent. Ik heb gezien hoe je verleidelijk met je lichaam langs hem strijkt, o, ja, dat heb ik heus wel gezien!'

'Jillian...' Ik kon niet geloven dat ze nog steeds mijn moeder de schuld gaf van alles wat er gebeurd was. 'Je bent gek, oud wijf, je bent stapelgek! Dat heeft mijn moeder nooit gedaan! Jij was het! Jij was de oorzaak van alles. Mijn moeder was puur en onschuldig! Ik weet dat ze dat was!' Ik trilde van woede. Ik weigerde te geloven dat mijn eigen moeder Tony had uitgedaagd. Ik wilde, ik kón het niet geloven! 'Jouw jaloezie heeft mijn moeder het leven gekost. Zelfs je waanzin kan daar niets aan veranderen.'

Ze zweeg en richtte zich met een ruk op. 'Waarom kijk je me zo aan? Je hebt nooit geweten dat ik je volgde, hè? Je hebt nooit geweten dat ik daar stond, vlak voor zijn deur, in de schaduw. Maar dat heb ik gedaan... Ik kon mezelf niet ertoe dwingen naar binnen te gaan en er een eind aan te maken, maar ik stond er. Ik was er,' fluisterde ze.

Ik staarde haar aan. Kon het waar zijn wat ze zei? Kon mijn moeder Tony hebben verleid? Ik weigerde het te geloven. En toch... toch... Ik had Troy verleid. Ik kende de hartstocht die me in het bloed zat; had ik de hartstocht van mijn moeder geërfd? Misschien was dat wat dominee Wise in me had gezien toen hij voorspelde dat ik alles wat ik liefdhad en iedereen die mij liefhad zou vernietigen.

Ik holde naar buiten, naar Martha Goodman, die kalm in haar stoel zat te breien.

'Je moet haar tegenhouden!' riep ik uit. 'Ze wordt krankzinnig daarbinnen; ze maakt zich op met lagen en lagen rouge en lippenstift.'

'O, ze wordt straks wel moe,' zei Martha met een flauwe glimlach. 'Dan haal ik haar over haar medicijnen te nemen, overtuig haar ervan dat het een vitamine is die haar eeuwig jong zal laten blijven, en dan maak ik haar gezicht schoon en ruim de rommel op en gaat ze slapen. Maakt u zich maar niet ongerust.'

'Maar beseft Tony dan niet hoe erg het met haar is? Zijn er geen artsen bij geweest?'

'Natuurlijk wel. De artsen willen dat ze naar een inrichting gaat, maar meneer Tatterton wil er niets van weten. Het kan geen kwaad. Meestal is ze heel gelukkig.'

'Ze herinnert zich mij niet, hè?' Ik liep naar haar slaapkamer.

'Nu niet, nee. Ze praat veel over uw moeder,' zei Martha en staarde naar haar breiwerk. Ik begreep dat ze veel van de afschuwelijke waarheid had gehoord in het waanzinnige gepraat van mijn grootmoeder.

Ik liep snel Jillians suite uit, vluchtte voor de beelden die ze had opgeroepen. Toen ik terugkwam in onze suite zocht ik het dikke fotoalbum op van mijn moeder. Ik bekeek aandachtig haar schoolfoto's, in de hoop mijn mening te kunnen bevestigen dat ze mooi was maar onschuldig, wild maar zuiver. Als ik maar één ogenblik, één enkel ogenblik, diep in die blauwe ogen kon kijken, dacht ik, dan zou ik de waarheid weten. Maar wilde ik die weten?

'Vertel me niet dat je al die tijd hier hebt gezeten.' Ik schrok op toen Logan binnenkwam. Ik had me niet gerealiseerd hoe lang ik daar had gezeten, denkend aan het verleden. Ik sloeg snel het fotoalbum dicht.

'Nee,' mompelde ik. 'Ik ben een tijdje bij mijn grootmoeder geweest. Toen keek ik naar mijn Logan en toverde een stralende glimlach te voorschijn. 'En wat heeft Tony je laten zien?'

'Alles,' zei Logan, vol bewondering het hoofd schuddend. 'Dit hele paradijs dat Farthinggale Manor heet. Ik kan gewoon niet geloven dat er binnen een zwembad is! Die doolhof, het meer, de stallen, al dat land en een privé-strand.'

'Tony heeft je de grote rondleiding gegeven.'

'Dat mag ik wel zeggen. Natuurlijk is hij er erg trots op, trots op wat het is, trots op wat hij ervan gemaakt heeft, en trots op wat het nog kan worden,' ging Logan verder. Hij is een fascinerende man, intelligent, heel sluw in zaken en politiek. Ik heb nooit beseft wat Tatterton Toys eigenlijk is, tot hij het me net heeft uitgelegd.'

'Is het heus?' Ik leunde met een flauw glimlachje achterover. Logan gedroeg zich als een verrukte kleine jongen.

Hij glimlachte en ik sloeg mijn armen om hem heen en kuste hem. Het was een lange, hartstochtelijke kus. Zijn omhelzing werd inniger en ik voelde de tinteling die maakte dat ik me dichter tegen hem aandrukte.

'Altijd als ik je zoen,' fluisterde ik in zijn oor, 'moet ik aan onze eerste zoen denken. Weet je nog?'

'Ja, ik weet het nog,' mompelde hij. Maar ik was degene geweest die het had uitgelokt. Hij had me naar huis gebracht en was op het pad blijven staan. Ik was zo opgewonden door de manier waarop hij die dag voor me had gevochten, dat ik stond te popelen dat hij de moed zou opbrengen me in zijn armen te nemen.

'Je zei: "Logan, lijk ik niet te veel op Fanny als ik je een zoen geef, omdat je zo precies bent wat ik wil?" En toen zoende je me, maar zo hartstochtelijk...'

Ik wendde me af.

'Wat is er?'

'Niets,' zei ik. Toen keek ik naar hem met mijn verleidelijkste glimlach.

'We hebben nog wat tijd voor we gaan eten,' zei ik flirtend.

'Om de huwelijksreis te beginnen,' voegde hij eraan toe met een wellustige blik.

'O, Logan, ik...'

Hij nam me in zijn armen en kuste me. Toen begon hij me uit te kleden. Ik sloot mijn ogen en liet de sensualiteit van zijn aanraking al mijn gedachten uitwissen. Ik liet me volledig gaan en gaf me over aan het verlangen van onze lichamen.

Toen Logan en ik naast elkaar lagen voerden zijn zoenen en liefkozingen me mee in een zee van tederheid. En toen hij in me kwam joeg de glans van zijn liefde alle schaduwen weg van mijn duistere, verboden liefde. Zo zou het voortaan zijn, Logan en Heaven, Logan die me aanraakte, Logan die me zoende, Logan die me liefkoosde, Logan die zo vol tederheid met me vrijde. Niet de wilde, verboden hartstocht die ik had gekend met Troy, niet het soort allesverterende liefde die de wereld had laten verdwijnen en maakte dat je je vastklampte aan de liefde als aan een reddingsvlot in een woelige zee, maar de zachte, kabbelende golfjes van een liefde die koesterend en teder was als een warme vijver in de zomer, zoals mijn leven met Logan zou worden.

Daarna viel Logan in mijn armen in slaap. In de vage nevel van de schemering keek ik om me heen. Ik was weer in Farthy en ik had net gevrijd met mijn echtgenoot. Had mijn moeder jaren geleden, binnen deze zelfde muren, haar jonge lichaam even gretig geperst tegen dat van haar moeders echtgenoot en mij daarbij verwekt?

Ik sloot mijn ogen. Ik begreep nu hoe het kon dat geesten voortleefden. Ze leefden voort in onszelf, kwelden ons door ons naar dezelfde dingen te laten hunkeren. Mijn moeder leefde voort in mijn begeertes. Maar mijn begeertes waren puur en gezond, want nu begeerde ik alleen mijn man, en ik zou nooit meer iemand anders begeren. Ik nestelde me tegen Logans warme, slapende lichaam.

3. HET AANBOD

Toen ik de volgende ochtend wakker werd, was Logan verdwenen. De zon die door de dunne gordijnen naar binnen scheen wekte me, en ik draaide me om naar mijn man voor een ochtendzoen en een omhelzing, maar werd begroet door een leeg kussen. 'Logan?' riep ik. Snel sprong ik uit bed, holde naar de badkamer en klopte zachtjes op de deur. 'Logan?' Ik hoorde niets, geen geluid van stromend water, geen gezang van een gelukkige echtgenoot onder de douche. Als klein meisje had ik altijd gedroomd van een vrolijk ochtendtafereeltje, als mijn man zich schoor en ik op de rand van het bad naar dat mannelijke ritueel zat te kijken. En dat was me nu al ontstolen – op de eerste dag van mijn huwelijksreis! – en ik wist bijna zeker wie dat op zijn geweten had: Tony.

Ik herinnerde me dat Tony gisteravond aan tafel had voorgesteld Logan vandaag rond te leiden in de speelgoedfabriek van de Tattertons. 'Waarom ga je niet mee, Heaven? Per slot zal het later allemaal van jou en van Logan zijn,' voegde hij eraan toe met een knipoog naar Logan. Ik was niet van plan me door Tony weer tot zijn oude plan te laten overhalen om in het bedrijf te komen. 'Nee,' had ik volgehouden. 'Logan en ik waren van plan morgen in bed te ontbijten en daarna op ons gemak het terrein van Farthy te gaan verkennen, hè, schat?' Maar Logan zat al gevangen in Tony's web, gevleid door Tony's aandacht, gehypnotiseerd door de manier waarop Tony hem behandelde als lid van de familie en erfgenaam.

Ik trok een vrolijk gebloemde voile jurk aan, die bij mijn uitzet hoorde, en liep de trap af. Ik dacht dat Logan misschien met Tony zat te ontbijten. Toen ik bovenaan de trap kwam, hoorde ik de schrille, meisjesachtige stem van Jillian:

'Zie ik er vandaag extra mooi uit? Dit is zo'n bijzondere dag. Vertel me, ben ik de mooiste van allemaal? Ja? Ja?'

‘Dat ben je, lieve, de mooiste van allemaal,’ hoorde ik de kalmerende stem van Martha Goodman.

Met de verdwijning van mijn echtgenoot en de vreemde geluiden die uit Jillians kamer naar buiten drongen, had ik het gevoel dat de verwrongen wereld van Farthy weer zijn armen naar me uitstrekte om me te vangen. Bijna tegen mijn wil werd ik naar Jillians suite getrokken. O, waar was Logan toch, en waarom had ik erin toegestemd hier te komen vóór we op huwelijksreis gingen? Ik had moeten weten dat het er niet beter op zijn geworden, alleen maar erger.

‘Martha?’ riep ik. Martha Goodman verscheen op de drempel. ‘Martha, wat is er aan de hand?’ vroeg ik.

‘O, niets ongewoons, Heaven,’ antwoordde ze, alsof Jillians stem altijd door de gangen galmde. ‘Meneer Tatterton was hier gisteravond laat en hij vertelde mevrouw Jillian over de receptie, en nu is ze erg opgewonden. Ik dacht niet dat ze ze het zich nog zou herinneren, maar ze is sinds vanmorgen vroeg al bezig zich mooi te maken.’

‘Dus ze beseft dat ik er ben en dat ik getrouwd ben,’ zei ik vlug.

‘O, nee.’ Martha schudde droevig het hoofd. ‘Ik ben bang van niet.’

‘Maar... Wat voor verklaring heeft Tony dan voor de receptie gegeven?’

‘Hij heeft het uitgelegd,’ antwoordde Martha. Ze glimlachte en schudde weer het hoofd. ‘Maar Jillian hoorde iets heel anders. ’

‘Hoe bedoel je?’

‘Ze denkt dat het haar eigen huwelijksreceptie is.’

‘Wat?’ Ik sloeg mijn armen om me heen, of ik een kind was dat zichzelf moest beschermen tegen de afschuwelijke waarheid van Jillians waanzin. ‘Ik begrijp het niet. Haar eigen receptie?’

‘De receptie die voor haar werd gegeven toen ze met Tony trouwde en op Farthinggale Manor kwam wonen,’ zei Martha.

‘O... o, ik begrijp het.’

‘Maakt u zich niet bezorgd. Het komt wel goed. Bijna iedereen die uitgenodigd is, weet hoe ze nu is,’ verzekerde Martha me.

‘Natuurlijk. Als ik ergens mee kan helpen, laat het me dan weten,’ mompelde ik en holde naar beneden, op zoek naar Logan. Ik verlangde naar zijn geruststellende armen, verlangde meer dan ooit naar de zekerheid dat mijn leven met hem was, niet hier.

De ontbijttafel werd al afgeruimd door de bedienden. Ik ging naar de keuken om Logan te zoeken. Hij zou toch zeker niet zijn weggegaan zonder zelfs maar goedendag te zeggen op de eerste ochtend van onze huwelijksreis? Maar in de keuken vond ik alleen mijn oude vriend, Rye Whiskey.

‘Miss Heaven!’ riep hij uit. De dikke zwarte kok was blij me te zien, maar ik kon ook angst zien in zijn ogen toen ik binnenkwam. Hij liep meteen naar een zoutvaatje en gooide een paar korrels zout over zijn schouder. Ik lachte niet. Rye was een bijgelovig man, die van zijn voorouders, die nog slaven waren geweest, een erfenis had meegekregen van voortekenen en rituelen.

‘Blij u te zien, Miss Heaven,’ zei hij. ‘Maar heel even dacht ik dat ik weer een geest zag.’

Hij had me altijd al gezegd dat ik zoveel op mijn moeder leek, maar nu mijn haar dezelfde kleur had, stond zelfs hij verbluft over de sprekende gelijkenis.

'Vertel me niet dat je nog steeds geesten ziet op Farthy, Rye,' zei ik plagend. Zijn gezicht bleef ernstig. 'Heb je mijn man soms gezien, Rye, of Tony? Die zijn toch zeker niet plotseling in geesten veranderd?'

'O, Miss Heaven, ze zijn een uur geleden vertrokken. Ze waren nogal enthousiast omdat Master Tony meneer Logan de fabriek zou laten zien. Die man van u weet wel hoe hij Master Tony tot leven moet brengen, hè, Heaven?'

'Ik vrees van wel, ja,' zei ik kalm. Bij mezelf dacht ik dat die vrees groter was dan iemand kon vermoeden. Maar ik wilde niet dat Rye Whiskey mijn angst zou zien, dus kwam ik terug op zijn geliefkoosde onderwerp. 'En wat voor geesten heb je de laatste tijd gezien? Tony's over- overgrootvader of over-overgrootmoeder?'

'Praat niet over de doden, Miss Heaven. Als je hun verleden opgraaft, wordt hun slaap verstoord en gaan ze rondspoken. En er spookt hier al genoeg rond tegenwoordig,' voegde hij eraan toe.

Ik twijfelde er niet aan of Rye wist precies waar alle geesten en geraamten waren in Farthy, maar als alle oude en toegewijde bedienden hield hij de geheimen voor zichzelf. Hij was zo discreet als een portret van een voorouder – hij zag en hoorde alles, maar vertelde niets.

'Ondanks dat zie je er niet slecht uit, Rye,' zei ik. Afgezien van het feit dat hij wat dikker was geworden en zijn grijzende haar nog dunner, was hij niet veel veranderd sinds de dag waarop ik vertrokken was. Hij was al achter in de zestig, maar leek niet ouder dan midden vijftig.

'Bedankt, Miss Heaven. Maar natuurlijk,' ging hij met een glinstering in zijn ogen verder, 'houd ik mezelf gebalsemd.'

'Je neemt nog steeds op geregelde tijden een slokje, hè, Rye?'

'Alleen om een slangebeet te voorkomen, Miss Heaven. En zal ik u eens wat vertellen?'

'Ik ben nog steeds niet door een slang gebeten,' reciteerde ik samen met hem, waarop we lachten.

'Het zal één groot feest worden morgen voor u en uw man, en daar ben ik blij om. Farthy heeft wat geluk en vrolijkheid nodig, het heeft weer mensen en muziek nodig. Ik ben blij dat u er bent, Miss Heaven. Echt waar.'

'Dank je, Rye.' We praatten nog wat over de voorbereidingen en toen liet ik hem alleen.

Het in m'n eentje eten aan tafel, terwijl Curtis naast me stond om me op mijn wenken te bedienen, wekte weer herinneringen bij me op. Zelfs toen Jillian nog gezond was, ontbeet ik alleen. En nu zat ik hier, een getrouwde vrouw, zo heel anders dan het angstige meisje dat voor het eerst naar Farthy kwam, dat bang was voor Curtis, dat niet eens wist hoe ze moest eten in bijzijn van een bediende. O, ik had de manieren van de rijke mensen geleerd, maar het angstige meisje bleef in me voortleven, nog steeds geïntimideerd door Farthy en de macht die het uitstraalde.

Maar het was een schitterende zomerdag, zonder een wolkje aan de lucht, en ik was van plan ervan te profiteren. Na het ontbijt ging ik naar buiten. De zeewind was net voldoende om te voorkomen dat het te warm werd. Ik snoof de zilte zeelucht op en liep de zon in.

Het terrein rond het huis gonsde al van bedrijvigheid. De tuinlieden legden de laatste hand aan de groene gazons en snoeiden de heggen in prachtige figuren van leeuwen en zebra's, fantastische sprookjesdieren. Een reusachtige rode tent, groter dan enige circustent die pa ooit zou bezitten, werd opgericht op het achterste grasveld. Een orkestpodium, groot genoeg voor het Boston Symphony, was opgericht aan het eind van het diepe, turquoise zwembad. Wagonladingen witte smeedijzeren tafeltjes en banken werden aangevoerd om in de tent te plaatsen. Ik zag dat Tony, niet tevreden met de kleurige perken gele, rode en witte rozen, bloedrode papavers, elegante blauwe ridderspoor en andere bloemen, ook nog ovale en hoefijzervormige bloemstukken had besteld, die aan elke beschikbare paal en haak waren opgehangen. Het woord *gelukgewenst* was met rode rozen door een ivoorkleurig latwerk geweven en zou vlak boven het podium worden opgehangen.

Ik slenterde weg van het huis en het lawaai van de mannen die bevelen naar elkaar schreeuwden terwijl ze bezig waren de vrachtwagens uit te laden. Ik wandelde verder, zonder erbij na te denken waar ik heenging, en besefte dat ik in de richting van het strand liep. De gedachte aan Troy had me achtervolgd sinds ik in Farthy was aangekomen. Misschien zou hij me blijven achtervolgen tot ik een laatste keer afscheid had genomen van mijn vroegere minnaar, die in zee was verdronken. De grijze woeste golven leken dreigender dan ooit. 'Vaarwel, Troy,' fluisterde ik tegen de golven, die me nooit antwoord zouden geven. 'Vaarwel, Troy, voor eeuwig en altijd.' Ik ging op het zand zitten en staarde naar de horizon, waar mijn verleden en heden in elkaar oplosten zoals de lucht oploste in de zee.

Plotseling hoorde ik mijn naam roepen en ik draaide me om. Logan kwam op blote voeten en met opgerolde broekspijpen over het zand naar me toe – hij zag eruit als een van de Kennedys, even zelfverzekerd en knap.

'Wat doe je hier, Heaven? Ik loop al een halfuur naar je te zoeken,' riep hij.

'Maar Logan, ik heb jou gezocht. Waar was je vanmorgen?'

'Ik was te opgewonden om te kunnen slapen en ik wilde je niet wakker maken. Is dit niet fantastisch allemaal? Toen ik beneden kwam, was Tony al op, en we besloten meteen maar naar de fabriek te gaan, zodat ik op tijd terug kon zijn om de dag met jou door te brengen. O, Heaven, het was ongelooflijk! En de fabriek... en de grote speelgoedwinkel van Tatterton... geweldig gewoon... de manier waarop Tony een systeem heeft weten te creëren dat de unieke stijl van elk stuk speelgoed van Tatterton weet te behouden. Hij heeft zoveel goede ideeën. Ik wil dat je ze hoort; je moet erover denken.'

'Wat hoort? Waarover denken? Wat bedoel je, Logan?'

'Laten we naar binnen gaan,' zei hij. Hij was zo opgewonden dat hij bijna niet stil kon blijven staan. Hij bracht me regelrecht naar Tony's kantoor en gooide de deur open.

'Tony is een tiran waar het zijn kantoor betreft,' waarschuwde ik hem snel. 'Hij wil niet dat iemand hier komt zonder dat hij er is om je binnen te vragen.' Maar Logan lachte slechts.

'Het is in orde. Hij heeft gezegd dat ik zijn kantoor kan gebruiken.'

'Is dat zo?' Ik was verbijsterd. 'Wat heeft dit allemaal te betekenen, Logan?' Ik was nog verbaasder toen hij Tony's zwarte leren bureaustoel ronddraaide en erin ging zitten of hij van hemzelf was.

'Wat doe je?' informeerde ik.

Hij leunde achterover en legde zijn voeten op Tony's antieke eikehouten bureau, glimlachend alsof hij zichzelf plotseling zag als een grootindustrieel.

'Het is in orde. Heus. Ga zitten.'

Ik schudde verward en verbijsterd het hoofd en ging op de zachtleren, antracietkleurige bank zitten.

'Nu moet je eerst goed naar me luisteren voor je antwoord geeft,' beval hij. Hij zette zijn benen weer op de grond en leunde naar voren over het bureau. 'En beloof me dat je onbevooroordeeld zult luisteren. Zul je dat doen?'

Ik wist dat ik iets zou horen dat me niet zou aanstaan – een of ander plan van Tony om ons leven te beheersen. Maar ik wilde de glanzende zeepbel van Logans opwinding niet doorprikken. 'Ik beloof het plechtig,' zei ik lachend.

Hij haalde diep adem en zei toen: 'Tony heeft me een voorstel gedaan en ik vind dat we het moeten aannemen.'

'Een voorstel? Wat voor voorstel?' vroeg ik achterdochtig.

'Je hebt hem gisteravond aan tafel gehoord... al zijn plannen voor de firma. Nou, dat kan hij niet allemaal in z'n eentje.'

'Hij heeft heel bekwame mensen in dienst,' zei ik. Mijn hart begon te bonzen. Ik voelde wat er ging komen.

'Ja, maar hij is erg op de familie gesteld. Zoals hij zei... wat heeft dit allemaal voor zin als je geen familie hebt met wie je het kunt delen?' zei Logan, zijn armen uitstrekkend naar een denkbeeldig nageslacht.

'Wat heeft dat met jou te maken? Jij bent een apotheker, die in de winkel van zijn ouders werkt.' Ik zag dat hij beledigd was door de koele klank in mijn stem, maar ik kon het niet helpen, ik kon er niets aan doen hoe ik me voelde. Het was in dit kantoor dat Tony me had opgebiecht dat hij mijn vader was; het was door wat hier in dit kantoor was gezegd dat Troy mijn verboden liefde was geworden. Het leek me dat Tony zijn handen weer naar me uitstrekte, zich weer met mijn leven bemoeide, probeerde het te beheersen.

'Ik weet wat ik ben. De vraag is of dat genoeg is. Zul je echt ooit tevreden zijn, na al deze weelde en luxe, om de rest van je leven in Winnerow te wonen, terwijl ik in de winkel van mijn ouders werk, en onze enige toekomst is dat ik die zaak erf? Ik geef toe dat het niet slecht is, als Winnerow inderdaad ons enige streven is, maar...'

'Winnerow was goed genoeg voor ons voordat we hier kwamen, Logan. Ik begrijp die ommezwaai niet. Wat heeft Tony je precies aangeboden?' vroeg ik.

Logan leunde met een zelfingenomen glimlach achterover. Zijn gezicht was me plotseling vreemd geworden, het leek niet meer op het gezicht dat ik zoveel jaren had gekend, het was plotseling een gezicht vol eerzucht geworden. Hij trok zijn schouders recht en keek om zich heen in het kantoor alsof het al jaren van hem was.

'Vice-president belast met de marketing,' kondigde hij aan. 'Ik heb hem een paar suggesties aan de hand gedaan, waarvan hij nogal onder de indruk was. Ze kwamen gewoon bij me op, Heaven,' zei hij, terwijl hij zich weer naar voren boog. 'Het ging me heel natuurlijk af. Ik dacht aan diverse afzetgebieden, manieren van handel drijven, reclame maken... het ging zo gemakkelijk.' Zijn gezicht was geanimeerd, zijn ogen waren wijd opengesperd. Ik staarde hem even aan.

'Bedoel je dat je je beroep van apotheker zou opgeven?' vroeg ik zachtjes.

'O, Heaven, wat geef ik nu helemaal op? Denk eens even na. Bedenk eens wat we zouden kunnen hebben, wat we zouden kunnen zijn.'

'Ik weet wat we hebben en ik weet wat we kunnen zijn,' zei ik. Ik voelde de tranen in mijn ogen prikken, maar ik bedwong ze. 'Wat zouden je ouders zeggen? Die zouden het verschrikkelijk vinden.'

'Doe niet zo mal.' Hij begon te lachen. 'Als ze zien wat ik ervoor in de plaats krijg! Ze zijn niet stom. Ze zullen in de winkel blijven werken tot mijn vader met pensioen wil en dan verkopen ze hem gewoon.'

Ik ging rechtop zitten. Ik voelde mijn trots in me opkomen, mijn teleurstelling maakte plaats voor woede.

'Misschien is het voor jou geen probleem, Logan, maar ik ben onderwijzeres,' zei ik. 'Op mijn manier doe ik veel voor de mensen in Winnerow. Het is altijd mijn droom geweest iets belangrijks voor ze te doen, iets blijvends.' Ik leunde achterover en haalde me de bergbewoners voor de geest, zoals ze tijdens de huwelijksplechtigheid in de kerk hadden gezeten. Ik herinnerde me de trotse uitdrukking op hun gezicht, de hoopvolle blik in hun ogen. Ze zagen iets liefdevols in mij en mijn terugkeer, en nu opperde Logan dat ik mijn droom zonder meer de rug zou toekeren.

'Dat besef ik wel, Heaven,' zei Logan. Hij stond op en liep om het bureau heen. 'En dat heb ik Tony ook uitgelegd. Hij begrijpt het ook, en hij heeft een fantastisch voorstel gedaan, iets waar jij het ook helemaal mee eens zult kunnen zijn.'

'En dat is?' vroeg ik met een ijskoude klank in mijn stem.

'Hij wil een fabriek bouwen in Winnerow en Tatterton speelgoed laten ontwerpen dat gebaseerd is op de houtsnijwerken van de bergbewoners, zoiets als jouw grootvader vroeger deed. Denk je eens in wat dat voor Winnerow en voor de bergbewoners zou betekenen. We zouden mensen uit de Willies kunnen aannemen voor het handwerk. Er zouden banen komen voor mensen die nu nauwelijks een menswaardig bestaan leiden. Ze zullen fatsoenlijke huizen kunnen hebben, hun kinderen zullen nette kleren kunnen dragen...'

'Een fabriek? In Winnerow?'

'Ja.' Hij begon op en neer te lopen en praatte opgewonden verder. 'Een van de eerste dingen die we gaan maken is een miniatuur van de Willies met de bergbewoners, kleine schommelstoelen, waarin oude mensen zoals je grootmoeder en grootvader zitten, hij met zijn houtsnijwerk, zij met haar breiwerk; dieren op de boerderijen, kinderen die naar school gaan... we hebben zelfs gedacht aan een illegale distilleerderij...'

'Dus daarom wilde hij gisteravond zoveel weten over Winnerow,' zei ik, meer tegen mezelf dan tegen Logan. Hij knikte. Ik moest toegeven dat dit voorstel me de wind uit de zeilen nam. Ik dacht diep na. Logan voelde zich aangemoedigd en liep snel naar me toe.

'Vind je het geen fantastisch idee? We noemen het "The Willies". En denk eens aan de ironie... rijke mensen die replica's kopen van de arme mensen, die in de Tatterton Toy Factory werken, Heaven,' zei hij, met een zweem van frustratie in zijn stem. 'Hoe kun je zo rustig blijven zitten? Vind je het niet opwindend?'

'Het is opwindend,' gaf ik toe. 'Maar het komt zo onverwacht. Ik moet er eerst over nadenken. Het is zo plotseling allemaal. Het plan was dat we hier een paar dagen zouden blijven en dan naar Virginia Beach gaan voor de rest van onze huwelijksreis. Ik had geen idee dat dit korte verblijf een volledige verandering van ons leven tot gevolg zou hebben.'

'Natuurlijk, natuurlijk, ik begrijp hoe je je voelt,' zei hij. 'Het is een beetje veel om ineens te verwerken, maar dat zijn grote en belangrijke beslissingen altijd.'

'Dat klinkt meer als iets dat Tony zou zeggen.'

'Dat heeft hij ook gezegd.'

'Dat dacht ik al. Waar is hij trouwens?' Ik keek weer naar de deur.

'Hij moest nog een paar dingen voor de receptie controleren.'

'Heel handig,' zei ik. 'Hij weet wat hij doet om jou te sturen om me te overtuigen.'

'Hij heeft me niet gestuurd, Heaven. Ik heb er zelf op aangedrongen dat ik eerst met jou zou praten.'

Ik schudde verward mijn hoofd. Ik wist niet of ik gemanipuleerd werd of de kans van mijn leven kreeg. Dat gevoel had ik altijd als Tony probeerde me zijn wil op te leggen.

'Mannen als Tony krijgen altijd hun zin,' mompelde ik.

'Maar, Heaven,' zei Logan. 'Wat is daar nou voor verkeerds aan?' Ik keek naar hem op. Ik begreep Logans opwinding en zijn eerzucht, maar ik hield niet van de verandering die zich nu al in hem voltrokken had. Hij was veel te veel onder de indruk van Tony en alles wat met geld te koop was. Logan had nooit enige belangstelling gehad voor macht en rijkdom. Het verbijsterde me hoe overtuigend en hoe invloedrijk een man als Tony kon zijn.

'Het is niet erg als je je zin krijgt,' zei ik, 'zolang andere mensen daardoor maar niet gekwetst worden.'

'Wie kan hier nu door gekwetst worden? De mensen worden alleen maar geholpen, Heaven,' zei hij op kalmere toon. 'Vroeg of laat zou iets dergelijks toch zijn opgekomen. Of je het leuk vindt of niet, jij bent de erfgename van de Tattertons. Er is gewoon niemand anders. Ik begrijp Tony's gevoelens, zijn overwegingen, de reden waarom hij zo vastbesloten is ons deel ervan te maken. Dat kun je hem toch niet kwalijk nemen?'

'Ik weet het,' zei ik vermoeid. 'Ik neem het hem ook niet kwalijk.'

'Nou dan?'

Wat moest ik zeggen? Was ik maar opgegroeid als een normaal jong meisje, met een vader en moeder, die onze hele jeugd bij mij en mijn broers en zusters waren geweest; was ik maar niet van het ene corrupte gezin in het andere terechtgekomen, dan zou ik het niet zo moeilijk hebben met dit soort beslissingen, dacht ik. Was ik de Tatterton die Tony wilde dat ik was, of was ik de Casteel die ik het grootste deel van mijn leven geloofd had te zijn? Vluchtte ik nog steeds voor mijn ware identiteit? Ik had gehoopt dat ik die problemen achter de rug zou hebben als ik eenmaal mevrouw Logan Stonewall was, dat ik alleen maar Logans vrouw zou zijn en we ons eigen gezin zouden stichten, zonder banden met het verleden. Nu ik Logans opgewonden gezicht zag, besefte ik dat ook dat een droom was geweest.

'Laat me even nadenken, Logan. Alsjeblieft.'

'Natuurlijk.' Hij klapte in zijn handen. 'En om je in staat te stellen dat in alle rust te doen stel ik je voor onze reservering in Virginia Beach te annuleren en onze wittebroodsweken in Farthy door te brengen.'

'Wat?' Ik keek verbaasd op. Hij stapelde de ene verrassing op de andere.

'Ja. Denk er eens over na. We hebben hier alles wat iemand maar van een badplaats kan verlangen. Meer zelfs. We hebben ons eigen privéstrand. We hebben geen last van toeristen. 's Avonds kunnen we met de limousine naar Boston en naar het theater gaan en winkelen, we kunnen naar goede restaurants gaan, en overdag kunnen we paardrijden en aan het strand liggen of picknicken. Niemand zal ons storen. Tony is op zijn werk; je grootmoeder blijft in haar kamers. We hebben het hele huis voor onszelf. Wat vind je ervan?'

'Ik weet niet. Ik...' Ik keek om me heen. Het ging allemaal zo snel in zijn werk.

'Aan het eind van de week gaan we terug naar Winnerow en delen mijn ouders ons besluit mee.'

'Ons besluit? Maar... er zijn zoveel dingen die nog beslist moeten worden. Waar moeten we bijvoorbeeld wonen?'

'Hier natuurlijk,' zei Tony. Hij was zo plotseling in de deuropening verschenen dat hij een geest leek die zich gematerialiseerd had. 'Het spijt me dat ik jullie stoor, maar ik kwam iets halen en ik hoorde je laatste vraag.'

'Hier?' Ik keek naar Logan. Hij glimlachte als een Cyperse kat. 'Wat bedoelt hij?'

'Dat bewaarden we als een laatste verrassing,' zei Logan.

We? dacht ik. *We* bewaarden dat als een laatste verrassing? Hij dacht en gedroeg zich al als Tony's partner.

'Welke laatste verrassing?' Ze keken elkaar aan als twee samenzweerders. Was Tony echt bij toeval op het juiste moment binnengekomen of had hij tijdens ons hele gesprek voor de deur gestaan tot hij het wachtwoord hoorde, het "we"?

'Als je mij wilt volgen,' zei Tony, 'zal ik het je laten zien.' Logan bukte zich en pakte mijn hand.

'Kom mee, malle. Laten we eens zien wat hij voor ons heeft. Kom mee.' Hij glimlachte naar me.

Ik stond met tegenzin op; ik wist dat het een blik zou worden op mijn eigen toekomst. We zouden allemaal ongerust zijn als we plotseling de rest van ons leven konden zien, dacht ik. Nu werd ik meegesleept, meegedragen door een momentum dat niet van mijzelf was. Als een marionet hield ik Logans hand vast, en we volgden Tony de marmeren trap op.

'Herinner je je nog die kamers in de zuidelijke vleugel?' zei Tony, toen hij bovenaan de trap rechtsaf ging. 'Die hebben we zelfs voor gasten nooit opengesteld. Mijn grootvader en grootmoeder woonden aan deze kant van Farthy, en ik wilde dat die kamers iets bijzonders bleven.' Hij draaide zich om en keek me aan. 'Ik hoop dat jij dat ook zo voelt, Heaven.'

'Ik begrijp niet wat je bedoelt, Tony,' zei ik. Hij glimlachte alleen maar en er verscheen een schittering in zijn lichtblauwe ogen. Toen liep hij naar de grote mahoniehouten deuren die meestal op slot waren en gooide ze met een zwierig gebaar open. Hij deed een stap opzij om het me te laten zien.

'De suite van de heer en mevrouw Logan Stonewall,' kondigde hij aan.

'Wat?' Ik sloeg mijn armen beschermend om me heen en keek naar Logan. Hij stond naast me, nog steeds glimlachend als de Cheshire kat uit Alice in Wonderland. 'Wat is dit?' Ik liep de suite in.

Bijna alles was vernieuwd. De Franse meubels in de zitkamer waren opnieuw bekleed met gestreepte zij in mijn lievelingskleur: wijnrood. Een groot Perzisch kleed lag op het glimmend gewreven parket. De muren waren behangen met gebloemde zij; de kleuren van de bloemblaadjes pasten bij het rood en wit in de bekleding van de stoelen en het tapijt. Voor de twee grote ramen hingen antieke zijden gordijnen, en daarachter vitrage.

Tony liep vooruit en deed de deuren van de slaapkamer open. Zelfs het reusachtige bed leek verloren in de enorme kamer, waarvan de grond was bedekt met een dik, beige tapijt, dat zo zacht aanvoelde alsof ik over schuim liep. De ramen aan beide kanten van het bed waren vernieuwd, ze waren langer en breder gemaakt, zodat er veel zon in de kamer kwam die er vrolijk en levendig uitzag.

Op de lichte eikehouten, met de hand bewerkte pilaren van het bed rustte een wit-met-roze baldakijn. Op het bed lag een bijpassende sprei met ruches langs de randen, en in het midden lagen roestkleurige kussens. Rechts van de ingang stond een witmarmeren toiletafel, in het midden van een marmeren toonbank die over bijna de gehele lengte van de kamer liep. Onder de toonbank waren laden van hout in de kleur van het marmer. Daarboven was een spiegelwand in vergulde lijst.

De ingang van wat mijn badkamer zou zijn was aan het eind van de toonbank. Die extra badkamer was kennelijk ook pas aangebracht. De inrichting was modern en luxueus, met een whirlpool-bad verzonken in een vloer van caramelkleurige tegels. Alle knoppen en kranen waren verguld. Overal waren spiegels, waardoor de badkamer groter leek dan hij was, al was het op zichzelf al een van de grootste badkamers die ik ooit had gezien. Zelfs die van Jillian leek klein in vergelijking.

Van de badkamer liep ik naar de enorme garderobe rechts van de deur, die bijna even groot leek als onze hele hut in de Willies. Er hingen zelfs nieuwe kleren in de rekken, jurken en rokken en pakjes, alles volgens de laatste mode. Ik keek vol verbazing naar Tony.

'Ongelooflijk,' zei ik. Op de onderste planken stonden zelfs bijpassende nieuwe schoenen. Tony wilde altijd alles regelen – zelfs de kleren die ik droeg, de manier waarop ik me kleedde en opmaakte.

Maar wat het meest mijn aandacht trok was het schilderij dat boven het bed hing, vlak onder de baldakijn. Het was een olieverfschilderij van een plek in de Willies met een hut op een kleine heuvel. Twee kleine figuurtjes, die opvallend veel op oma en opa leken, zaten in schommelstoelen op de veranda van de hut.

'Natuurlijk kun je alles veranderen wat je wilt,' zei Tony.

Ik staarde hem even aan en schudde mijn hoofd. Het was duidelijk dat Tony al een tijd geleden met de renovatie was begonnen. Hij had dit gepland, in de hoop of verwachting dat Logan en ik hier zouden komen wonen. Ik wilde kwaad zijn, hem verachten omdat hij altijd zijn zin kreeg, maar de vrolijke, heldere en luxeuze kamers, kamers die kennelijk naar mijn smaak waren ingericht, kamers die geschapen waren om me gelukkig te maken en me thuis te doen voelen, temperden mijn verontwaardiging.

Ik keek naar Logan, die stralend naast Tony stond. Heel even kwam er een andere, angstwekkendere gedachte bij me op. Had hij dit al geweten voordat we naar Farthy gingen? Had hij geweten dat Tony hem een vicepresidentschap zou aanbieden en waren zijn verbijstering en opwinding maar voorgewend? Zou hij tot een dergelijk bedrog in staat zijn? Ik dacht van niet, maar onder Tony's leiding was alles mogelijk.

'Hoe wist je dat we zelfs maar zouden overwegen je aanbod aan te nemen?' vroeg ik aan Tony. Hij haalde zijn schouders op. 'Het maakt geen verschil. Als jullie niet in deze suite zouden gaan wonen, zou het toch nog aan een doel beantwoorden – het zou jullie persoonlijke gastsuite zijn, alleen voor jullie gebruik, wanneer je maar wilde. Ik geloof niet dat het een financiële gok was,' voegde hij er glimlachend aan toe. Logan lachte.

'Ik dacht niet aan geld,' zei ik. Hij kneep zijn blauwe ogen samen, maar bleef glimlachen. Ik keek weer naar het schilderij. 'Wie heeft dat geschilderd?'

'Een van de handwerkslieden op de fabriek. Ik heb hem naar de Willies gestuurd en hij kwam daarmee terug. Nogal goed, vond ik. Wat vind je ervan?'

'Het is mooi,' gaf ik toe. En dat was het ook. Telkens als ik ernaar keek zou mijn hart warm worden en zouden de herinneringen bij me opkomen. Ik kon de schommelstoelen bijna horen kraken.

'Dus?' zei hij.

Ik keek van de een naar de ander. Logan begon nu al Tony's houding, Tony's glimlach te imiteren.

'Ik weet het niet. Ik voel me als iemand die wordt meegesleurd. Ik moet nadenken... over heel veel dingen.'

'Goed,' zei Tony. 'Kom, ik ga eens even naar buiten om een oogje in het zeil te houden.' Hij keek op zijn horloge. 'We hebben niet zo gek veel tijd meer met die receptie morgen.' Hij liep in de richting van de deur, maar bleef toen staan en draaide zich naar me om. 'Wees niet boos op me, Heaven, omdat ik van je hou en wil dat je gelukkig bent,' zei hij, en ging weg voor ik kon reageren.

'Logan Stonewall,' zei ik en draaide me met een ruk naar hem toe. 'Wist je dit al voordat we naar Farthy gingen? Je moet me de waarheid vertellen.'

'Wat... natuurlijk niet... hoe zou ik dat kunnen?' Hij hief zijn armen op om zijn onschuld te betonen. Ik keek hem even onderzoekend aan en kwam tot de conclusie dat hij de waarheid sprak. 'Waarom maak je je trouwens zo van streek? Kijk eens om je heen. Het is een prachtige suite.'

'Dat weet ik, maar vergeet niet wat ik beneden gezegd heb... over mannen als Tony die altijd hun zin krijgen. Begrijp je het dan niet? Hij moet dit al een tijd geleden hebben gepland; hij moet altijd van plan zijn geweest ons hier naar toe te halen, jou voor hem te laten werken.'

'Dat geloof ik niet,' zei Logan. 'Hoe kan dat nou?'

'Ik geloof het wel,' zei ik. 'Maar misschien doet het er allemaal niet toe. Misschien is het onze bestemming.' Ik keek nog even om me heen. 'Kom,' zei ik, 'laten we ons gaan kleden voor het eten.'

Logan schudde verward het hoofd en volgde me naar buiten. Hoe kon ik verwachten dat hij de krachten zou begrijpen die in Farthy aan het werk waren, de macht van de geesten en schaduwen die Rye Whiskey vreesde, het mysterie en de magie van het grote huis en het omliggende terrein, als ikzelf, een afstammelinge van de Tattertons, ontvankelijk voor de stemmen van het verleden, die macht nog niet ten volle besefte? Ik moest dit huis ontvluchten, dacht ik. Ik moest hier weg, terug naar de Willies, waar ik me veilig en behaaglijk voelde in opa's hut. Maar de echo van die gedachte stierf snel weg en werd vervangen door de echo's van de voetstappen van Logan en mij toen we haastig door de gang liepen.

Ik voelde me meegesleurd als een blad in de wind, weggevoerd door krachten die sterker waren dan ikzelf.

4. DE GROTE RECEPTIE

Op de weg naar Farthinggale Manor stond een rij limousines, Cadillacs en Lincolns, Rolls-Royces en Mercedessen. Tony had alle registers opengetrokken; hij had alle invloedrijke zakenlieden en politici en societyleden binnen een straal van honderdvijftig kilometer uitgenodigd. Ik wist dat alles wat hij tot nu toe had gedaan om indruk te maken op Logan en mij zou verbleken naast hetgeen nog zou komen. Elk meisje droomt van een fantastische huwelijksreceptie, en toen ik dit alles zag, een extravagantie die ik me in mijn stoutste dromen niet had kunnen voorstellen, verdwenen plotseling al mijn sombere gedachten over Tony's manipulaties en realiseerde ik me hoe ongelooflijk gelukkig ik was. Ik had heel veel om dankbaar voor te zijn. De wetenschap dat al deze pracht, al die goedgeklede mensen in dure auto's hier waren voor Logan en mij, maakte dat ik mijn opwinding nauwelijks kon bedwingen.

Plotseling zag ik uit een van de glanzende zwarte limousines Onze Jane en Keith stappen. Ik holde met uitgestrekte armen naar hen toe. Onze Jane was opgegroeid tot een verbluffend mooie achttienjarige. Ze was twee tot drie centimeter kleiner dan ik en had een gevulder figuur. Haar vlammend roodgouden haar omgaf haar smalle ovale gezichtje met de turquoise ogen, zo zacht en kwetsbaar, dat ze van de hardste, meest cynische man een snotterende schooljongen konden maken.

'Heaven!' riep ze uit. 'O, Heaven, ik ben zo blij voor je.'

Keith zag er ook voortreffelijk uit. Hij was even lang als pa, had dik kastanjekleurig haar en heldere amberkleurige ogen, en zag er gebruind, rijk en op en top als een Harvard-man uit, gekleed in dunne, wit-met-blauw gestreepte katoenen trui en donkerblauwe broek.

'Gefeliciteerd, zus.' Hij grinnikte en stopte zijn pijp weer in zijn mond. Wat een knappe, zelfverzekerde jongeman was Keith geworden! Ik wist dat hij een uitstekende student was, lid van het beroemde roeiteam en van het zeer succesvolle dispuut.

Nu ik hem zo opnam was het moeilijk te geloven dat ze zich eens als twee kleine aapjes aan me hadden vastgeklampt, met bleke gezichtjes en diepe kringen onder hun ogen. Het was bijna onmogelijk de herinnering op te halen aan hun iele stemmetjes die riepen: "Hev-lee, Hev-lee" als ze smeekten om iets voedzamers te eten in de tijd toen pa ons in de steek had gelaten en Tom en ik vader en moeder voor ze moesten zijn.

Misschien was het maar goed dat het me zoveel moeite kostte me dat te herinneren, dacht ik. Misschien was het beter zo. Ik wilde dat ik net zoveel moeite had met andere bittere herinneringen.

'Ik wist wel dat jullie op een dag zouden trouwen,' zei Jane. 'Het is allemaal zo romantisch. Jullie waren voor elkaar geschapen. Heaven, ik... ik ben gewoon zo blij voor je. Ik denk dat heel Winnerow gek is geworden toen ze het nieuws hoorden.'

'Hoe gaat het in Winnerow?' vroeg Keith, met een flauw lachje. Hij had niet zulke plezierige herinneringen aan Winnerow, dus voelde hij niet de minste behoefte daar terug te keren, zelfs niet voor een kort bezoek.

'Ongeveer hetzelfde als altijd,' zei Logan, die plotseling naast me verscheen. Hij zag er erg knap uit in zijn smoking, met zijn achterovergekamde haar en witte anjer in zijn knoopsgat.

'Logan Stonewall!' riep Onze Jane uit. 'Wat zie jij er goed uit.'

'En wat ben jij volwassen en mooi geworden, Onze Jane,' antwoordde hij.

'Zo noemt niemand me meer,' zei ze blozend.

Logan keek naar Keith. 'Jij bent ook flink gegroeid sinds ik je de laatste keer heb gezien. Heaven houdt me op de hoogte van al je successen in Harvard. Ze is erg trots op je. Trots op jullie allebei. We hebben jongemannen als jij nodig in Winnerow. Er zullen daar binnenkort ingrijpende veranderingen komen.'

'O?' zei Keith.

'We zullen het er later wel over hebben,' zei Logan. 'Nu ga ik eerst champagne halen en iets te eten, oké, Heaven?'

Ik gaf hem een zoen en hij liep weg, mij achterlatend bij Keith en Onze Jane.

'Wat een fantastisch feest wordt dit!' riep Jane uit. De muziek bij het zwembad was gaan spelen en de gasten begonnen te dansen.

'We moeten dringend bijpraten, Onze Jane... ik bedoel Jane. Ik vind het nog steeds moeilijk eraan te denken dat ik je niet zo moet noemen,' zei ik, haar opnieuw omhelzend.

'Jij mag me Onze Jane noemen als je wilt, Heaven. Ik ben toch zo blij je weer te zien!' Ze klapte in haar handen, zoals ze deed als klein meisje wanneer ze opgewonden was. 'O, Heaven, ik kan nauwelijks stil blijven staan. Vind je het erg als ik wat rondloop? Ik vind het niet aardig om meteen weg te lopen, maar ik wil zo graag even al die bloemstukken bekijken, en het zwembad, en –'

'Gaan jullie maar hollen en zorg dat je plezier hebt. We spreken elkaar later wel,' zei ik.

Ze liepen arm in arm weg. Ik bleef even staan en zag hoe ze samen lachten, in elkaars oor fluisterden, grapjes maakten en giechelden. Ze waren nog steeds erg intiem met elkaar, kenden elkaars gevoelens en stemmingen. Diep in mijn hart benijdde ik hen onwillekeurig om hun verhouding. Vroeger hadden Tom en ik net zo'n sterke band gehad. Toen ik naar hen keek voelde ik me plotseling klein en eenzaam.

Zou ik altijd een weeskind blijven? Zou ik nooit echt het gevoel hebben dat ik ergens thuishoorde? Maar ik gaf mezelf een standje. Kijk naar alles wat Tony voor je heeft gedaan. Misschien hoorde ik toch thuis op Farthy.

Ik zocht Logan. Ik wilde dat hij naast me zou staan, zijn arm door de mijne zou steken, mijn echtgenoot zou zijn, die tijdens de gehele receptie niet van mijn zijde week. Maar overal waar ik Logan zag, zag ik ook Tony, die hem van de ene zakenvriend naar de andere sleepte en hem trots voorstelde aan het puikje van de Bostonse society.

Een beetje triest liet ik Logan over aan Tony en liep naar de patio bij het zwembad. Tony haatte rock and roll, dus speelde de band die hij had gehuurd alleen maar classics en easy listening-muziek. Het had niet de spirit van Longchamps, maar de melodieën waren vrolijk en opgewekt en creëerden de juiste atmosfeer. Sommige gasten waren aan het jitterbuggen op "In the Mood", anderen zaten aan de kleine tafeltjes in de schaduw van kleurige parasols te eten, terwijl weer anderen van groep naar groep slenterden om nieuwtjes uit te wisselen.

Tony had een twintigtal extra bedienden gehuurd voor de receptie. Kelners en serveersters in rood-met-witte uniformen liepen rond met bladen champagne in langstelige glazen en met zilveren en gouden bladen met hapjes. Er waren minstens vierhonderd mensen, allemaal naar de laatste mode gekleed, in originele modellen van Saint Laurent en Chanel, Pierre Cardin en Adolfo. De warme wind woei hun gelach en gepraat over het schitterend verzorgde terrein.

Sommige mensen had ik al eerder ontmoet, al kon ik me hen maar vaag herinneren. Ondanks hun pogingen tot individualisme was er een gelijkvormigheid in hun stijl van converseren, in de manier waarop ze elkaar begroetten. Na mijn tweede glas champagne giechelde ik bij de gedachte dat een legertje etalagepoppen tot leven was gewekt en ontsnapt was uit de etalages van de elegantste zaken in Boston.

Plotseling zag ik dat Tony de leider van het orkest iets in het oor fluisterde.

'Dames en heren,' dreunde de stem van de dirigent door de microfoon, 'voor we verder gaan met de festiviteiten is mij verzocht een speciaal nummer te spelen. Ik verzoek uw aandacht voor onze beeldschone bruid en onze fantastische gastheer, Tony Tatterton.'

De dirigent hief zijn stokje op en het orkest begon te spelen "You are the Sunshine of My Life". Tony liep over de dansvloer naar me toe en strekte zijn hand naar me uit.

'Deze dans, prinses.'

Ik pakte zijn hand vast en hij trok me zachtjes tegen zich aan.

'Gelukkig?' vroeg Tony met zijn gezicht op mijn haar.

'O, ja, ja. Het is een geweldig feest!' En dat was het. Ik waardeerde echt wat Tony deed om me het gevoel te geven dat ik hier thuishoorde.

'Ik hoop dat je echt gelukkig bent, Heaven,' zei Tony. 'Ik wil niets anders dan het jou naar de zin maken.'

'Ik ben gelukkig, Tony. Dank je.'

'Dit alles is zo zinloos als je niemand hebt van wie je houdt om het mee te delen. Wil jij het met me delen, Heaven?'

Ik keek naar Logan, die lachte en naar me zwaaide, terwijl hij de ene nieuwe rijke vriend na de andere leerde kennen. Ik keek naar Farthy, het grote, indrukwekkende huis dat hoog boven het feestgedruis uitrees, met zijn ramen die gevuld waren met een weerkaatsing van blauwe lucht en witte wolken.

'Ja, Tony,' zei ik.

Hij gaf me een zoen op mijn wang en drukte me stevig tegen zich aan, te stevig. Ik rook het krachtige, zoete aroma van zijn aftershave en voelde zijn sterke vingers op mijn rug. Zijn lippen beroerden mijn wang, kwamen heel dicht bij mijn mond, en even, één seconde lang, ging er een kille angst door me heen.

'Dit is pas het begin,' fluisterde hij. 'Alleen nog maar het begin. Ik wil zoveel meer voor je doen, Heaven, als je me de kans maar geeft.'

Ik gaf geen antwoord. Hij hield me zo dicht en stevig tegen zich aangedrukt, dat ik zijn behoefte kon voelen me altijd bij zich te hebben, een behoefte die me een claustrofobisch gevoel gaf, een behoefte die zo groot was dat het me beangstigde.

Halverwege de dans begaven anderen zich op de dansvloer. Toen de muziek zweeg excuseerde Tony zich en mengde zich onder de gasten. Ik bleef met open mond staan. Mijn hart bonsde zo luid dat even alle andere geluiden overstemd werden. Ik hoorde niet het gelach, de muziek of de conversatie. Ik voelde me alsof ik alleen was op het uitgestrekte terrein, in de zee van blauwe lucht boven me, terwijl de wind een waarschuwing fluisterde. Het duurde even voor ik besefte dat Logan naast me stond.

'Gaat het goed met je?' vroeg hij.

'Wat?'

'Je ziet er zo verloren uit.'

'O, ja.' Ik lachte, om mijn verwarring te verbergen. 'Ik voelde me een beetje verdwaasd. Het is allemaal zo overweldigend.' Op dat moment kwamen Jane en Keith naar me toe en kusten me.

'Je ziet er stralend uit,' zei Jane.

'Je ziet er inderdaad mooi uit, zus,' was Keith het met haar eens.

Logan nam me in zijn armen. 'Jij en Tony vormden een prachtig paar op de dansvloer. Hij kan uitstekend dansen voor een oudere man.'

'Ja, dat zal wel,' zei ik enigszins koel, in de hoop dat Logan zou voelen dat er iets mis was. Maar hij zag alleen wat hij wilde zien, zijn bruid, het begin van een nieuw leven, de belofte van een volmaakte toekomst.

'Dat vergat ik bijna. Ik moest je gaan halen. Je moet mee naar het podium bij het zwembad,' zei Logan. 'Er komt een presentatie.'

'Een presentatie?'

Hij haalde zijn schouders op.

'Ik weet er net zo veel van als jij,' zei hij glimlachend, maar het was zo'n zelfingenomen lachje dat ik aan hem twijfelde.

Tony liep het podium op naar de microfoon. Hij liet zijn blik over de menigte dwalen tot hij Logan en mij naar hem toe zag komen.

'Dames en heren,' begon hij, 'een speciale toast op onze bruid en bruidegom.' Hij hief zijn glas op. 'Op een gelukkige en mooie toekomst –'

Plotseling zweeg hij. De mensen draaiden hun hoofd om en probeerden zijn blik te volgen. Jillian liep de dansvloer op. Een golf van verbazing ging door de grote menigte gasten. Jillian bleef doorlopen naar de dansvloer. Martha Goodman dribbelde als een eend achter haar aan.

Jillian was gekleed in haar trouwjurk. Ze had altijd een mooi, slank figuur gehad. Zelfs in haar staat van waanzin stond hij haar nog even perfect als op de dag van haar huwelijk met Tony. Haar goudblonde haar, dat gebleekt was tot het op een bos stro leek, was langs haar gezicht geborsteld in stijve pieken die aan de uiteinden waren omgekruld. Op haar jukbeenderen waren twee plekken donkerroze rouge, en haar lippenstift, die nu de kleur had van gedroogd bloed, was even dik opgesmeerd als de eerste dag dat ik haar in haar suite had gezien.

Ze bleef bij de onderste tree van de trap staan en keek naar de mensen die haar met open mond aanstaarden.
'Bedankt voor jullie komst. Ik dank jullie,' zei ze. 'Dit is de gelukkigste dag van mijn leven, de dag waarop ik in het huwelijk treed met Anthony Tatterton. Ik voel me gelukkig dat zovelen van jullie deze dag samen met me willen beleven. Alsjeblieft, alsjeblieft, zorg dat jullie een heel prettige dag hebben.'
Even bleef het doodstil. Niemand bewoog of zei iets. Toen fluisterde Martha iets in haar oor.
'Dit is mijn huwelijk, dit is *mijn speciale dag*,' zei Jillian, terwijl ze met een woedende blik naar Martha keek. Ze streek een piek van haar wilde, stro-achtige haar naar achteren. '*Deze mensen zijn hier gekomen voor mij! Ze zijn gekomen om getuige te zijn van mijn huwelijk, mijn eeuwige trouw aan Tony Tatterton...* en ik weet,' ging ze bijna fluisterend verder, 'ik weet dat hij eeuwig van mij zal houden.' Plotseling leek alle kracht haar te verlaten en ze moest op Martha steunen als op een kruk.
'Miss Jillian,' zei Martha met een tedere klank in haar stem, terwijl ze haar terugbracht naar haar stoel.
De menigte was met stomheid geslagen. Tony had zich intussen weer beheerst en liep terug naar de microfoon alsof er niets gebeurd was.
'Dames en heren,' begon hij weer, 'een toast op de heer en mevrouw Logan Stonewall.'
'Bravo!' riepen de mannen in koor, om hun verlegenheid te verbergen, en meer dan vierhonderd mensen dronken op onze gezondheid en geluk.
'Heaven, Logan, ik wens jullie een lang en gelukkig leven, en als symbool van die wens schenk ik jullie dit.'
Met zijn vrije hand gaf hij een teken en terwijl de gasten en Logan en ik in de richting keken waarin hij wees, verscheen er een splinternieuwe zilveren Rolls-Royce met linten eromheen gewikkeld. De menigte slaakte een zucht van bewondering toen hij naar ons toereed. Ik keek op naar Tony en zag de vastberaden uitdrukking op zijn gezicht.
Er was geen grens aan hetgeen hij zou doen om mijn hart en mijn toewijding te veroveren, dacht ik. Zijn liefde voor mij was tegelijkertijd meedogenloos en overweldigend. Weer voelde ik diezelfde steek van angst als een tijdje geleden op de dansvloer. Heel even leek mijn knappe, geheime vader op de incarnatie van de duivel. Ik voelde me hulpeloos bij zoveel macht en rijkdom, zo'n onverbiddelijke liefde.
Ik draaide me om naar Logan, om zijn reactie te zien. Hij keek gelukkig, zijn wangen zagen rood, zijn ogen glansden, zijn mond stond vol ontzag open. Hij drukte mijn hand, liet hem toen los en liep naar voren om Tony's geschenk te bewonderen. Ik volgde hem. Logan keek naar me om met zo'n stralend gezicht, dat de tranen me in de ogen sprongen.
'O, Heaven,' zei hij. 'Ik geloof niet dat het mogelijk is om nog gelukkiger te zijn dan ik nu ben.'
'Ik hoop het, Logan,' zei ik. 'Ik hoop het.' Hij keek zo blij. Wat gemakkelijk was het om hem gelukkig te maken, dacht ik. Zijn geluk werd nooit

overschaduwd door achterdocht, zoals het mijne. Ik had een man als Logan hard nodig. Ik wilde hem eeuwig koesteren in mijn armen.

'O, Logan, ik hou van je. Blijf altijd van me houden zoals nu,' smeekte ik, terwijl ik me in zijn armen liet vallen.

'Dat doe ik. Ik beloof het je,' zei hij.

Toen we elkaar kusten vergaten we alles en iedereen om ons heen. Toen begon de menigte gelukwensers weer te juichen en het feest werd hervat. Logan en zijn nieuwe jonge vrienden inspecteerden de Rolls-Royce en ik draaide me om naar Tony om hem te bedanken, terwijl de muziek weer begon te spelen. Maar voor hij bij me kon zijn, was Jillian opgesprongen van haar stoel en holde naar hem toe.

'O, Tony!' riep ze uit. 'Je houdt echt van me! Wat een verrukkelijke plechtigheid.'

De mensen bleven staan luisteren.

'Ja, Jillian.' Hij sloeg zijn arm om haar heen en wilde haar terugbrengen naar haar tafel. Ze stribbelde tegen, keek achterom en riep tegen iedereen in de buurt.

'Amuseer je,' beval ze. 'Iedereen moet zich amuseren.'

Ik keek toe terwijl Tony Jillian naar haar plaats bracht en Martha Goodman vroeg haar iets te eten te brengen. Toen kwam hij naar mij toe. Ik had onwillekeurig medelijden met Jillian, om de manier waarop de mensen naar haar keken en fluisterden.

'Waarom heb je dit laten gebeuren?' vroeg ik zodra hij dichtbij was en ik hem mee kon nemen naar een plaats waar niemand ons kon afluisteren. 'Vind je het niet pijnlijk?'

'Pijnlijk?' Hij keek achterom in Jillians richting, alsof hijzelf terug was in het verleden en niet had beseft wat er in het heden gebeurde. 'Misschien wel, ja, maar ik vind het meer tragisch dan pijnlijk.'

'Waarom laat je dan toe dat ze zo naar buiten komt? Waar al die mensen bij zijn. De meesten lachen haar natuurlijk uit.'

'Zo voelt zij het niet,' zei hij met een vage glimlach. Ik kon het niet begrijpen. 'In haar waanzin ziet zij alleen maar dat ze zich amuseren op haar huwelijksreceptie.'

'Maar...'

'Maar wat?' zei hij. Zijn lippen verstrakten zich tot een smalle streep. 'Voor wie vind je het zo pijnlijk, voor haar of voor jezelf? Moet ik haar in haar suite opsluiten als een dolle hond? Moet ik haar laten wegkwijnen tussen vier muren? Begrijp je dan niet,' ging hij verder, terwijl hij zijn blik van me afwendde en naar het huis staarde, 'dat ik de gedachte niet zou kunnen verdragen dat ze opgesloten zat in een of andere inrichting?'

'Ze was vroeger heel mooi en me heel dierbaar,' voegde hij eraan toe. 'Als een mooie, met de hand beschilderde porseleinen pop. Ze was doodsbang om oud te worden, niet begeerlijk en mooi meer te zijn, en ik weet zeker dat het besef dat ze dat niet kon verhinderen tot haar huidige toestand heeft bijgedragen. Maar begrijp je het dan niet?' zei hij, terwijl hij mijn beide armen onder de ellebogen vastpakte. 'Op een merkwaardige manier bezit ze die... een eeuwige jeugd en schoonheid. Haar waanzin heeft haar die gegeven.'

'Dus,' zei hij, terwijl hij me losliet en diep ademhaalde, 'vind ik dat we het pijnlijke van de situatie maar moeten accepteren en de heimelijke lachjes verdragen. Jij kunt je die opoffering toch wel getroosten, Heaven? Ik weet zeker dat jij iets volkomen onzelfzuchtigs kunt doen, als je dat wilt,' eindigde hij, en liep weg.

'Tony...'

'Ja?' Hij wachtte. Ik keek naar Jillian die op haar gemak aan een tafeltje zat en glimlachend knikte naar de mensen die voorbijkwamen. Ze hield haar vork vast als een tandenstoker en prikte in haar bord als een vogeltje.

'Wat gebeurt er als ze mij ziet?'

'Wat er gebeurt?' Hij glimlachte. 'Ze zal je zien als Leigh, zo jong als ze was toen Jillian en ik trouwden. Ze was twaalf en ze droeg een lange roze bruidsmeisjesjurk en een boeket roze roosjes. Ik zal nooit vergeten hoe mooi ze er die dag uitzag.' Hij hield zijn hoofd schuin en leek in gepeins verzonken. Toen knipperde hij met zijn ogen en keek naar mij. 'En jij ziet er vandaag net zo mooi uit.' Met die woorden liep hij weg, terug naar Jillian.

Ik dacht na over hetgeen hij had gezegd en hoe hij het had gezegd. Tony koesterde blijkbaar nog een innige liefde voor Jillian. Of was het iets anders?

Toen ik zag hoe Martha Goodman de grijnzende Jillian terugbracht naar haar kamer met zijn spiegel zonder glas en zijn tijdloze herinneringen, voelde ik me tegelijk bedroefd en angstig.

'Het is tijd om de taart aan te snijden.' Logan kwam naar me toe en liep met me naar de taart, die op een tafel midden op het podium was geplaatst. Het was een sprookjesachtige taart, van vijf witte verdiepingen, versierd met guirlandes en bloemen. Hij was bijna net zo groot als ikzelf. Stralend pakte Logan mijn hand en terwijl we het mes samen vasthielden sneden we een stuk uit de onderste laag van de taart. Toen hij zijn mond opendeed en ik er een stukje van de taart in stopte, moest ik denken aan het fantastische ijskasteel dat hij voor me had gemaakt op de dag dat hij me ten huwelijk vroeg. Onze taart was een fantastische Tatterton-creatie, maar ik zou altijd Logans magische kasteel blijven beschouwen als mijn echte bruidstaart.

Toen iedereen taart en ijs had gekregen en de kelners tussen de tafeltjes doorliepen met nog meer champagne en cognac en likeur, begon de receptie ten einde te lopen. Juist toen ik me uitgeput begon te voelen na alle feestelijkheden kwamen Keith en Onze Jane naar mijn tafeltje.

'Heaven,' zei Onze Jane, die zich bukte en me omhelsde, 'Keith en ik moeten weg. Ik zal je zo missen.'

'Zul je gauw schrijven?' vroeg ik.

'Elke week.'

Ik omhelsde Keith en keek hen na toen ze arm in arm over het gazon liepen. Logan gaf me een zoen in mijn hals.

'Je houdt veel van ze, hè?'
Ik nestelde me tegen hem aan. 'Laten we naar boven gaan, naar onze kamer, Logan. Ik ben doodmoe.'
'Maar alles is naar de nieuwe suite verhuisd,' zei hij.
'Wat? Wanneer?'
'Terwijl wij hier buiten waren. Ik wilde je verrassen. Is het goed?' Ik vond het geen prettig idee dat hij het had gedaan zonder het aan mij te vragen, maar ik zag hoe belangrijk het voor hem was om me te kunnen verrassen.
'Het is goed, ja. Het is goed,' zuchtte ik.
'Hoe zit het met de rest van onze huwelijksreis, Heaven? Zullen we hier blijven?' Hij pakte mijn hand in de zijne en keek me smekend aan met zijn ogen als saffieren.
'Wil je dat echt graag, Logan?'
'Ja, heel graag.'
'Goed dan,' zei ik met tegenzin. 'Kunnen we dan nu naar boven? Ik ben bèk-af na al die opwinding.'
'Ik kom zo bij je,' zei hij. 'Ik moet nog van een paar mensen afscheid nemen.' Hij kuste me en verdween in de dunner wordende menigte. Ik zag Tony als een koning in een tuinstoel zitten met een paar zakenvrienden om zich heen. Hij zwaaide en glimlachte toen hij me naar het huis zag lopen.
In de gang boven kwam ik Martha Goodman tegen, die net uit Jillians suite kwam.
'Hoe gaat het met haar?' vroeg ik.
'Zo blij als een vogeltje,' zei ze. 'Waarschijnlijk even gelukkig als jij,' voegde ze er hoofdschuddend aan toe.
Waarschijnlijk gelukkiger, dacht ik, maar ik zei het niet. In plaats daarvan ging ik naar onze nieuwe suite.

Tony hield woord tijdens de rest van Logans en mijn huwelijksreis – hij sprak niet over zaken met hem, hij was er nauwelijks. Hij was drie dagen voor zaken in New York en had een aantal besprekingen met zijn financiële adviseurs in Boston, om, zoals ik later ontdekte, de vestiging van een speelgoedfabriek in Winnerow te bespreken. Jillian had zich opgesloten in haar suite, en Logan en ik hadden werkelijk heel Farthy voor onself.
We begonnen elke dag met ontbijt in bed, waarna we naar het strand gingen of ons met de limousine naar Boston lieten rijden om te winkelen, in een goed restaurant te eten of naar het theater te gaan. Halverwege de week gingen we paardrijden.
Toen Logan en ik naar de stallen liepen, kon ik niet anders dan me die dag herinneren. De dag waarop Troy en ik elkaar voor het eerst hadden bemind. Maar Logan voelde mijn peinzende stemming niet aan. We gingen omlaag naar het strand om langs de zee te rijden, wat heel mooi en romantisch was. We hadden een picknick meegenomen en spreidden een deken uit op het strand in een afgelegen inham die Logan tijdens zijn speurtocht had ontdekt. Met hem vrijen met het geluid van de oceaan in mijn oren verjoeg alle pijnlijke herinneringen, en ik voelde me herboren en

hoopvol. Misschien was het toch een goed idee geweest om onze wittebroodsdweken in Farthy door te brengen, dacht ik.

Alle romantische en interessante activiteiten die Logan organiseerde en zijn toewijding en liefde, deden me mijn angst vergeten. Mijn knagende angstgevoelens, mijn ongerustheid over het feit dat Logan vice-president zou worden van Tatterton Toys en we naar Farthy zouden verhuizen, zette ik van me af. Aan het eind van de week, toen Tony terugkwam van zijn zakelijke besprekingen en Logan en ik ons klaarmaakten om terug te rijden naar Winnerow om de rest van onze spullen te halen en zijn ouders op de hoogte te brengen van onze nieuwe plannen, waren we allebei bruinverbrand, uitgerust en gelukkig.

'Jullie zien er fantastisch uit,' zei hij.

'Ik hoop dat we altijd wittebroodsweken zullen hebben in Farthy,' antwoordde Logan, terwijl hij met zo'n romantische blik naar me keek dat ik moest blozen.

Tony grinnikte. 'Van elke dag een huwelijksdag maken, hè, Logan? Dat is de manier om een huwelijk gelukkig te houden. Maar nu moeten we eerst wat werk verzetten.' Wat was Tony gretig om Logans aandacht weer op te eisen voor de zaak. 'Heaven, Logan en ik hebben verleden week besloten dat jij de plaats moet uitzoeken voor de nieuwe fabriek in Winnerow. Logan heeft volmacht om een bod te doen op het land.'

'O, Tony,' zei ik. 'Ik weet het niet. Dat is een enorme verantwoordelijkheid. Als ik eens het verkeerde terrein uitzoek?'

'Dat zul je heus niet doen. Dat kun jij niet,' zei hij. 'We weten allemaal dat je het in je hebt om het beste te doen voor Winnerow en Tatterton Toys.'

'Ik zal je een paar suggesties geven voor dingen waar je op moet letten,' zei Logan.

'O? En sinds wanneer heb jij zoveel ervaring, Logan Stonewall?' vroeg ik. Tony lachte.

'Wel...,' zei Logan blozend en keek naar Tony. 'Tony heeft me verteld waar ik op moet letten.'

'Dat is iets anders,' zei ik.

'Ik zal nooit een coup d'état hoeven vrezen in deze zaak,' zei Tony. 'Heaven zal je altijd bescheidenheid bijbrengen en je attent maken op je beperkingen.'

'Alsof ik dat niet weet,' zei Logan, glimlachend als een kleine jongen. Deze keer lachten Tony en ik samen.

Logan en ik pakten alleen in wat we nodig hadden voor ons korte verblijf in Winnerow en gingen op weg in onze nieuwe Rolls-Royce. Toen we over de lange bochtige weg reden, door het hek van Farthinggale Manor, keek Logan in de binnenspiegel en glimlachte alsof hij keek naar een geliefde vrouw en hij wist dat hij gauw weer zou terugkeren om haar te omhelzen. Weer fladderde mijn hart in mijn borst, of een vlinder was ontsnapt uit zijn kokon. Ik kon er niets aan doen; ik was jaloers op de macht en schoonheid van Farthy.

'Ik ben blij dat we onze wittebroodsweken in Farthy hebben doorgebracht,' zei Logan, 'want voor ons zal Farthy altijd een plaats van geluk en liefde zijn.'

Hij keek me stralend van optimisme aan, strekte zijn hand naar me uit en omklemde mijn vingers.

Ik drukte zijn hand en hij keek me vol liefde aan.

'Ben je gelukkig, Heaven?'

'Ja, Logan. Ik ben erg gelukkig.'

'Daar ben ik blij om,' zei hij, 'want van nu af aan is dat het enige dat belangrijk voor me is.'

Ik bad in stilte dat het altijd zo zou blijven.

Het was vreemd om Winnerow binnen te rijden na onze week in Farthy. We hadden besloten zolang in mijn hut te wonen, en die in de toekomst te gebruiken als Logan of wij allebei naar Winnerow moesten voor zaken. Maar toen we in Winnerow aankwamen gingen we rechtstreeks naar Logans ouders, om onze nieuwe plannen te vertellen.

We arriveerden rond etenstijd, en toen Logan de deur van zijn ouderlijk huis openmaakte en riep: 'Mams, paps, Heaven en ik zijn terug!' kwam zijn moeder haastig naar de deur om ons te begroeten, met een gebloemd schort voor en witte met bloem bestoven handen. 'Logan, Heaven!' riep ze uit. 'Jullie zouden pas over een week terugkomen.' Ze rimpelde haar voorhoofd. 'Alles is toch in orde?' Ze keek vol verwachting naar Logan.

'In orde? Veel beter dan in orde, mams! Je kijkt nu naar de vice-president marketing en research van Tatterton Toys. En naar de mooie commissaris van de op te richten plaatselijke Tatterton Toys Willies Factory.' Logan leek weer een kind dat koning van de bergen speelde.

'Het is niet te geloven.' Het gezicht van zijn moeder betrok. Ze veegde haar handen af aan haar schort en probeerde duidelijk haar teleurstelling en schrik te verbergen. Toen keek ze weer op. 'Ik ben stomverbaasd. Maar hoe moet het dan met de apotheek?'

'Mams! Dit is de kans van mijn leven. Ga paps halen, dan zal ik jullie alles vertellen. Ik weet zeker dat jullie enthousiast zullen zijn voor ons en voor heel Winnerow!'

Aanvankelijk was Logans vader zichtbaar van streek. 'Maar, jongen, ik had me erop verheugd dat we samen in de zaak zouden staan, ' zei hij.

Maar toen Logan vertelde wat voor salaris hij zou gaan verdienen en de voorgestelde speelgoedfabriek beschreef en de economische mogelijkheden voor Winnerow, veranderde de reactie van zijn ouders. Ik meende zelfs dat zijn moeder me met andere ogen bekeek. Ze besefte plotseling dat haar zoon het veel beter zou krijgen dan hij het ooit had kunnen hebben als hij met een van de meisjes uit Winnerow was getrouwd en zich hier had gevestigd.

Maar ik voelde dat haar nieuwe hartelijke gevoelens voor mij erg aan de oppervlakte lagen. Ze was nog steeds niet geïmponeerd door mij, ze was geïmponeerd door de macht en rijkdom achter me. Ik kon het haar niet helemaal kwalijk nemen. Naar wat ik in mijn korte, moeizame bestaan van de wereld had gezien was haar reacties typerend voor de meeste mensen.

Voordat we op weg gingen naar de hut, bracht ik een bezoek aan Meeks, de directeur van de school, om hem te vertellen dat ik mijn baan als onderwijzeres wilde opzeggen. 'De kinderen zullen u missen,' zei hij. 'Vooral de kinderen uit de bergen. Maar misschien hebt u gelijk; misschien doet u nog veel meer voor ze door Tatterton Toys hier te brengen en de bergbewoners werk te geven. God weet dat ze dat op het ogenblik hier niet kunnen vinden. Natuurlijk wens ik u het allerbeste.'

Ik bedankte hem en toen reden Logan en ik naar de hut. Waar ik ook was geweest en hoe lang ik ook was weggebleven, ik wist dat de hut altijd hetzelfde zou zijn als ik terugkwam. Ook al was hij gemoderniseerd, de bossen eromheen bleven dezelfde die ik als kind had gekend. Dezelfde vogels, dezelfde kromgegroeide bomen, dezelfde diepe, koele schaduwen, dezelfde zilveren klank van de ruisende beek.

Onze eerste avond in de hut maakte ik een heerlijk avondmaal klaar voor Logan. We zaten net als oma en opa op de veranda en bespraken onze toekomstplannen, tot we allebei moe genoeg waren om in elkaars armen in slaap te vallen. De volgende ochtend na het ontbijt ging Logan terug naar Winnerow om een paar zakelijke dingen af te handelen en ik reed op en neer over de zijwegen, zoekend naar wat de perfecte lokatie zou zijn voor de Tatterton Toy Factory. Logan vertelde me dat ik moest uitkijken naar een plaats met transportmogelijkheden, een plaats die dicht genoeg bij het dorp lag dat de werknemers hun geld daar konden uitgeven. Als men de voordelen van de fabriek besefte, zou iedereen zijn volle medewerking verlenen, legde hij uit. Ik wist dat hij slechts Tony's instructies herhaalde.

Ik vond de perfecte ligging vrij gemakkelijk. Het was een vlak stuk land met een prachtig uitzicht op de bergen, en niet meer dan anderhalve kilometer van het dorp. Iedereen zou het een plezier vinden om hier te kunnen werken, dacht ik. Ik ging haastig terug naar Winnerow om Logan op te zoeken en het hem te vertellen, maar zijn vader zei dat hij was teruggegaan naar de hut om een paar papieren te halen die in zijn koffer zaten. Ik had de koffers uitgepakt en alles op planken en in laden gelegd. Ik was bang dat hij niet zou kunnen vinden wat hij zocht, dus besloot ik niet op zijn terugkomst te wachten. Ik reed zelf terug naar de hut.

Zodra ik de bocht om was en dichtbij kwam, remde ik af. Fanny's auto stond naast die van Logan geparkeerd. Ik had besloten haar niet te bellen of op te zoeken tot ik mijn zaken hier had afgehandeld, maar ze had blijkbaar gehoord dat we waren aangekomen en was ons komen opzoeken.

Ik parkeerde de auto en stapte langzaam, uit. Voor ik bij de voordeur was, hoorde ik Logans vreemde smeekbeden.

'Fanny, alsjeblieft, je kunt zo niet rondlopen. Doe nu wat je doen moet en ga weg. Maak nu geen moeilijkheden voor ons. Alsjeblieft.'

Ik hoorde Fanny's vertrouwde, uitdagende lach en rukte de voordeur open.

Ze stond bij de badkamer, een handdoek om haar naakte heupen gewikkeld, haar armen over elkaar geslagen voor haar naakte boezem. Met haar woeste, verwarde haar zag ze eruit als een mytische seksfiguur, een heks die hem verleidde tot ontrouw, terwijl hij pas getrouwd was. Even staarde ze me aan met haar donkere ogen en een verstarde glimlach. Maar toen ze de uitdrukking op mijn gezicht zag, begon ze te lachen.

'Heaven, in godsnaam! Je kunt de duivel uit een zondige en wellustige prediker verdrijven met die blik.'

'Laat die blik van me maar met rust. Waarom sta je hier halfnaakt?'

'Ze kwam hier met het smoesje dat haar waterleiding kapot is en ze wilde een douche nemen in de hut. Ze beweerde dat ze niet wist dat we hier waren.'

'Dat wist ik ook niet, Heaven. Je hebt niet eens de beleefdheid gehad me te vertellen dat je in het dorp bent. Hoe kon ik nou weten dat jij en Logan hier wonen?'

'We wonen hier niet; we zijn hier maar voor een dag of twee en dan gaan we terug naar Farthinggale Manor. Maar dat verklaart nog niet waarom je je naakt aan mijn man vertoont.'

'Ik kwam alleen de badkamer uit om een handdoek te pakken. Ik merkte dat ik die vergeten was en ik wilde Logan niet in verlegenheid brengen door hem te vragen me er een te brengen.'

'Je wilde hem niet in verlegenheid brengen? Hoe dacht je dat hij zich nu voelde?'

'Hij kijkt niet verlegen,' zei ze, glimlachend naar Logan.

'Fanny!' Ik deed een stap naar haar toe. 'Ga naar de badkamer en neem je douche.'

'Natuurlijk, Heaven, schat van me. Ik ben zo terug. Dan kunnen we gezellig met elkaar babbelen.'

Ze bukte zich om de badkamerdeur te openen en liet daarbij alles zien. Toen ze binnen was schudde Logan zijn hoofd en ging met een vuurrood gezicht zitten.

'Ik ben blij dat jij er bent,' zei hij. 'Ze werd onmogelijk.'

'Je had haar niet binnen moeten laten.'

'Hoe had ik dat moeten doen, Heaven? Ik kon haar toch niet buiten laten staan?'

Hij had gelijk; het was verkeerd hem de schuld te geven. Fanny was Fanny. Ze was zoals ze altijd geweest was. Ze wilde me altijd alles afnemen wat ik voor mezelf wilde houden. Net als die keer jaren geleden toen Logan op me wachtte bij de rivier en Fanny er eerder was dan ik, en ze haar jurk uittrok en hem tartte haar te pakken. Toen had hij even verlegen en verward gekeken als nu. Hij had me verteld dat hij niet zo'n lichtzinnig meisje als Fanny wilde. Hij had me verteld dat ik zijn type was. Hij wilde een meisje dat verlegen, mooi en lief was.

'Je hebt gelijk,' zei ik. 'Niemand anders dan Fanny kun je de dingen verwijten die Fanny doet. Je vader vertelde me dat je hier naar toe ging om een paar papieren te halen.'

'Ja, ik wilde de bankrekening afsluiten. Ik heb ze gevonden in de la van de kast en ik was net van plan om weg te gaan toen Fanny kwam.'

'Ik heb een prachtige plaats gevonden voor de fabriek, Logan. Ik wil er later op de dag graag met je naar toe.'

'Mooi zo!'

'Ga met je papieren naar de bank, dan zie ik je over een uur in de drugstore. Ik blijf hier wel bij Fanny,' zei ik. Hij keek achterom naar de deur van de badkamer en knikte.

'Oké.' Hij kuste me en ging weg. Ik wachtte op de veranda tot Fanny klaar was.

'Waar is Logan?' vroeg ze, zodra ze buiten kwam. Ze droeg een felrode jurk met elastiek rond de hals; het lijfje was ver over haar schouders omlaag getrokken. Het verbaasde me niets dat ze geen bustehouder droeg en dat de helft van haar borsten te zien was. Ik moest toegeven dat Fanny heel aantrekkelijk was. Ondanks haar wilde leven had ze een prachtige huid, en de combinatie van haar gitzwarte haar met de donkerblauwe ogen was verbluffend mooi. 'Hij is naar het dorp voor zaken. Wat jij daarbinnen deed was afschuwelijk, Fanny,' zei ik. Ik liet me niet van mijn onderwerp afbrengen. 'Je bent geen tiener meer. Dit soort gedrag is niet te excuseren. Logan is nu mijn man en je mag je niet meer zo gedragen in zijn bijzijn.'

'Wel, wel,' zei ze, met haar handen op haar heupen en haar hoofd schuin. 'Je denkt zeker dat je die brave Logan maar uit de Willies hoeft te plukken om er een van jouw mooie stadsjonkers van te maken.'

'Hij doet niets wat hij niet zelf wil.'

Ze staarde me even aan en de woede op haar gezicht maakte plaats voor verdriet. Alleen Fanny kon van de ene seconde op de andere van stemming veranderen, of je een kraan opendraaide boven een wasbak.

'O, ja, jullie gaan samen hoog en droog op het varkenshok wonen en laten mij beneden achter bij de zwijnen, zoals gewoonlijk.'

'Jij wilde hier terugkomen, Fanny. Jij hebt dat huis gekocht met het geld van je ex-man.'

'Maar ik dacht dat ik mijn baby terug zou krijgen. Ik dacht dat jij me zou helpen, Heaven. Maar die gemene dominee en zijn onvruchtbare vrouw hebben haar nog steeds. En wat heb ik? Ik heb geen gezin en geen respect. Je hebt me niet eens uitgenodigd op de receptie in Farthy, maar Keith en Jane wel, omdat zij naar een of andere dure universiteit gaan en zich kleden zoals jouw soort mensen.'

'Dat is niet mijn soort mensen,' zei ik, maar ik besefte dat ze gelijk had. Ik had haar niet op dat feest gewild; ik wilde niet het risico lopen van een pijnlijke situatie, want ik wist wat ze zou kunnen zeggen en doen om me opzettelijk te vernederen.

'Dan wil ik ook in Farthy komen wonen,' jammerde ze. 'Ik heb ook het recht om al die rijke, gefrustreerde ouwe mannen te ontmoeten en een suikeroom te vinden, net als jij, Heaven.'

'Ik heb geen suikeroom gevonden, Fanny.' Ik schudde mijn hoofd. Ze kon soms zo frustrerend zijn. 'En ik kan je niet zo maar uitnodigen om in Farthy te komen wonen zodat je op jacht kunt gaan naar een rijke man die met je trouwt.'

'Je wilde me altijd al kwijt. Je bent me nog wat schuldig, Heaven Leigh Casteel. Ja, Casteel. Het kan me niet schelen wat voor naam je aanneemt, je bent nog steeds Heaven Leigh Casteel, een meid uit de Willies, net als ik, hoor je? Toen ma ons in de steek liet, heb je beloofd voor me te zorgen, maar je hebt niet belet dat pa me verkocht aan die wellustige dominee, en toen ik je vroeg om me te helpen mijn baby terug te krijgen, heb je dat ook niet gedaan. Je hoefde hem alleen maar geld te bieden, maar je hebt het niet gedaan. Je hebt het niet gedaan!'

'Jij bent niet het moederlijke type, Fanny. Dat zul je nooit zijn.'

'O, nee? Wees daar maar niet zo zeker van, Heaven. Wees jij maar van niets en niemand zeker behalve van jezelf.'

'Ik ben niet zeker van mezelf, Fanny. Maar we zien onszelf nooit zoals anderen ons zien, en jij wílt jezelf niet zien zoals je bent. Het spijt me dat ik dat moet zeggen, maar het is zo. En nu heb ik nog een paar dingen te doen in Winnerow en dan –'

'Je wil niet dat ik in de buurt van Logan ben. Dat is het, hè? Je vertrouwt hem niet.'

'Ik heb het volste vertrouwen in mijn man, Fanny. Maar je hebt gelijk. Ik vind het niet prettig jou bij hem in de buurt te zien, omdat je het soort dingen doet zoals net in de hut. Ik had gehoopt dat je na alles wat er in je leven gebeurd is wat volwassener zou zijn geworden, maar ik zie dat je nog een lange weg hebt af te leggen.'

'O ja? Nou, dan zal ik je eens wat vertellen, keurige, preutse tante. Logan genoot van mijn voorstelling tot jij kwam. Ik vroeg hem me de handdoek aan te geven en hij zei dat ik hem zelf moest komen halen. Hij begon een ander deuntje te zingen toen hij je auto hoorde.'

'Dat is een leugen, een afschuwelijke leugen!' schreeuwde ik. Fanny kan me altijd woedend maken. 'Dat zeg je alleen om mij verdriet te doen.'

Ze haalde haar schouders op.

'Geloof maar wat je wil, maar als jij in een man gelooft, dan ben je een nog grotere idioot dan ik dacht, Heaven, en ben jij degene die nog volwassen moet worden. Ze wees met haar vinger naar me en bleef kaarsrecht en arrogant aan. Ik staarde haar aan.

'Ik moet nu weg,' zei ik. 'Ik kan mijn tijd niet langer verspillen.'

'O, nee?' Ze lachte. Ik liep naar mijn auto. 'Je kunt er niet vandoor gaan naar je kasteel en mij achterlaten, Heaven. Ik zal niet oplossen in de Willies zoals je zo graag zou willen. Ik ben nog niet met je klaar.'

'Ik zei dat ik weg moet.' Haastig stapte ik in de auto en startte de motor.

'Ik ben nog niet met je klaar,' riep ze, naar de auto toelopend. Ik reed weg en keek naar haar in de binnenspiegel.

Ondanks haar dreigementen en haar insinuaties had ik toch medelijden met haar. Ze was ziekelijk jaloers. Ik vermoedde dat ze daardoor veel verdriet had. Van begin af aan, toen ik met Logan ging, had ze geprobeerd hem van me af te pakken, maar toen Logan niet meer bij mij was, liet ze hem met rust. Ze wilde hem niet als ik hem niet had.

Wat moet ze lijden in mijn schaduw, dacht ik. Zou ze ooit van een man houden om hemzelf en hem willen hebben, niet omdat ze dacht dat ik hem wilde, maar omdat hij van haar hield en zij van hem? Misschien was Fanny niet in staat tot een dergelijke liefde. Misschien was dat haar erfenis van ons harde leven in de Willies.

5. GEESTEN

Op een mooie open plek in het bos, waar bontgekleurde wilde bloemen groeiden, vond ik de perfecte plaats voor de speelgoedfabriek. Ik had me die plek herinnerd, omdat Tom en ik daar vroeger na schooltijd wel eens naar toe gingen, om in de zon te liggen en elkaar onze dromen te vertellen. 'Heaven,' placht Tom te zeggen, ' als ik ooit genoeg geld verdien, ga ik hier een huis voor ons bouwen, met het grootste raam dat je ooit hebt gezien.'

De plaats beviel Logan. 'Die is uitstekend voor de nieuwe fabriek,' zei hij. 'Vlak bij het elektriciteitsnet en de toevoerwegen.' Ik keek naar hem terwijl hij het terrein met grote passen opmat, en moest stiekem lachen toen hij het gebouw in gedachten vorm gaf door zijn handen op te houden, met de toppen van zijn duimen tegen elkaar, om de fundering aan te geven van het denkbeeldige gebouw. Hij was plotseling een rasechte ondernemer geworden, een instant directeur. Ik zorgde ervoor dat hij me niet zag lachen, want ik wist hoe ernstig hij zichzelf nam. Hij schreef een paar cijfers op een vel papier, tekende een ruwe kaart van het terrein en reed ons toen terug naar Winnerow om een plaatselijke advocaat op te zoeken, Barton Wilcox.

Er was geen betere manier om het nieuws van de komende economische investering in Winnerow te verspreiden dan te gaan onderhandelen over de aankoop van land. Voordat Logan en ik het kantoor van Mr. Wilcox verlieten, vertelde ik het aan een paar secretaresses, die het op haar beurt vertelden aan vrienden en vriendinnen, en het duurde niet lang of de telefoonlijnen in Winnerow gonsden van belangstelling en opwinding. Logan belde Tony om hem te vertellen dat we het terrein gevonden hadden en Tony maakte telegrafisch een groot bedrag over op een rekening bij de Winnerow National Bank. Op dat moment kreeg Logan echt een gevoel van macht en gezag, want hij beheerde al dat geld. Tony had geen betere manier kunnen bedenken om zijn vertrouwen in hem tot uiting te brengen en zich voorgoed van zijn trouw te verzekeren.

Er werd een vergadering belegd in het kantoor van Barton Wilcox tussen Logan en de eigenaar van het land, die bijna flauwviel toen Logan zijn eerste bod deed. Dergelijke bedragen werden zelden of nooit besproken in Winnerow. Na een snelle conferentie voegde Logan er nog vijfduizend dollar aan toe om de transactie af te ronden, en de zaak was beklonken. We hadden ons terrein.

'Ik denk dat Tony tevreden over me zal zijn!' verklaarde Logan later. Hij richtte zich in zijn volle lengte op en schikte trots het pochet met monogram in zijn borstzak recht. 'Ik geloof dat ik goed in het geheel pas, Heaven. Echt waar. Ik heb er een goeie neus ervoor.' Hij draaide zich glimlachend naar me om. 'Dit gaat iets geweldigs worden,' zei hij, en nam mijn hand in de zijne. 'Samen zullen we de mooiste droom opbouwen die dit dorp ooit gekend heeft. We zullen zorgen dat de mensen trots zijn op Winnerow en dat ons dorp bekend wordt. En denk eens aan al die mensen die we zullen helpen, de mensen uit de Willies die hiervóór geen toekomst hadden en geen hoop.'

Ik glimlachte naar hem. Hij was zo opgewonden. Soms dacht ik dat hij voldoende opwinding had voor ons allebei.

'Je hebt een belangrijke en goede beslissing genomen toen je besloot dat we in Farthy zouden gaan wonen en dit doen, Heaven. Echt.'

'Ik hoop het, Logan.' Ondanks zijn optimisme ging er een rilling door me heen als ik eraan dacht dat we in Farthy zouden gaan wonen. De Willies wenkten me nog steeds. Ik had bijna het gevoel of ik daar echt thuishoorde, ondanks mijn ware afkomst. Dat het verkeerd was dat ik mijn droom door Tony liet veranderen. Maar ik wilde niet bij mijn angst stilstaan. Ik zou dit tot *mijn* droom maken, niet die van Tony. 'We hebben nog een hoop te doen. Hoe staat het met de bouw van de fabriek?'

'Tony neemt ons mee naar een architect in Boston. Hij wil dat jij en ik daarbij zijn. Hij zegt dat wij het best kunnen beoordelen wat de mensen hier willen en nodig hebben. Maar als de fabriek eenmaal is ontworpen, gebruiken we alleen plaatselijke arbeidskrachten en kopen we alle materialen ter plaatse. Goed zakelijk inzicht.'

'En de handwerkslieden?' vroeg ik.

'Ik ga een paar keer terug om in de bergen te zoeken naar mensen met een natuurtalent. Maar we hebben vanzelfsprekend nog veel meer banen te vergeven; er zullen veel mensen geholpen kunnen worden, precies zoals jij het je hebt voorgesteld, Heaven.'

'Daar ben ik blij om, Logan,' zei ik. We reden terug naar de hut, zodat ik de paar dingen kon inpakken die ik mee naar Farthy wilde nemen, en Logan ging terug naar het huis van zijn ouders, om zijn spullen op te halen. Op verzoek van zijn ouders bleven we daar eten en slapen. De volgende ochtend gingen we terug naar Farthinggale, beiden met het gevoel dat onze reis naar Winnerow een groot succes was geweest. Het enige wat een bittere nasmaak bij me achterliet was Fanny's obscene voorstelling. Ik nam aan dat de herinnering eraan zou verbleken en bij de andere pijnlijke en ongelukkige herinneringen zou worden opgeborgen.

Tony wachtte op ons in Farthy. Hij stuurde de bedienden weg om onze bagage te halen, en hij, Logan en ik gingen naar zijn kantoor om onze reis te bespreken en de plannen voor de fabriek.

'Logan en ik vliegen overmorgen met de architect terug naar Winnerow,' zei hij toen hij alle details had gehoord. 'En over een week of zo zullen we de eerste ontwerpen bekijken. Ik denk dat een hoop bewoners hebben gehoord van ons project.'

'O, ja,' zei Logan. 'Nieuws verbreidt zich snel in kleine gemeenschappen als Winnerow. Ik denk dat mijn eigen ouders daar nog het meest aan hebben bijgedragen.'

'Ik neem dus aan dat ze blij waren met je besluit om bij Tatterton Toys te komen.'

'O, ja,' zei Logan. Tony keek naar mij met een zelfvoldane uitdrukking op zijn gezicht. Waarom zouden Logans ouders niet blij zijn geweest? dacht ik. Kijk eens wat Tony nu al allemaal voor hem gedaan heeft.

'Je hebt het er uitstekend afgebracht, Logan. Heel goed. Ik denk dat je je hier voortreffelijk zult inwerken,' zei Tony. Logan was absoluut extatisch. Hij leunde achterover en hield zijn hoofd arrogant omhoog. 'Morgen zal ik je meenemen naar mijn kleermaker in Boston en je een paar fatsoenlijke pakken laten aanmeten. Een man met jouw verantwoordelijkheden moet zich kleden naar zijn functie.'

'Klinkt goed. Dank je,' zei Logan, en keek naar mij om mijn instemming te vragen. Ik wist niet zeker of het me wel zo beviel wat Tony aan het doen was. In zekere zin hervormde hij Logan naar zijn eigen beeld, en Logan, die zo ingenomen was met Tony, en ook met zichzelf, was gemakkelijk materiaal om te kneden en te vormen.

'Hoe gaat het met Jillian?' vroeg ik, om van onderwerp te veranderen.

'Hetzelfde,' zei Tony snel.

'Ik zal even bij haar langs gaan. Jullie hebben waarschijnlijk nog wel het een en ander te bespreken, maar ik ga wat rusten.'

'Is alles goed met je, schat?' vroeg Logan. Hij hoorde de geprikkelde klank in mijn stem.

'Ja, Logan. Ik ben alleen moe na de reis. Maak je geen zorgen over mij.'

Ik liet hem achter bij Tony en liep de trap op. Ik ging eerst langs de suite van Jillian. Martha Goodman was niet haar gebruikelijke onverstoorbare zelf. Ik zag onmiddellijk dat ze bezorgd en opgewonden was.

'Ik ben zo blij dat u terug bent, mevrouw Stonewall,' zei ze.

'Wat is er, Martha?' Martha keek achterom naar de gesloten deur van Jillians slaapkamer, alsof ze zich ervan wilde overtuigen dat ze niet stiekem stond te luisteren naar wat ze ging zeggen.

'Ze is erg van streek geweest de laatste dagen, heel anders dan anders.'

'Hoezo?' Ik aarzelde voor ik Jillians deur openmaakte.

'Nou, u weet dat ze in het verleden leefde, dacht dat ze nog jong en mooi was, over mensen van vroeger praatte en toespelingen maakte op gebeurtenissen van heel lang geleden.'

'Ja?'

'Dat heeft ze in de afgelopen paar dagen niet meer gedaan en ze heeft niet één keer geprobeerd zich op te maken.'

'Maar Tony... meneer Tatterton vertelde me net dat ze niet anders was dan voordat we naar Winnerow gingen.'

'Hij is sinds uw vertrek niet meer hier geweest, mevrouw Stonewall. Hij was drie dagen de stad uit, en toen hij terugkwam was hij bijna nooit thuis.'

'Maar wat is er dan, als ze niet in het verleden leeft?'

'Het is veel griezeliger... ze zegt dat de doden terugkomen.'

'Omdat ze dacht dat ik mijn moeder was, Martha,' zei ik glimlachend. 'Dat komt door de kleur van mijn haar. Ik denk dat ik mijn natuurlijke kleur weer zal aannemen en – '

'Ja, mevrouw Stonewall,' zei Martha, me in de rede vallend. 'Maar hiervóór leefde ze altijd in dezelfde periode. Als ze naar u keek zag ze uw moeder in u, maar ze zag zichzelf zoals ze was toen uw moeder nog leefde. Ze was samen met u terug in het verleden. Nu leeft ze in het heden, maar ze zweert dat de mensen die zijn gestorven, zijn teruggekeerd. Ik kan het niet goed uitleggen, ik weet het, maar wacht tot u haar gesproken hebt. Ze is heel kalm, heel verstandig, maar doodsbang, als iemand die werkelijk een geest heeft gezien. Ze verkeert in een soort shocktoestand. Ik moet eerlijk bekennen, mevrouw Stonewall, dat dit de eerste keer is dat ik een beetje bang ben om voor uw grootmoeder te zorgen.'

'Maar, Martha – '

'En meneer Rye Whiskey maakt het er niet veel beter op met zijn gepraat over spoken en geesten. Alle bedienden zijn geschrokken.' Ze sloeg haar ogen neer of ze zich schaamde.

'Ik zie dat er nog meer is, Martha,' zei ik snel. 'Toe maar, vertel de rest nu ook maar.'

'Het is aanstellerij, mevrouw Stonewall. Ik weet dat het komt door alles wat er om me heen gebeurt.'

'Wat is het, Martha. Je hoeft niet bang te zijn om het me te vertellen.'

'Nou, ik werd laatst 's avonds laat wakker en...'

'Ja?'

'Ik hoorde muziek, pianomuziek.'

Ik staarde haar aan. Mijn lichaam werd zo koud dat het leek of ik alle gevoel eruit kwijt was. Even kon ik geen woord uitbrengen.

'Dat moet je je verbeeld hebben,' zei ik bijna fluisterend.

'Ik weet het, mevrouw Stonewall. Ik heb het tegen niemand gezegd. Maar ziet u, het heeft allemaal te maken met wat er met uw grootmoeder is gebeurd. Het bevalt me niks. Ze kijkt me anders aan en ze zit uren voor het raam naar de doolhof te staren.'

'De doolhof!'

Martha knikte langzaam.

'Dat is wat ze nu doet,' zei ze, en deed een stap achteruit. Ik keek naar de deur van de slaapkamer en toen weer naar haar. Ze leek echt van streek. Hoe was het mogelijk dat Tony niet besefte wat hier aan de hand was? Was hij met opzet blind ervoor? Hij liep het risico Martha Goodman kwijt te raken.

'Misschien als ik met haar praat, Martha, dat ik haar weer tot rede kan brengen.'

'O, ik hoop het, mevrouw Stonewall, want volgens mij zou het beter voor haar zijn als ze ergens was waar ze professionele hulp kan krijgen.'

Langzaam draaide ik de knop van de deur om en ging Jillians slaapkamer binnen. Ze zat op de plaats waar Martha had gezegd dat ze zou zitten – voor het raam, starend naar de doolhof.

De zoete geur van haar jasmijnparfum drong in mijn neus en plotseling besefte ik wat er anders was geweest in haar waanzin. Ze bracht uren door voor een spiegel zonder glas om zich overdadig op te maken, maar ze had haar lievelingsparfum niet opgedaan, de geur die ik me zo goed herinnerde. Nu deed ze dat wel.

In tegenstelling tot de andere keren dat ik haar had gezien droeg ze niet een van haar dure nachthemden. Ze zat heel rustig, gekleed in een zwart chiffon blouse en een zwarte rok. Toen ze me hoorde en zich naar me omdraaide zag ik dat ze zich totaal niet had opgemaakt, en dat haar haar, ook al was het nog steeds uitgebleekt, keurig geborsteld was en opzij vastgestoken.

'Zo,' zei ze, 'dus jij bent ook teruggekomen.' Ze lachte kort.

'Jillian...'

'Uit het boerendorp. Alleen iets als dit zou je terugbrengen, dat weet ik. Je bent hier weggelopen en hebt dit allemaal opgegeven om les te gaan geven op een achterlijke school. En nu heb je spijt, spijt over wat je verloren hebt.'

Ze wist wie ik was! Als ze naar me keek dacht ze niet langer dat ik mijn moeder was. Ze draaide zich weer om naar het raam en staarde naar buiten.

Martha had gelijk – ze was heel anders. De toon van haar stem was anders; de uitdrukking in haar ogen was anders. Zoals de manier waarop ze daar zat anders was. Verdwenen was de grilligheid, de waanzinnige lach, de vreemde etherische manier waarop ze haar handen bewoog en rondfladderde in de kamer. Het was of ze een shockbehandeling had ondergaan en met een klap was teruggevallen in de realiteit.

'Waar kijk je naar, Jillian? Waarom zit je de hele dag voor het raam naar de doolhof te staren?'

Ze draaide zich met een ruk om. Twee tranen glinsterden in de hoeken van haar korenblauwe ogen, die zo op de mijne leken.

'Iedereen haat me,' zei ze. 'Iedereen keert zich tegen me en geeft mij de schuld van alle slechte dingen.' Ze bracht haar kanten zakdoekje naar haar gezicht en bette voorzichtig haar ogen. Dit was de Jillian die ik kende, acterend, haar emoties bespelend zoals een musicus zijn instrument bespeelt. Haar lied was "Heb meelij met mij, arme ik. Arme Jillian".

Ik zuchtte. 'Waarom haat iedereen je, Jillian? Wat heb je gedaan?' vroeg ik vermoeid.

'Ze zeggen dat ik je moeder uit huis heb gejaagd. De bedienden fluisterden. O, ik wist wat ze zeiden. Ze zeiden dat ik te kil was tegen Tony, dat ik gescheiden van hem leefde en sliep, en niet zo vaak als hij wilde met hem naar bed ging, zodat ik mijn jeugd en schoonheid zou bewaren. Ik wilde niet oud en vermoeid raken om de seksuele honger van een man te bevredigen, zijn behoefte om zijn mannelijkheid te bewijzen.'

'Wat kon de bedienden dat schelen?' vroeg ik, denkend dat het misschien het beste was om haar naar de mond te praten. Ze glimlachte, maar zo koud dat ik de kilte bijna kon voelen.

'Waarom denk je? Ze aanbaden Tony. Dat doen ze nog steeds. Ze beschouwen hem als een soort god. Hem treft geen enkele blaam; niets is zijn schuld. Toen je moeder zich aan zijn voeten wierp en hij haar niet afwees, dachten ze dat het kwam door de manier waarop ik hem behandelde. Begrijp je het niet? Alles is mijn schuld. Alles. Zelfs Troys dood.'

'Troys dood?' Ik kwam een stap dichterbij.

'Ja. Troys dood. Want welk paard koos hij uit om te berijden? Alsof het mijn schuld was dat hij dat koos.'

'Abdulla Bar,' zei ik, de regels herhalend die ik jaren geleden uit mijn hoofd had geleerd.

'Abdulla Bar.' Ze knikte. 'Mijn paard. Het paard dat niemand behalve ik kon berijden. Snap je het niet? Mijn schuld,' herhaalde ze. Ze wuifde naar me met haar zakdoekje en keek weer uit het raam. 'En nu komen ze allemaal terug om me te achtervolgen, te straffen.'

'Jillian,' zei ik. Het drong nu tot me door wat ze bedoelde. 'Dat is onzin. Er bestaan geen geesten en spoken, dat zijn alleen maar de creaties van onontwikkelde en bijgelovige geesten. Mensen als Rye Whiskey vertellen dergelijke verhalen om zichzelf te amuseren. Er is niets daarbuiten, niets anders dan de harde werkelijkheid. Alsjeblieft,' zei ik, terwijl ik naar haar toeging en haar hand in de mijne nam. Ze keek me aan en ik knielde naast haar neer. Ik keek in die angstige blauwe ogen en wenste met elke vezel van mijn lichaam dat ze me zou horen en zien en begrijpen, wenste uit de grond van mijn hart dat ik iets voor haar zou betekenen, dat ik voor één keer haar kleindochter kon zijn en we onze diepste gevoelens met elkaar konden delen. 'Alsjeblieft. Kwel jezelf niet. Je lijdt al genoeg.'

Plotseling glimlachte ze en met haar vrije hand streek ze over mijn haar. Het was de eerste keer dat ze me ooit had aangeraakt met enig blijk van affectie.

'Dank je, Heaven. Dank je voor je bezorgdheid. Maar,' zei ze, zich afwendend, 'het is te laat, te laat.'

'Jillian, Jillian,' herhaalde ik. 'Grootmoeder.' Ze draaide zich niet meer om, maar staarde onafgebroken uit het raam. Ik kwam naast haar staan. Een nevel was komen binnenwaaien uit zee. Het zag eruit of de wolken uit de lucht waren gevallen om het geheim op te slokken. De lucht raakte snel bewolkt; straks zouden we waarschijnlijk onweer krijgen. De duisternis leek toepasselijk.

Ik stond voor het raam met mijn geestelijk gekwelde grootmoeder en keek naar de voortdurend veranderende wereld onder me, alsof ook ik verwachtte de geesten waarvan ze dacht dat ze haar achtervolgden te voorschijn te zien komen. Pas toen Martha in de deuropening verscheen om te zien wat er aan het licht was gekomen, besefte ik hoe lang ik daar had staan staren. Ik had voortdurend Jillians hand vastgehouden. Toen ik hem losliet legde ze haar hand in haar schoot en ik liep naar Martha.

'Je hebt gelijk,' zei ik zachtjes. 'Ze is veranderd.' Martha knikte zachtjes en keek naar haar met een bedroefde blik in haar ogen.

'Ik denk dat ze uiteindelijk katatonisch zal worden, mevrouw Stonewall.'

'Ik ben het met je eens, Martha. Ik zal meneer Tatterton overhalen haar dokter te laten komen.'

'O, ik ben zo blij dat u het met me eens bent, mevrouw Stonewall,' zei Martha. 'Een paar uur geleden heb ik meneer Tatterton nog op de veranderingen attent gemaakt, en hij zei dat hij langs zou komen, maar hij is nog niet geweest.'

'Hij komt wel. Ik zal ervoor zorgen,' verzekerde ik haar.

'Dank u,' zei Martha. We draaiden ons om en keken nog even naar Jillian. Ze had zich niet verroerd.

'Schuldbesef is een van de moeilijkste dingen om te verdragen,' fluisterde ik, meer tegen mezelf dan tegen Martha, maar ze hoorde het en gaf het onmiddellijk toe.

Ik verliet de suite en liep haastig naar ons eigen vertrek. Ik wilde niet dat een van de bedienden mijn angst en schrik zou opmerken. Ik wist dat de dingen die Jillian had gezegd, de dingen waarvan ze voelde dat de mensen haar beschuldigden, waarvan ze zichzelf kennelijk ook was gaan beschuldigen, altijd ergens op de achtergrond van haar gedachten waren geweest, schijnbaar slapend, maar slechts wachtend op de gelegenheid om op te staan en hun vernietigende kracht uit te oefenen op de rest van haar geest.

Hetzelfde gold voor mij. Tot nu toe was ik er min of meer in geslaagd die gedachten begraven te houden, maar nadat ik Jillian had gezien en gehoord, vroeg ik me af hoe lang me dat nog zou lukken, wanneer ik, net als Jillian, ook een geest zou zien... de geest van Troy. Ik had meer moeten doen om hem voor wanhoop te behoeden. Ik had hem zeker niet achter moeten laten om rond te gaan reizen, terwijl hij hier in Farthy bleef, in die bungalow die ons liefdesnest was geweest, de plaats waar we zoveel gelukkige uren hadden doorgebracht.

Hoeveel nachten had hij wakker gelegen en aan mij gedacht in die bungalow, denkend dat ik hem uit mijn leven had gebannen, dat ik ons noodlot had aanvaard? Ik wist hoe gevoelig en gedeprimeerd hij kon zijn, en toch liet ik hem alleen met het grootste verdriet dat denkbaar was... een gebroken hart. Ik liet hem zonder hoop achter, in de overtuiging dat alle sombere gedachten werkelijkheid werden.

Toen ik in Jillians ogen keek en het verdriet daarin zag, vluchtte ik ervoor zoals ik gevlucht was voor haar waanzin. Zou ik net als zij door schuldbesef worden gekweld, tot ik ook krankzinnig werd en alleen verder moest leven met mijn onrustige gedachten?

O, Troy, Troy, je moet toch geweten hebben dat jij de laatste ter wereld zou zijn die ik verdriet zou willen doen?

Maar ik moest de gedachten aan Troy van me afzetten. Ik was nu de vrouw van Logan, en ik zou ervoor zorgen dat ik hem nooit zou laten lijden zoals Troy had geleden.

Ik nam een douche en kleedde me aan en ging weer naar beneden om Tony te vertellen dat hij met Martha moest spreken.

Tony en Logan waren niet in het kantoor. Curtis zag dat ik hen zocht en vertelde me dat ze een boodschap hadden achtergelaten dat ze naar Boston waren.

'Iets over plannen voor de fabriek in Winnerow,' zei Curtis, verontrust omdat hij me de boodschap niet letterlijk had overgebracht.

'Maak je geen zorgen, Curtis. Dank je.' Ik wist niet of ik moest lachen of huilen om Logans monomaniakale toewijding aan Tatterton Toys. Ik wist dat hij moe was na onze reis, maar hij moest Tony zijn vastberadenheid en doorzettingsvemrogen bewijzen. Tony had beter moeten weten, dacht ik. Waarom verleidde hij Logan zo hardnekkig met die fabriek? Hij had wat hij zei dat hij wilde – we woonden hier, we deelden zijn rijkdom, en Logan werkte voor hem. Hij hoorde meer aandacht te besteden aan Jillian.

'Ze zeiden dat u zich niet ongerust moest maken. Ze zouden ruim op tijd voor het eten terug zijn.'

Ik wilde zo graag vrolijk en gelukkig zijn op dit moment, in plaats van bezorgd en melancholiek. Ik dacht dat het me misschien goed zou doen een wandeling te gaan maken, en mijn bedompte, sombere gedachten te luchten.

Ik droeg een lichtblauwe, dunne zomerblouse en rok, en ik was bijna teruggegaan om een katoenen trui te halen, want de lucht was koel en zilt geworden door de zeewind. Maar ik deed het niet. Ik liep verder, zo in beslag genomen door mijn zorgelijke gedachten, dat ik niet besefte hoe snel en hoe ver ik was gelopen. Ik bleef staan bij de ingang van de doolhof en keek achterom.

Omlijst door het raam zag ik Jillian. Ze zag eruit als een etalagepop, zo onbeweeglijk, zo verstard zat ze daar. Het was moeilijk de details van haar gezicht te onderscheiden natuurlijk, maar ik meende een uitdrukking van angst erop te zien. Plotseling werd ik aangestoken door haar angst en ik werd in de doolhof getrokken, als een kind dat het eind van een griezelig sprookje wil horen. Op het moment dat ik in de doolhof kwam herinnerde ik me de eerste keer dat ik daar was geweest, toen ik net in Farthy was aangekomen en nog niet eens wist wat de doolhof inhield. Ik voelde het als een opwindende uitdaging om de puzzel op te lossen. Arrogant was ik naar binnen gelopen, was rechts afgeslagen en links. Toen het warme zonlicht werd opgeslokt door de hoge heggen was ik mijn gevoel voor richting kwijt. Ik wist niet meer hoe ik terug moest. Ik raakte in paniek en ging sneller lopen, holde bijna.

Tenslotte was ik blijven staan om tot kalmte te komen; ik spande me in om de branding te horen, in de hoop me daarop te kunnen richten, maar in plaats daarvan hoorde ik het tik-tik-tik van iemand die dichtbij aan het timmeren was. Ik volgde het geluid tot ik een raam dicht hoorde gaan en het getimmer ophield. Ik liep in dezelfde richting als nu, met mijn armen beschermend om me heen geslagen, op de manier van oma. Ik nam de ene bocht na de andere, tot ik uit de doolhof stapte en voor Troys bungalow stond.

Net als nu.

En het was precies zoals het altijd geweest was, een sprookjeshuis dat plotseling opdook uit de mist, behaaglijk genesteld aan de voet van de pijnbomen. Natuurlijk hoorde ik nu niet het geluid van de hamer waarmee de kostbare stukjes Tatterton-speelgoed werden gemaakt; er was geen licht van een warm vuur. Er was niets anders dan de donkere schaduwen en de verduisterde ramen die eruitzagen als de ogen van een blinde – dof, grijs, nietsziend, zelfs niet de weerspiegeling van de omringende lage heg in het glas.

Maar het zien ervan deed mijn hart ineenkrimpen.

O, Troy, dacht ik. Ik wou dat ik weer naar je bungalow kwam zoals die eerste dag en dat ik net als toen weer kon proberen je aan het praten te krijgen. Ik wilde dat je er weer was om me aan te kijken op die speciale manier van je – te zien hoe je donkere ogen me heel langzaam opnamen, mijn gezicht, mijn hals, mijn hijgende boezem, mijn middel, heupen en benen. Ik voelde je blik op mijn lippen, ik voelde dat je onder de indruk was van me en dat gaf me het besef van mijn macht als vrouw. Ja, Troy, jij liet me voelen dat ik een vrouw was, meer dan enige man daarvoor.

Ik realiseerde me dat ik mijn armen steviger om me heen sloeg toen ik verdiept raakte in mijn herinneringen. Wat gebeurt er met me? vroeg ik me af. Ik mocht niet aan die dingen denken, want ik was samen met mijn ware liefde en Troy was voorgoed weg.

Na een tijdje had ik mezelf weer in de hand. Ik liet mijn armen langs mijn zij vallen en liep door tot ik bij de deur van de bungalow was. Het verbaasde me hoe goed de tuin rond de bungalow sinds Troys dood was onderhouden. Het gazon was gemaaid; de bloemperken waren keurig verzorgd. Zelfs de ramen waren schoon.

Na een ogenblik van aarzeling schoof ik de grendel omhoog en liep naar binnen. Mijn hart klopte in mijn keel als een vogel die op het punt staat weg te vliegen. Toen ik binnen was slaakte ik onwillekeurig een zachte kreet.

Troys stoel stond op precies dezelfde plaats waar hij altijd had gestaan, tegenover het vuur. Even verwachtte ik dat hij erin zou zitten en zich naar me zou omdraaien zoals hij die eerste dag had gedaan, maar natuurlijk was er niemand. De stilte en leegte waren erger dan ik me had voorgesteld. Ik haalde diep adem en hield die in toen ik naar het speciale gereedschap keek dat hij had gebruikt om het speelgoed te maken, alles in zijn eigen nis in de muur.

De vloerplank links van me kraakte alsof een geest erop had getrapt en ik onderdrukte een gil. Op hetzelfde ogenblik draaide ik me om en holde de deur uit. Verdriet en angst vermengden zich in de tranen die over mijn wangen stroomden. Ik vluchtte terug de doolhof in en holde zonder na te denken door de gangen ervan, nam de ene gedachteloze bocht na de andere. Ik struikelde een keer, maar wist mijn evenwicht te bewaren voor ik in de heg viel. Tenslotte, buiten adem en uitgeput, bleef ik staan om tot mezelf te komen.

Net als de eerste keer toen ik jaren geleden de doolhof was binnengaan, was ik weer verdwaald. Ik was in paniek weggerend, zonder te letten op de weg die ik nam, een weg die ik vroeger zo goed had gekend. En nu, geagiteerd en van streek, kon ik niet normaal denken. Alle openingen en ingangen leken op elkaar. Ik wist zelfs niet eens zeker hoe ik terug moest naar de bungalow.

Ik lachte mezelf uit, meer om me gerust te stellen dan iets anders. Wat ben je toch een stomme idioot, Heaven Leigh, dacht ik. Na al die jaren en al die keren dat je door die doolhof bent gelopen, ben je nu volkomen de kluts kwijt. Neem de tijd en denk na, en kalmeer een beetje. Stel je voor hoe je je zou voelen als Tony en Logan terugkwamen en je moesten redden. Hoe zou je deze onzin willen verklaren?

Ik holde weer door de gangen, vervloekte het mysterie ervan. Ik wist zeker dat ik in een kringetje had rondgelopen. Wat was trouwens de zin van zo'n doolhof? Welke gek met een verwrongen gevoel voor humor maakte zoiets? Ik hield mijn adem in en ging de diverse mogelijkheden na. Hoe meer mogelijkheden ik had, hoe verwarder ik werd. Het begon steeds donkerder te worden. Hoe lang had ik in die doolhof rondgelopen? Elk besef van tijd en plaats was plotseling verdwenen. Ik kon het bonzen van mijn hart niet tot bedaren brengen. Ik probeerde wanhopig tot rust te komen, maar het lukte steeds minder.

Ik staarde naar een gang, sloeg rechtsaf en toen links. Alles zag er even vertrouwd uit als altijd, maar toen ik dacht dat ik de juiste bocht nam, was ik nog steeds diep in het hart van de doolhof. De schaduwen leken hier donkerder, langer. Alles in dit deel was me onvriendelijk gezind. In mijn wilde fantasie dacht ik dat de heggen wraak op me namen omdat ik hun geheim jaren geleden had ontsluierd en van de ene wereld naar een andere ging.

Tenslotte kwam ik tot de conclusie dat de enige oplossing was één keer links- en dan één keer rechtsaf te slaan. Uiteindelijk zou ik aan het eind van de doolhof moeten komen, ook al zou ik er tien keer langer over doen dan wanneer ik me de oplossing had herinnerd. Met gebogen hoofd liep ik verder. Na een paar minuten trok het geluid van een snoeischaar mijn aandacht. Ik bleef staan en luisterde. Ja, het moest een van de tuinlieden zijn die aan het werk was. Ik liep op het geluid af, en na een stuk of zes bochten zag ik een oudere man die bezig was een van de heggen te snoeien. Ik wilde hem niet laten schrikken, dus wachtte ik, in de hoop dat hij mijn aanwezigheid zelf zou opmerken. Maar zelfs zo kreeg hij een schok toen hij me zag. Hij was bijna op de vlucht geslagen.

'Wacht even, wees niet bang,' zei ik. 'Ik ben het maar. Mevrouw Stonewall. Heaven.' Hij kwam me niet bekend voor, dus ik nam aan dat hij een van de vele bedienden was die waren aangenomen na mijn vertrek uit Farthy.

'O, juffrouw,' zei hij. 'O, hemel.' Hij stond op en legde zijn rechterhand op zijn hart. 'Wat liet u me schrikken. Ik ben blij dat u bent wie u bent; ik ben blij dat u tot de levenden behoort.'

'Gelukkig wel, ja. Maar ik moet bekennen dat ik mijn gevoel voor richting totaal ben kwijtgeraakt.'

'O, dat kan heel gemakkelijk. Zelfs mij is dat een paar keer overkomen.'

'Werkt u hier al lang?' vroeg ik. Ik dacht dat een paar ogenblikken van wat onschuldig gepraat de rust konden herstellen. Dan zou hij misschien niet de behoefte voelen om te overdrijven als hij het aan de andere bedienden vertelde.

'Pas een paar maanden, mevrouw.'

'Vindt u het prettig hier?'

'Meestal wel, mevrouw. Een ogenblik geleden niet,' zei hij en begon toen te lachen. 'Ik dacht even dat een van Rye Whiskey's geesten me te pakken had.'

'O, Rye Whiskey. Ja,' zei ik glimlachend. 'Hij kan iedereen de stuipen op het lijf jagen met zijn verhalen.'

'Zegt u dat wel, mevrouw. Laatst wist ik zeker dat ik voetstappen hoorde aan de andere kant van een van deze heggen. Ik volgde het geluid en kwam bij een kruispunt, waar ik absoluut iemand had moeten zien, maar...'

'Maar?'

'Er was niemand. En ik had op een stapel bijbels kunnen zweren dat ik iemand gehoord had.'

Ik staarde hem even aan.

'Ja, als iemand eenmaal ideeën in je hoofd heeft geplant, zoals Rye dat kan, gaat je verbeelding je parten spelen,' zei ik. Hij knikte.

'Dat geloof ik ook, mevrouw. Maar als u de snelste weg terug naar huis zoekt, gaat u daar rechtsaf, dan tweemaal links en dan weer rechts. Dan bent u er.'

'Dank u wel. Ik schaam me een beetje dat ik zo in de war raakte.'

'Dat is niet nodig, mevrouw. Goedenavond.' Hij keek op. 'Het is al bijna te donker om nog verder te snoeien. Ik maak deze heg nog even af en dan ga ik er ook vandoor.'

'Ja,' zei ik. 'En nogmaals bedankt.' Ik volgde zijn aanwijzingen en kwam uit op ongeveer twaalf meter van de plaats waar ik erin was gegaan. Ik liep snel snel terug naar het huis, keek even omhoog en zag dat Jillian nog achter het raam zat.

Alleen knikte ze nu langzaam, alsof mijn verdwalen en weer te voorschijn komen iets in haar verwarde geest had bevestigd, alsof het vorm had gegeven aan haar wilde fantasieën. Ze glimlachte naar me en trok zich toen tevreden terug van het raam.

Haastig ging ik het huis binnen en genoot van het gevoel van veiligheid dat licht en leven en gezelschap me gaven. Tot mijn opluchting zag ik dat Logan en Tony nog niet terug waren. Ik ging snel naar mijn suite en waste mijn gezicht met koud water. Ik kwam weer tot rust en mijn vuurrode wangen kregen weer een normale kleur. Even later kwam Logan binnen.

'Waar zijn jullie geweest?' vroeg ik, terwijl hij zich uitkleedde om een douche te nemen en zich te verkleden voor het eten.

'O, Tony wilde dat ik iemand leerde kennen die zich bezighoudt met de verkoop van het speelgoed in het buitenland. Interessante man. Legde alles heel uitvoerig uit, en toen ik hem vertelde over onze onderneming in Winnerow, was hij erg geïnteresseerd. Hij zei dat Europeanen veel belangstelling hebben voor de achtergebleven gebieden in Amerika. We zullen beslist succes hebben. Tony was erg enthousiast.'

'O, ja?'

'Ja,' zei Logan. Toen zweeg hij en nam me aandachtig op. 'Waarom kijk je zo ongelukkig?'

'Ik was naar beneden gegaan om met hem te spreken over Jillian, vlak nadat jullie weggingen. Het gaat haar heel slecht, en Tony heeft het genegeerd. Martha is zo van streek dat ze zelfs van plan is om weg te gaan.'

'Is het heus? Ach, gut.'

'Ja, ach, gut,' zei ik. 'Ik ben beneden in de zitkamer. Ik moet met Tony praten.'

'Oké, ik kom zo.'

Tony was ook boven om zich te douchen en te verkleden, maar hij was eerder beneden dan Logan. Hij zag er goed uit in zijn blauwfluwelen huisjasje. Er lag een stralende blik in zijn ogen en hij zag er gelukkig uit.

'Heaven, drink je een cocktail met me voor het eten?' vroeg hij.

Ik stond naast de piano, met mijn hand op het gewreven hout.

'Nee, Tony. Nu niet. Ik wil met je praten.'

'O?'

'Ben je bij Jillian en Martha Goodman geweest?'

'Nee, ik – '

'Waarom heb je dat vermeden?' vroeg ik. Ik deed een stap naar hem toe. Hij staarde me even aan, maar voor hij kon antwoorden, verscheen Curtis in de deuropening en hij bestelde een highball.

'Uitstekend, meneer,' zei Curtis, en keek toen vragend naar mij.

'Niets voor mij, Curtis,' zei ik. 'Nou?' vroeg ik, toen Curtis weg was.

'Ik heb haar niet vermeden. Ik heb het alleen erg druk gehad. Waarom maak je je zo van streek over haar?'

'Ik ben van streek omdat ze veranderd is, heel erg veranderd. Martha Goodman vertelde me dat ze je gevraagd heeft langs te komen, zodat je het zelf zou kunnen zien. Ze is erg van streek en ik geloof dat ze weg wil.'

'Martha?'

'Ja, Tony. Als je ooit eens zag wat er om je heen gebeurde, zou je dat weten. Je moet meteen naar haar toe en met haar praten en de dokter laten komen om Jillian te onderzoeken.'

'Wat is er aan de hand met haar?'

'Ze is veranderd.' Ik liet mijn hand over de piano glijden. 'Ze leeft niet in het verleden; ze brengt het verleden in het heden.'

'Pardon?'

'Ze denkt dat ze geesten ziet en dat het haar eigen schuld is.'

'O, is het dat.' Hij hield zijn hoofd half afgewend, zodat ik zijn ogen niet kon zien, maar ik vermoedde de reden.

'En dat laat je haar rustig doen – de hele schuld op zich nemen voor mijn moeder en zelfs... voor Troy?'

'Wat?' Hij draaide zich met een ruk om; zijn blauwe ogen schoten vuur. Ik kon de hitte tussen ons voelen.

'Ik weet wat je doet. Ik heb het zelf gedaan, niet alleen ten opzichte van haar, maar ten opzichte van Luke. Als zij alle schuld hebben, hoef jij de last niet te dragen. Maar het is niet eerlijk, Tony, en het is niet goed. Martha Goodman heeft gelijk. Jillians toestand verslechtert met de dag. Straks wordt ze katatonisch, een plant. Je kunt je verantwoordelijkheid niet langer negeren.'

'Dit is belachelijk,' zei hij. 'Ik geef haar niet de schuld van Troys dood, en mijzelf evenmin. Ik heb alles voor hem gedaan wat ik kon onder de omstandigheden, maar je weet zelf hoe ongelukkig en gedeprimeerd hij was, dat hij ervan overtuigd was dat hij zou sterven door die voortdurende nachtmerries waarin hij zijn eigen dood zag, zelfs zijn eigen grafsteen. Hij wist wat hij deed toen hij dat wilde paard van Jillian koos. Volgens mij pleegde hij zelfmoord,' zei Tony, en liet zijn woorden met een diepe zucht gepaard gaan.

We zwegen allebei toen Curtis zijn drankje binnenbracht. Hij liep naar de bank en ging zitten, maar ik bleef bij de piano staan.

'Nu, wat Jillian betreft,' ging hij verder. 'Ik heb alles gedaan wat een man in mijn omstandigheden mogelijkerwijs kan doen. Ik heb haar veilig, warm, tevreden gehouden, zelfs in haar waanzin. Maar dat betekende toch zeker niet dat ik mijn eigen gezonde verstand daarvoor moest opofferen, wel? Ze heeft vierentwintig uur per dag een professionele verpleegster. Ik verwaarloos haar niet door een of ander belachelijk schuldgevoel. Ik heb het gewoon druk, dat is alles.'

'Zo druk dat je niet hebt gemerkt wat er hier in Farthy gebeurt. Alle bedienden zijn ongerust, door Jillian,' zei ik. Tony glimlachte kil en sloeg zijn benen over elkaar. Met zijn vingers gleed hij zorgvuldig langs de scherpe vouw van zijn donkerblauwe broekspijp en staarde me aan.

'Weet je zeker dat jij het niet bent die ongerust is vanwege Jillian? Stoort haar aanwezigheid je?'

'Natuurlijk niet,' zei ik. 'Ik denk alleen aan haar welzijn.'

'Aha.' Hij nam een slok en ging verder: 'Goed, ik zal de dokter morgen laten komen. Wat moet ik doen als hij adviseert haar naar een instituut voor geesteszieken te sturen? Moet ik haar wegsturen om te voorkomen dat de bedienden belachelijke verhalen rondstrooien?'

'We moeten doen wat het beste voor haar is,' zei ik. Ik beefde over mijn hele lichaam.

'Natuurlijk.'

'Tony,' zei ik, terwijl ik op de pianokruk ging zitten. 'Troys bungalow...'

'Wat is er met Troys bungalow?' Hij boog zich naar voren.

'Die is... je hebt hem in stand gehouden zoals hij altijd geweest is... als een levend monument.'

'Ben je er geweest?' Er verscheen een angstige glinstering in zijn ogen, die na een seconde weer verdween. 'Ik begrijp het,' zei hij achteroverleunend. 'Wat had je dan gewild dat ik ermee deed? Platbranden?'

'Nee, maar – '

'Je had in één opzicht gelijk, Heaven,' zei hij. Alle woede en frustratie waren uit zijn gezicht verdwenen. 'We moeten allemaal met onze eigen schuld leren leven... met onze eigen geesten. Ik heb voor hem gedaan wat ik kon; ik was kwaad op hem omdat hij zijn leven vergooide, maar dat betekent niet... Ik mis hem,' zei hij.

Ik beet op mijn lip en probeerde het brok in mijn keel weg te slikken. Ik voelde de tranen in mijn ogen springen.

'In zekere zin zijn we allemaal een beetje arrogant over ons verdriet,' ging hij verder. 'We denken dat niemand zo kan lijden als wij. Jij was niet de enige met een gebroken hart.'

De lange stilte tussen ons werd verbroken door Logans komst.
'Ik sterf van de honger,' verklaarde hij. Hij keek van Tony naar mij. 'Is er iets?'
'Nee,' zei Tony snel. 'Niets dat niet heel gauw zal worden opgelost.' Hij keek naar mij. 'Nietwaar, Heaven?'
'Ja,' zei ik. Ik stond op van de kruk, liet mijn vingers zachtjes over de toetsen glijden en volgde Tony en Logan de kamer uit. De herinnering aan Troys muziek vervaagde langzaam toen we de eetkamer binnenliepen.

6. EEN GEZICHT IN HET DUISTER

De volgende dag kwam de dokter Jillian onderzoeken om een oordeel te geven over haar conditie. Hij kwam tot de conclusie dat haar lichamelijke toestand uitzonderlijk goed was, maar dat ze inderdaad in plaats van verward en gedesoriënteerd, nerveus en overgevoelig was geworden. Hij schreef kalmerende middelen voor. Martha Goodman was tevreden en beloofde te zullen blijven.
De dag na het bezoek van de dokter gingen Tony en Logan naar Winnerow met Paul Grant, de architect, om het terrein voor de fabriek te bezichtigen. Ik ging met hen mee om een week later een bespreking met hem te hebben over zijn voorlopige plannen voor de bouw en het terrein eromheen. Ik kwam onmiddellijk onder de indruk van Paul, en al zijn suggesties bevielen me. Hij had een schaalmodel gebouwd van de geplande fabriek en had het landschap er ook bij betrokken.
'Ik zou het bos hier graag in stand willen houden,' zei hij, naar de rechterkant van het model wijzend, 'en een eenvoudige ronde oprijlaan aanleggen, die hier aftakt voor de leveranties. Natuurlijk moet het hele gebouw van hout zijn. Een metalen of stenen gebouw in deze omgeving zou...' Hij keek naar mij. '...niet passen. Vindt u ook niet?'
Ik gaf geen antwoord, maar hij wist dat ik het met hem eens was. Hij glimlachte en ging verder met zijn uitleg. Op de een of andere manier had hij de fabriek een hut-achtige stijl weten te geven, zodat het leek of het gebouw thuishoorde in de buitenwijken van Winnerow. Er was een cafetaria voor de handwerkslieden, waar ze konden lunchen; er waren grote werkruimten; er was voldoende opslagruimte en een grote expeditie. Er was een kantoor voor Logan en Tony. Hij had zelfs een rustkamer ontworpen voor de directie.
'Ik zou het model graag willen hebben als u ermee klaar bent,' zei ik.
'Natuurlijk, mevrouw Stonewall. Ik zal het persoonlijk komen afleveren,' zei hij. Ik wist dat hij met me flirtte, maar noch Logan, noch Tony scheen het te merken.

Logan begon veel tijd door te brengen in Winnerow. Tony ging een paar keer met hem mee, maar meestal ging Logan alleen. Hij had echt de leiding. Ik besloot dat er geen reden was om terug te gaan naar Winnerow tot de fabriek klaar was.

Iets meer dan een maand na het begin van de bouw begon Logan door de Willies te trekken, op zoek naar de natuurtalenten die we zouden vragen voor Tatterton te komen werken. Als hij terugkwam van een van die reizen en sommige mensen beschreef die hij had ontmoet, moest ik altijd aan opa denken. Sommige namen die Logan noemde klonken me nog vertrouwd in de oren. Hij wilde dat ik met hem meeging op zijn speurtochten, maar ik was bang dat het te pijnlijk voor me zou zijn en te veel herinneringen zou ophalen.

Intussen leidde ik een rustig bestaan in Farthy. Als Logan weg was at ik met Tony, die vaak praatte over het theaterleven in Boston. Hij bood altijd aan kaartjes te kopen voor de een of andere voorstelling.

'Vaak valt bij ons de beslissing of ze al dan niet met de voorstelling naar New York zullen gaan. We zijn erg belangrijk voor de theaterwereld,' zei hij. Hij stelde alles in het werk om me mee te krijgen naar een van de nieuwe shows. Ik was tevreden met lezen, nu en dan paardrijden voor wat lichaamsbeweging en Martha Goodman helpen met Jillian, die met behulp van de kalmerende middelen heel gedwee was geworden en een beetje op een lief klein meisje begon te lijken. Ze sprak zelden meer over geesten.

Tenslotte, gedeeltelijk uit verveling en gedeeltelijk uit oprechte belangstelling voor een nieuwe show in Boston, stemde ik erin toe op een zaterdagavond met Tony mee te gaan. Logan was in Winnerow en zou pas woensdag terugkomen. Ik keek mijn garderobe na om te zien wat ik moest aantrekken, en bekeek een paar van de jurken die Tony had gekocht om de kast in mijn nieuwe suite te vullen en die ik tot nu toe ongezien had laten hangen.

Bijna aan het eind van het rek ontdekte ik een zwartsatijnen jurk met een plooirok en een strapless kanten lijfje. Het decolleté was hartvormig en tamelijk onthullend. Tony had altijd een goed oog gehad voor stijl en maat, iets dat ik had ontdekt toen hij me had meegenomen om een garderobe voor me te kopen voor de Winterhaven School, een particuliere school voor rijke meisjes. Toen ik de jurk aantrok en in de spiegel keek, voelde ik een tinteling in mijn onderbuik bij het besef van mijn eigen seksuele aantrekkingskracht. Mijn boezem werd omhooggeduwd, waardoor mijn borsten extra opvielen. Ik voelde me heel sexy. Ik wist dat mijn rijpe vrouwelijkheid in deze jurk werd onthuld. Het zachte, onschuldige uiterlijk van vroeger was verdwenen.

Ik stak mijn haar op, om mijn lange, gladde hals goed te laten uitkomen. Ik had een met de hand gebreide, dunne wollen sjaal, die ik om mijn schouders kon slaan en die voor de warme zomeravond voldoende zou zijn. Ik maakte me bijna niet op, alleen een beetje oogschaduw en wat roze lippenstift.

Toen deed ik een stap achteruit en bekeek mezelf in de spiegel. Ik vond het prettig me mooi aan te kleden; ik vond het prettig ergens heen te gaan.

Sinds onze huwelijksreis ging Logan zo op in zijn werk en de fabriek in Winnerow, dat we weinig samen hadden gedaan. Ik was blij dat ik eindelijk had toegegeven aan Tony's herhaalde verzoeken om naar het theater te gaan. Ik vond het een leuk idee om me in Bostons high society te begeven.

Er werd zachtjes op de deur geklopt en ik schrok op uit mijn gepeins. Het was Tony, in een zwarte smoking, een wit hemd en zwart strikje. Even bleef hij alleen maar naar me staan staren met een vreemd bezorgde blik in zijn ogen.

'Wat is er?' vroeg ik.

'Wat? O, nee, er is niets,' stotterde hij. Toen beheerste hij zich, zuchtte en keek me met een warme glimlach aan. 'Ik... er is geen kleur die je meer flatteert dan zwart. Net als je grootmoeder. Mijn God, Heaven, je bent adembenemend mooi. Je grootmoeder was mooi; je moeder was nog mooier; maar jij bent de mooiste.'

'Dank je,' zei ik. 'Maar...'

'Ik hoopte dat je die jurk zou aantrekken. En ik wilde dat je dit zou dragen.' Hij hield een van Jillians kostbaarste diamanten halskettingen en oorhangers op.

'O, Tony, dat kan niet. Dat mag ik niet.' Ik schudde mijn hoofd en deed een stap achteruit.

'Onzin. Ik sta erop. Ze liggen te verkommeren in een la.'

Hij ging achter me staan, legde de ketting om mijn hals en maakte hem snel vast. Toen pakte hij mijn schouders beet en draaide me om naar de spiegel.

'Kijk, jij flatteert de diamanten, en niet omgekeerd,' zei hij. De glinsterende stenen voelden warm tegen mijn huid en wekten die tinteling in mijn buik weer tot leven. Ik hield mijn adem in toen Tony met zijn vingers over de diamanten gleed. Zijn blauwe ogen glansden bijna even fel als de stenen.

'Dank je,' zei ik met een brok in mijn keel. Hij had zijn lippen op mijn haar gedrukt en zijn ogen gesloten.

'Je hebt jasmijn op, Jillians jasmijn. Leigh gebruikte het ook altijd,' fluisterde hij.

'Ja, het stond hier... en ik...'

'Ik ben er blij om,' zei hij. 'Die geur wekt alleen maar goede herinneringen. Vergeet de oorbellen niet,' zei hij. Hij legde ze in mijn palm en hield mijn hand even vast. 'Wacht niet te lang. Ik wil vroeg in het theater zijn om met je op te scheppen.'

'O, Tony, alsjeblieft...'

'Ik wacht beneden op je. De limousine staat voor,' zei hij, en was verdwenen. Hij was zo opgewonden, hij zag er twintig jaar jonger uit.

Snel deed ik de oorbellen in en bekeek me nog even in de spiegel. Ik voelde me als een vrouw die met vuur speelt door Tony's herinneringen wakker te maken aan mijn moeder, een jong meisje, dat, als ik Jillians woorden moest geloven, hem had verleid, maar een willig slachtoffer in hem had gevonden.

Maar ik ben niet zo jong en onervaren op het gebied van mannen als mijn moeder, dacht ik. De gebeurtenissen zouden mij niet zo over het hoofd groeien. Ik had de touwtjes in handen; ik wist wat ik deed. Ik ging uit om me te amuseren. Het was prettig om je mooi te voelen en te worden geapprecieerd. Dat was toch niet erg? Dat wilde elke vrouw toch? Welke vrouw droomde niet ervan het middelpunt van de aandacht te zijn?

Maar was het niet zondig je zo te voelen, verliefd te worden op je eigen beeltenis? Dat was immers Jillians zonde geweest; verliefd worden op zichzelf, eeuwig jong en mooi willen blijven? Was de waanzin haar straf? Zou die ook de mijne worden?

Ik pakte mijn sjaal en sloeg hem om mijn schouders en wierp nog een laatste blik in de spiegel. Heel even flitste een van de foto's van mijn moeder in haar fotoalbum voor mijn ogen. Haar vader, Cleave Van Voren, was weg. Jillian was van hem gescheiden en met Tony begonnen. Daar was mammie met een nieuwe man, een veel jongere en knappere man, de twintigjarige Tony Tatterton. En vreemd genoeg kon dat mooie, stralende meisje, dat daarvoor zo zelfverzekerd en openhartig naar de camera had geglimlacht, zelfs geen flauw, geforceerd glimlachje opbrengen. In haar ogen lag een duistere, verontruste blik, net zoals in de flits van het beeld dat ik in mijn spiegel zag.

Keek ik naar een herinnering van haar of van mijzelf? De foto was zo profetisch geweest. Wat voorspelde dit beeld voor mij?

Ik weigerde mijn vrolijke, opgewonden stemming door iets te laten verstoren, lachte om wat ik mijn dwaze fantasie noemde en holde de kamer uit. Mijn lach volgde me even en werd toen weggesloten in de slaapkamer, in de schaduw met alle andere spookgeluiden die rondwaarden in Farthinggale Manor.

Het toneelstuk was een succes, een briljante komedie zonder één vervelend moment. Het was een historisch stuk over een jong meisje dat zou worden uitgehuwelijkt aan een seniele oude miljonair. Ze was eigenlijk verliefd op zijn zoon, maar in het huwelijkscontract stond dat als ze niet met de oude man trouwde, de zoon geen cent zou erven. De oude man stierf voordat de eerste acte was afgelopen, maar de zoon en het mooie jonge meisje deden net of de oude man nog leefde. Hij zat altijd te slapen of te suffen in een stoel. Het stuk bood veel gelegenheid tot humoristische situaties. Natuurlijk eindigde alles goed, zelfs toen het verliefde stel getrouwd was.

'Zou je niet willen dat het leven was als een toneelstuk of een film?' vroeg Tony me op weg naar Farthy. 'Altijd: En ze leefden nog lang en gelukkig?'

'Natuurlijk,' gaf ik toe.

'Weet je, soms heb ik het gevoel dat al mijn geld net een fort is. Het is waar dat je geen geluk kunt kopen, maar je kunt het ongeluk afkopen, je geld gebruiken om het leven gemakkelijker te maken, comfortabeler.'

'Zoals je voor Jillian hebt gedaan?'

'Ja,' zei hij. Hij draaide zich naar me toe in het donker van de auto. Zijn ogen waren onzichtbaar in het duister, maar nu en dan onthulde een passerende auto of straatlantaarn de droevige uitdrukking op zijn gezicht. 'Zoals ik heb gedaan voor Jillian.'

'En wat je voor mij hebt gedaan,' voegde ik eraan toe.

'Hoe bedoel je?'

'Logan voor me kopen.' Ik zei het simpel en nuchter, alsof het té voor de hand liggend was om te ontkennen.

'Maar, Heaven, je wilt toch niet beweren –'

'Het doet er niet toe,' verzekerde ik hem. 'Ik heb het laten gebeuren, dus wil ik het zelf... dit rijke leven, Farthy, omringd door zoveel goede en mooie dingen, en toch met het gevoel dat ik iets waardevols doe door Logan weg te sturen om die fabriek in Winnerow te bouwen. Ik hoop alleen maar dat het ook een happy ending heeft,' besloot ik.

'Dat heeft het,' beloofde hij en kneep geruststellend in mijn hand. 'Maar laten we niet sentimenteel worden vanavond,' zei hij, en de serieuze, sombere toon verdween uit zijn stem. 'Het is een veel te mooie avond geweest. Heb je gezien hoe de mensen naar je keken? Hoe jaloers sommige vrienden van me waren? Ze wisten eerst niet wie je was.' Hij grinnikte. Hij had iets over zich van een kleine jongen. Hij had plezier, was aan het spelen. Tony was meestal zo'n serieuze man, zo verdiept in zijn plannen en de zaak. Ik zag zelden die luchthartige, vrolijke kant van hem.

Voor het eerst dacht ik aan hem als een man, en ik vroeg me af hoe het voor hem moest zijn om getrouwd te zijn met Jillian, een vrouw te hebben die krankzinnig was. Nooit een kameraad te hebben, nooit iemand om mee te gaan eten of naar het theater te gaan. In het kort, niemand om lief te hebben.

Ik herinnerde me hoe vrolijk en actief hij en Jillian waren toen ik voor het eerst in Farthy kwam. Al die opwindende reizen die ze maakten, naar Californië, Europa, al die grote feesten en elegante diners... plotseling was daar een eind aan gekomen. Het enige wat hij nog had was zijn werk... en mij.

Eenzaamheid was het ergst van alles, dacht ik; schadelijker dan de ijzigste vorst in de winter, het wiegde het hart in een winterslaap. Het had niemand om voor te leven, voor wakker te blijven, om snel en fel voor te kloppen. De eenzamen hadden slechts herinneringen en hoop, dromen en illusies. Onder hun kerstbomen lagen mooi ingepakte, lege dozen.

Het was wreed van me om het hem kwalijk te nemen dat hij zijn geld gebruikte om Logan en mij in Farthy te houden, dacht ik. Nu Troy dood en Jillian krankzinnig was, waren wij alles wat hij had. Ik kon zijn jaloezie begrijpen op alles dat mijn aandacht afleidde van Farthinggale. Hij was niet als Luke. Pa had zijn mooie, jonge vrouw in het kraambed verloren en was toen met een andere vrouw getrouwd, die hem kinderen schonk. Toen ze hem verliet, gaf hij het op en verkocht zijn gezin, maar vond al gauw weer een nieuwe vrouw en een nieuw leven. Tony was anders. Zelfs met al zijn geld en macht kon hij het verleden niet vergeten en opnieuw beginnen. Ik moest zijn onwrikbare trouw en toewijding bewonderen, ook al zouden sommigen waarschijnlijk zeggen dat mijn vader, die veel armer was en gebonden aan het circus dat nu zijn eigendom was, er beter aan toe was.

'Wil je nog een glas cognac voor we naar bed gaan?' vroeg Tony toen we vlak bij Farthy waren. 'Ik moet me altijd even ontspannen, en je wordt er goed warm van.'

Ik stemde toe en we liepen naar de zitkamer, waar Curtis al een vuur in de open haard had aangelegd. Hij bracht de drankjes, en Tony en ik praatten nog even over het toneelstuk, over de mensen die hij aan me had voorgesteld en over zijn plannen voor de verdere uitbreiding van Tatterton Toys. Tenslotte werd ik moe, en ik excuseerde me en ging naar mijn kamers. Hij bleef achter met zijn cognac en staarde in de vlammen.

Op de overloop keek ik naar Jillians suite en zag dat Martha Goodman me wenkte. Ze had een ochtendjas aan en pantoffels en leek erg opgewonden.

'Ze heeft een slechte nacht,' fluisterde ze, terwijl ze de gang opliep. 'Ze heeft het altijd moeilijk met dit weer.'

'Heb je haar haar medicijnen gegeven?'

'Ja, maar ze helpen niet veel vanavond.' Ze fronste haar voorhoofd.

'Rusteloos, hè?' De zeewind stak op en zelfs midden in het grote huis konden we hem om het dak en de ramen horen gieren.

'Ja. Ze lag steeds maar te mompelen over Abdulla Bar. Ze beweerde dat ze het paard om het huis hoorde galopperen en hinniken. Ze was er zo zeker van, dat ik eerlijk moet bekennen dat ik ervan onder de indruk kwam. Eerder op de avond heb ik Curtis zelfs naar buiten gestuurd om te kijken of een van de paarden was losgebroken. Dat was natuurlijk niet het geval.'

'O, hemel. Moet ik het aan meneer Tatterton vertellen? Misschien dat we – '

'Nee, nee. Ik wilde er alleen even met iemand over praten, met iemand anders dan een van de bedienden. Die brengen me soms nog meer van streek dan mevrouw Tatterton.' Ze kneep even in mijn hand. 'Het geeft niet. Het komt wel goed. We gaan nu slapen. Maakt u zich niet ongerust.'

'Roep me als er moeilijkheden zijn. Wees niet bang, dat kun je rustig doen.'

'Dank u, mevrouw Stonewall. Ik ben zo blij dat u hebt besloten hier te blijven. Het is een hele troost te weten dat u hier vlakbij slaapt,' zei ze met een duidelijk opgeluchte klank in haar stem.

'Welterusten, Martha.' Ik gaf haar een klopje op haar hand en ging naar mijn suite.

Terwijl ik het bed opensloeg, kletterde de regen hard tegen de ramen. Het leek of talloze kleine diertjes langs het glas op en neer ijlden. Toen ik naar buiten keek was het of ik naar een zwartfluwelen gordijn keek. Slechts een enkele bliksemflits gaf enig zicht, en als die straal van hemelse elektriciteit door de koude, gitzwarte lucht schoot, vervormde hij alles daaronder – bomen, prieel, tuinmeubels. Alles leek vloeibaar wat ik zag, veranderde van vorm, werd uitgerekt, danste op en neer. Het was een nachtmerrieachtige wereld. Een nacht waarin je gemakkelijk geesten kon zien. Ik deed de gordijnen stevig dicht en ging naar bed; ik wilde slapen en wakker worden als het zonnetje naar binnen scheen.

Ik draaide het licht uit en trok het dekbed hoog over mijn schouders, nestelde me in de warmte ervan en deed mijn ogen dicht. Gelukkig viel ik bijna onmiddellijk in slaap.

Maar ik sliep nog niet lang, toen ik door iets gewekt werd. Het was pikdonker in mijn slaapkamer, maar ik voelde een andere aanwezigheid. Ik besefte dat ik wakker was geworden door het geluid van de deur die openging, het zachte geklik van de deurknop. Ik staarde in de duisternis en zag een vage omtrek.

'Wie is daar?' vroeg ik met een hees gefluister. Mijn hart begon te bonzen. Ik voelde een kille angst door me heen gaan. 'Is daar iemand? Tony?'

Ik hoorde het geluid van voetstappen en zag de deur open- en dichtgaan. Ik ving slechts een glimp op van de gestalte die was binnengekomen en weer weggegaan. De geheimzinnige gedaante was te veel in het donker om te kunnen zien wie het was.

Ik sprong uit bed, knipte het kleine lampje op het tafeltje naast mijn bed aan. Toen trok ik mijn ochtendjas aan en liep naar de deur. De lampen in de gang waren gedimd, zodat alle schaduwen breder en langer waren. Ik meende een deur zachtjes te horen dichtvallen en liep de gang op om te kijken, maar ik zag niemand. Kon het Jillian zijn geweest? vroeg ik me af. Was ze langs de slapende Martha Goodman geslopen en naar mijn suite gegaan? Of was het Tony geweest, die me iets kwam vertellen, maar van gedachten was veranderd? Ik bleef nog even staan luisteren en wilde teruggaan naar mijn suite, toen ik iets vochtigs voelde onder mijn voeten. Ik knielde en betastte het kleed. Wie het ook was, hij had de regen mee naar binnen genomen.

Verontrust en verward ging ik weer naar bed. Het was nog nooit bij me opgekomen mijn slaapkamer op slot te doen, maar nu deed ik het. Toch bleef ik nog heel lang wakker liggen, en toen ik eindelijk in slaap viel, was het een opluchting. Ik werd wakker door de geluiden van het ontwakende huis – bedienden die rondliepen, ramen en gordijnen die werden geopend, het ontbijt dat werd klaargemaakt. Ik luisterde even en ging toen snel rechtop in bed zitten.

Had ik me die nachtelijke bezoeker verbeeld? Had ik het gedroomd? Of was er werkelijk iemand in mijn kamer geweest? Ik trok mijn ochtendjas en pantoffels aan en liep naar de deur van mijn slaapkamer. Die was op slot. Als ik dat niet had gedroomd, kon ik die andere dingen ook niet hebben gedroomd. Ik deed de deur van de suite open en keek naar het kleed in de hal. De vochtige plek was verdwenen, maar er was een andere aanwijzing. Er zat een beetje modder op het kleed. Wie was het geweest?

Ik kleedde me snel aan, vastbesloten het geheim op te lossen, maar ik kon het niet aan Tony vragen. Hij had vroeg ontbeten en was vertrokken naar zijn werk. Dus klampte ik Curtis aan in de eetkamer en vroeg hem of hij iets wist. Het was duidelijk niet verstandig. De man werd doodsbang. Hij dacht kennelijk dat het een bevestiging was van Rye Whiskey's verhalen over het bovennatuurlijke.

'Nee, mevrouw Stonewall,' zei hij. 'Ik heb niet rondgelopen en ik heb niemand gezien, maar het is niet de eerste keer dat ze iemand 's nachts door het huis hebben horen lopen. Rye Whiskey zegt dat het een van meneer Tattertons voorouders moet zijn. Hij zegt dat een van hen vermoord kan zijn en dat zijn ziel hier ronddwaalt.'

'Dat is belachelijk. Zeg tegen Rye dat ik hem wil spreken.'

'Heel goed, mevrouw,' zei Curtis en verdween in de keuken. Een paar minuten later kwam Rye binnen. De forse, grijsharige zwarte man zag eruit of hij zelf de hele nacht op was geweest.

'Wat is dat voor verhaal over een vermoorde voorouder die 's nachts door de gangen zwerft? Vind je niet dat je een beetje te ver gaat met die verhalen van je, Rye? Curtis gelooft het nu al, en Martha Goodman zegt dat sommige bedienden doodsbang zijn.'

Hij glimlachte naar me en schudde zijn hoofd.

'U hebt hem gisteravond gehoord, hè, Miss Heaven?' Hij knikte alsof hij me het antwoord in de mond wilde geven.

'Ik heb iets gehoord en iemand gezien, een glimp, maar het was geen geest,' zei ik, mijn blik afwendend.

'Ik heb hem ook gehoord,' zei Rye.

'En je hebt je angst weggedronken, jezelf in slaap gedronken?' vroeg ik, terwijl ik hem weer aankeek. 'Is dat het?' Hij hoefde niets te bekennen; ik zag het aan zijn gezicht. 'De bedienden worden werkelijk bang, Rye. Wil je dat ik meneer Tatterton vertel wat hier gebeurt?'

'Hij weet het al, Miss Heaven,' zei Rye, die zich naar me toeboog. 'Ik heb hem 's nachts zelf zoekend zien rondlopen. Wie weet?' Rye richtte zich weer op. 'Misschien heeft meneer Tatterton zijn dode familielid wel ontmoet?'

Even staarde ik hem alleen maar aan.

'Dat is idioot! Wat een belachelijke opmerking, Rye. Het spijt me dat ik ooit naar je verhalen over bijgeloof en zo heb geluisterd.'

'Het spijt me, Miss. Ik moet terug naar de keuken om het ontbijt voor mevrouw Tatterton klaar te maken.'

'Ga maar. Aan jou heb ik ook niks.' Ik keek hem na, en toen naar Curtis, die er als altijd als een houten Indiaan voor een tabakswinkel bij stond. 'Ik kan niet geloven dat je die wartaal serieus neemt,' zei ik, maar het klonk minder overtuigd dan ik gewild had. Ik liet mijn ontbijt staan en liep naar buiten om na te denken.

Sinds de dag waarop ik verdwaald was toen ik uit de bungalow was gevlucht, had ik de doolhof vermeden, maar deze ochtend, misschien door de vreemde gebeurtenissen van de afgelopen nacht, werd ik op onverklaarbare wijze erheen getrokken. Zodra ik buiten kwam had ik het gevoel of ik in een droom stapte. De ochtendlucht nam een donkerblauwe kleur aan toen een grote wolk voor de zon schoof. De nevel en dauw waren opgelost in de zon, maar de schijnbaar altijd aanwezige kring van nevel rond de doolhof hing nog boven de heggen. Ik liep even snel de doolhof binnen als vroeger, toen Troy nog leefde, en ik heen en weer draafde tussen zijn kleine bungalow en het grote huis. Ik sloot mijn ogen en snoof de zoete geur op van de groene heggen. Ik liep zo hard, dat toen ik aan de andere kant weer naar buiten kwam en tegenover de bungalow stond, ik naar adem hijgde.

De grote wolk voor de zon was verdwenen en de wereld om me heen was weer helder.

Ik keek achter me naar de donkere gangen van de doolhof; ik had echt het gevoel dat ik uit de duisternis in het licht was getreden, uit verdriet in geluk, uit wanhoop in optimisme. Ja, veel mensen zagen ertegen op de doolhof te betreden, want de meesten waren bang voor zijn geheim, maar ik had al lang geleden geleerd dat je bereid moest zijn risico's te nemen als je het ware geluk wilde vinden.

De bungalow was nog net als ik hem de laatste keer had aangetroffen – verstard in de tijd, goed onderhouden, maar spookachtig leeg en stil. Ik sloeg mijn armen over elkaar en liep langzaam naar de voordeur. Daar aarzelde ik. Waarom was ik teruggegaan naar de bungalow? Waarom kwelde ik mezelf? Waarom had ik erin toegestemd in Farthinggale Manor te gaan wonen, waar ik wist dat al deze herinneringen levend zouden blijven? Ik kwelde mezelf met de geluiden, de visioenen en de geuren. Ik strafte mezelf voor zonden die ik niet had begaan.

Of wel? Was het niet zondig om van Troy te houden, omdat hij mijn oom was? Was het niet zondig om zijn hart te vervullen van hoop en hem alleen te laten met zijn verdriet? Was het niet zondig om afwezig te zijn op de dag waarop hij me het hardst nodig had, toen hij de zee inreed om zijn ellende te verdrinken? Ik had de snaren van zijn hart beroerd en hem toen achtergelaten, ongebruikt en zwijgend als de piano in de muziekkamer. De muziek bestond alleen nog in mijn herinnering; de piano had geen nut meer.

Ja, deze bungalow betreden was een andere manier om de kwelling voort te zetten, maar ik voelde me of ik gedreven werd door een hartstochtelijke geest. Ik deed de deur weer open en ging de bungalow binnen, die eens de warme en comfortabele omgeving had gevormd voor onze liefde en beloften.

De laatste keer dat ik hier binnen was geweest, was ik zo geschokt geweest door de realiteit dat ik was gevlucht. Ik had verwacht dat het stof zich zou hebben opgehoopt, dat de bungalow een relikwie zou zijn uit het verleden, maar Tony had de bungalow in stand gehouden, en hij zag er nog net zo uit als toen Troy leefde. Hij was onveranderd sinds de laatste keer dat ik er was geweest, precies zoals ik hem in mijn hart had gesloten. Maar toch, toen ik wat nauwkeuriger om me heen keek, proefde ik een andere atmosfeer. De bungalow was niet alleen verstard in de tijd; hij leefde ook in het heden. Ik besefte dat alle antieke klokken gelijk liepen. Als om de nadruk daarop te leggen sloeg de staande klok het uur en de lichtblauwe muziekdoosklok in de vorm van de bungalow, opende zijn voordeur en het gezinnetje kwam naar buiten en ging weer naar binnen op de lieflijke, obsederende melodie.

Ik liep naar de werktafel waar Troy zijn Tatterton-creaties maakte. Er lagen een stuk of zes piepkleine harnasjes op en een paar stukjes zilver in de vorm van een S met gaatjes aan de uiteinden. Ernaast lagen kleine boutjes, gereed om te worden aangebracht. Als de zilveren schakeltjes aan elkaar bevestigd werden kon het kleine pantser vrij bewegen. Ze waren zo klein en me zo dierbaar! Wat ik vreemd vond was dat al die stukjes zo schoon en stofvrij waren. Een paar van Troys instrumenten lagen nog op de tafel ernaast. Ik wist het natuurlijk niet zeker, want de vorige keer was ik hals over kop uit de bungalow gevlucht, maar ik had de indruk dat het gereedschap toen keurig was opgeborgen in de nissen in de muur. En ik kon me ook niet herinneren dat ik al dat werk op tafel had zien liggen. Had Tony een ander in Troys bungalow laten wonen en werken?

Ik besloot verder op onderzoek uit te gaan. Tot mijn verbazing was de keuken goed voorzien van voedsel, vers voedsel. Toen ik mijn hand op de ketel legde die op het fornuis stond, voelde ik dat hij nog warm was. Iemand had kort geleden water gekookt. Waarom vond Tony het goed dat de bungalow gebruikt werd? Was hij daarom zo afwerend toen ik het vroeg? Had hij daarom gezinspeeld op zijn verdriet over Troys dood, om een eind te maken aan ons gesprek?

Toen ik om me heen keek zag ik dat er nog meer nieuw werk was, niet alleen het kleine harnasje op tafel. Ik zag de miniatuur middeleeuwse mensen, kasteeltjes en strohutten naast elkaar op de planken staan. Ik zag een replica van een oud-Engelse kathedraal, die gedeeltelijk beschilderd was, en waarin nog een paar gebrandschilderde raampjes ontbraken, en de opzet van een feodaal slagveld met ridders te paard, die hun lansen ophieven tegen mannen met pijl en boog in mosgroene kledij. Op een kleine heuvel stond een mooi meisje, dat ongetwijfeld bezorgd was voor haar jonge ridder. Twee hofdames stonden naast haar en hielden pietepeuterige zakdoekjes voor hun gezicht.

Nu begreep ik wat Tony deed, en het werd me koud om het hart. Hij had me in de waan gebracht dat hij uit een soort schuldgevoel de bungalow onderhield als een levend altaar voor zijn dode broer, terwijl hij alleen maar aan zijn fabriek dacht, zijn kostbare stukjes speelgoed. Hij had iemand gevonden die evenveel talent bezat als Troy en hem in Troys bungalow geïnstalleerd! Hij schaamde zich en was bang dat ik er achter zou komen en zou weten wat hem het meest ter harte ging – geld verdienen, en nog meer geld verdienen. De dingen waarvan ik had gedacht dat ze voor hem even heilig en dierbaar waren als voor mij, waren dat dus niet. Ik voelde me als een vrouw die ontdekt dat haar vader de kleren en sieraden van haar overleden echtgenoot heeft weggegeven.

Woedend draaide ik me om en wilde weghollen. Ik was van plan terug te gaan naar Farthy om op Tony te wachten en hem mijn ontdekking voor de voeten te werpen. Maar iets trok mijn aandacht – de deur naar het souterrain van de bungalow stond op een kier. Ik staarde er even naar en glimlachte toen bij mezelf. Natuurlijk, dacht ik. Wie het ook was die Tony had aangenomen en het gebruik gegeven van de bungalow, had me horen aankomen en zich in de kelder verborgen. Misschien had Tony hem voor me gewaarschuwd en gezegd dat hij een confrontatie met mij moest vermijden. Maar ik was vastbesloten hem te achterhalen, zodat ik een definitief bewijs had.

Ik liep naar de deur en daalde de trap af, maar ik was vergeten hoe donker het beneden was in die grote, raamloze ruimte en in de tunnels die naar het grote huis voerden, dus ging ik terug naar boven. Ik vond een kaars op dezelfde plaats als vroeger, en daalde toen weer af naar de kelder.

Het kleine, gele vlammetje wierp een trillende gloed op de muren van de kelder. Telkens als ik links of rechts een bocht nam, sneed het vage licht door het duister en zag ik de vloer en de muren van de donkere, lege ruimte. Hij moest zich hebben teruggetrokken in de tunnels, dacht ik. Ik liep langzaam verder en herinnerde me hoe ongeduldig ik altijd was, omdat de kaars werd uitgeblazen als ik te snel vooruit wilde komen. Toen Troy me voor het eerst de tunnels liet zien, vertelde hij me dat hij als kleine jongen altijd bang was geweest in die onderaardse gangen. Bij elke bocht vreesde hij een monster of een geest tegen te komen.

Maar ik verwachtte nu geen monsters of geesten. Ik verwachtte een angstig mannetje, bang voor zijn baan, bang te worden betrapt, bang voor Tony's woede. Ik wist dat het niet eerlijk was mijn eigen woede op hem te luchten, maar ik kon mijn drift niet meer bedwingen. De bungalow en alles erin was van Troy en van niemand anders. Het was een afschuwelijke gedachte dat een vreemde in zijn bed zou slapen en zijn dierbare dingen zou aanraken.

Ik hoorde het geluid van voetstappen voor me. Wie het ook was, hij trok zich snel terug, vluchtte voor het licht van mijn kaars. Ik hield de kaars bij de grond en zag de afdruk van voetstappen. Sommige leken vers; andere zagen eruit of ze de vorige nacht konden zijn gemaakt.

Toen ik om me heen keek besefte ik dat ik al bijna de helft van de weg door de tunnels had afgelegd. Hoe lang kon dit nog doorgaan? Besefte die man dan niet dat hij niet kon ontsnappen? En was hij niet bang om zo hals over kop door het duister te vluchten? Misschien ontmoetten Tony en zijn nieuwe werknemer elkaar sinds mijn terugkeer in Farthy wel heimelijk hier in de tunnels.

'Wie u ook bent,' riep ik, 'u kunt beter naar voren komen. Ik volg u helemaal naar Farthy en dat zou wel eens minder plezierig voor u kunnen zijn. Kom naar voren. Ik weet dat u in de hut was; ik weet dat u voor Tony werkt.'

Ik wachtte en luisterde. Het bleef plotseling doodstil.

'U doet heel dom,' zei ik. 'Ik heb het werk gezien dat u hebt gemaakt; ik weet wat u doet. Het is zinloos om weg te lopen.'

Ik wachtte weer. Nog steeds niets.

'Oké, dan krijgt u uw zin,' zei ik, en liep naar voren.

Ik legde mijn linkerhand om het vlammetje, om het te beschermen tegen de tocht die werd veroorzaakt door mijn snellere tempo. Ik aarzelde geen seconde als ik bij een bocht kwam. Ik wist waar ik was en ik wist precies hoe ver het nog was naar Farthy. Ik zou bij een steile, smalle trap komen aan de achterkant van de keuken. Het ontbijt was al voorbij. Als alles was opgeruimd, was er misschien niemand in de keuken, dacht ik. Tony's geheime werknemer zou het huis in kunnen vluchten en door een van de zijingangen ontsnappen voor ik hem had ingehaald. Haastig besloot ik het kaarslicht te vergeten en te gaan hollen. Ik wist nog precies hoe de tunnels liepen. Het was pikdonker, maar door me te oriënteren op de muren, kwam ik snel vooruit. Na de laatste bocht bleef ik staan. Er stond iemand op nog geen meter afstand, bij een van de deuren die nergens heen leidden.

Hij bewoog zich niet; ik kon hem zelfs niet horen ademhalen. Ik bleef staan luisteren, maar hij leek slechts een schaduw die versmolt met de duisternis, bijna niet ervan te onderscheiden. Maar mijn ogen, die gewend waren geraakt aan het gebrek aan licht, konden het donkere silhouet voor me duidelijk zien. Het leek of hij zich tegen de muur drukte, in de hoop dat ik langs hem heen zou lopen. De gestalte had iets bekends. Onwillekeurig moest ik denken aan de gedaante die de vorige nacht mijn slaapkamer was binnengekomen.

'Wie is daar?' vroeg ik fluisterend. 'Wie bent u? Woont u in Troys bungalow?'

Even bleef het stil, toen hoorde ik hem fluisterend antwoorden.

'Ja,' zei hij.

Het geluid had iets zo bekends dat mijn hart begon te bonzen. Ik morrelde aan de lucifers, maar mijn vingers trilden zo hevig dat ik er niet één kon aanstrijken om de kaars te laten branden.

'Ga weg,' fluisterde hij met een schorre, kennelijk vervormde stem. 'Steek die kaars niet aan. Ga weg.'

Ik zag dat hij zijn armen voor zijn gezicht hield, alsof hij wilde beletten dat ik hem zou zien. Toen draaide hij zich om en liep de tunnel in waarvan ik wist dat die nergens heenvoerde. Ik aarzelde. Iets zei me te doen wat hij vroeg, me om te draaien en terug te gaan. We moeten het lot niet tarten, zei een stem in me. Soms zijn we te trots en te doelbewust voor ons eigen bestwil. Het zou niet de eerste keer zijn dat ik bij een tweesprong kwam en de gevaarlijkste weg zou kiezen.

Maar het was meer dan koppigheid dat me naar voren dreef. En meer dan woede op Tony. Nee, een ander deel van mezelf sloeg alle voorzichtigheid in de wind. Het deel van me dat had geslapen en zich nu weer begon te roeren. Zonder verder te aarzelen stak ik de kaars aan, die het donker moest verdrijven en me het antwoord geven.

Ik liep naar het donkere eind van de tunnel. De kaars schoof het gordijn van de duisternis opzij om me te laten passeren, maar viel als een ijzeren deur achter me dicht als ik doorliep. Ik dacht aan Rye Whiskey's verhalen over geesten en rusteloze voorouders. Welke betere weg konden ze kiezen om uit hun graf op te staan dan door de geheime tunnels? Alle angsten uit mijn jeugd keerden terug. Kon Toms rusteloze geest in deze onderaardse tunnels verzeild zijn geraakt? Zou ik in die duistere hoek de geest van mijn moeder tegenkomen? Ik keek achterom. Was het te laat om me te bedenken? Had ik de grens al overschreden?

Ik liep de eerste bocht om. De tunnel liep nog iets verder door, tot aan de muur die Tony had gebouwd om indringers van buitenaf tegen te houden. Waar was die donkere gestalte die ik een paar ogenblikken geleden had aangesproken? Kon ik langs hem heen zijn gelopen? Ik vertraagde mijn pas en hield de kaars hoger, bijna een armlengte voor me.

Plotseling voelde ik een tochtvlaag rechts van me. Ik draaide me om toen hij uit de schaduw te voorschijn kwam. Ik hield de kaars lager en hij klemde zijn hand om het kleine vlammetje om het licht te doven.

Maar het was al te laat. Het vlammetje van de kaars had zijn gezicht een secondelang verlicht. Zijn ogen leken nog zichtbaar toen de vlam gedoofd was; het waren ogen die ik ogenblikkelijk en altijd zou herkennen.

'Troy!' riep ik uit.

'Heaven,' fluisterde hij.

Een secondelang wist ik niet zeker of ik een geest had gezien of een spookbeeld van mijn eigen angstige en verontruste geest.

Ik stak de kaars weer aan om de waarheid te ontdekken.

7. TROY

'Je bent niet een van Rye Whiskey's geesten,' fluisterde ik. Ik stak langzaam mijn hand uit en raakte zijn arm aan. Een zacht briesje woei door de tunnels en deed het vlammetje dansen. Het kaarslicht flakkerde over zijn gezicht. Zijn donkere ogen, die normaal de diepte hadden van een bosmeer, leken nog donkerder en dieper.

'Nee,' antwoordde hij, 'al zijn er momenten waarop ik me er een voel.' Een flauwe glimlach speelde om zijn lippen. Hij droeg een witzijden hemd en een strakke zwarte broek, maar in het flakkerende licht van de kaars kreeg het witte overhemd een geelachtige tint.

'Ik begrijp het niet. Wat is er gebeurd? Wat gebeurt er?' Ik hoorde de klank van hysterie in mijn stem. Hij hoorde het ook, want hij pakte mijn hand vast en sloot zijn vingers om mijn palm.

'Laten we teruggaan naar de bungalow,' zei hij zacht, 'dan zal ik je alles vertellen.'

Ik volgde hem door de donkere gangen, met het gevoel of ik in het land van de doden was afgedaald en hem had gered uit de greep van een eeuwige slaap. Samen keerden we terug naar de wereld van licht en leven. Zwijgend liepen we verder, terwijl onze voetstappen achter ons weergalmden en vervaagden in het sponsachtige donker dat elk geluid opzoog. Mijn hart bonsde zo hard dat ik zeker wist dat hij het in mijn vingers moest voelen. Ik verbeeldde me dat ik het leven weer in hem terugpompte, hem met elk moment dat voorbijging terugriep in het leven. Even later waren we in de kelder van de bungalow. Hij deed een stap achteruit om me als eerste de trap op te laten gaan. Ik keek achterom, aarzelde, bang hem te zullen verliezen, bang dat als ik zijn hand losliet de machten van de duisternis hem terug zouden zuigen in de tunnels en in het verleden. Maar hij bleef vlak achter me en deed de deur dicht toen we de bungalow binnengingen.

'Ik wilde juist thee zetten voordat jij kwam' zei hij achteloos. Het leek of de afgelopen twee jaar nooit hadden bestaan en dit gewoon een van mijn amoureuze bezoekjes was. 'Wil je een kop thee?'

'Graag,' zei ik. Ik ging snel aan de tafel zitten, want mijn knieën knikten. Hij liep naar het fornuis en stak het vuur onder de ketel weer aan. Ik keek naar hem terwijl hij de kopjes en de theezakjes te voorschijn haalde. Hij vermeed mijn blik, tot alles op tafel stond. Ik huiverde, en mijn verwarring leek hem te verontrusten.

'Arme Heaven,' zei hij hoofdschuddend. 'Ik had zo gehoopt dit moment te kunnen vermijden, en tegelijkertijd heb ik er intens naar verlangd.'

'O, Troy,' zei ik. 'Waarom?'

'Je weet waarom, Heaven,' zei hij hees. 'In je hart heb je het altijd geweten. Maar ik zal het je toch vertellen.'

Hij zuchtte en ging tegenover me zitten. De kraag van zijn witzijden hemd stond open, zodat iets van het zwarte borsthaar te zien kwam. Hij staarde even met gebogen hoofd naar het tafelblad. Toen zuchtte hij diep, streek met zijn lange vingers door zijn golvende haar en sloeg zijn verdrietige ogen naar me op. Hij zag er niet ziek uit, maar hij was magerder en bleker dan ik me hem herinnerde. Zijn haar was wat langer, en krulde nog steeds in zijn hals. Hij zag eruit of hij eeuwenlang was weggesloten van het zonlicht en het leven. Mijn hart ging naar hem uit en ik wilde mijn armen naar hem uitstrekken om hem te troosten en te omhelzen.

'Hier, aan deze tafel, heb ik die laatste brief aan je geschreven,' begon hij, 'om je te zeggen dat Jillian bij me was geweest en me had verteld dat je Tony's dochter was en mijn nichtje, en dat ik me dus realiseerde dat onze liefde onmogelijk was. Ik schreef je dat ik wegging om zonder jou te leren leven. Ik dacht dat ik dat zou kunnen en dat ik dan uiteindelijk kon terugkeren naar Farthinggale om mijn leven voort te zetten zoals het was voordat jij kwam, hoe saai dat leven ook was.'

De ketel floot als om de nadruk te leggen op zijn inleidende verklaring. We zwegen allebei terwijl hij de ketel van het vuur nam en het hete water inschonk. Ik doopte snel mijn theezakje in; ik had het warme vocht nodig om de ijspegels te smelten die zich in mijn hart hadden gevormd. Na een ogenblik ging Troy weer zitten en ging verder.

'Zoals je waarschijnlijk gehoord hebt, keerde ik inderdaad terug naar Farthinggale toen jij van de universiteit kwam en naar Maine ging. Ik dacht dat ik me in mijn werk zou kunnen begraven en geduldig wachten op mijn negenentwintigste verjaardag en mijn, naar ik geloofde, onvermijdelijke dood vóór mijn dertigste,' zei hij, terwijl hij met een vermoeide blik naar me keek. 'Een dood, moet ik eerlijk bekennen, waar ik langzamerhand naar verlangde. Voor mij was de dood een entree in een nieuwe wereld, een ontsnapping aan de marteling van een leven zonder jou. Want toen ik jou verloor is er zoveel van me gestorven. Ik leefde niet langer in angst voor de dood, maar in kalme verwachting.'

Hij zweeg even en dronk zijn thee. Heel even kwam er een vreemde, berustende glimlach om zijn mond.

'Zoals gewoonlijk dacht Tony dat hij mijn depressie kon afkopen. Ik neem het hem niet kwalijk. Ik heb zelfs medelijden met hem, want ik ken de frustratie die hij moet hebben gevoeld. Hij gaf een groot feest, alleen om mij op te vrolijken en me te beletten aan mijn komende verjaardag te denken. Hij beloofde me dat hij ervoor zou zorgen dat ik geen moment alleen was.' Hij lachte. 'Ik moet zeggen dat hij een perfect meisje ervoor gevonden had... ze leek wel een bloedzuiger. Ik moest stiekem wegsluipen om naar de badkamer te gaan.

'In ieder geval,' ging hij verder, 'kon ze mijn onverschilligheid niet verdragen. Blijkbaar had ze altijd succes gehad bij mannen en bezorgde ik haar een grote ergernis en frustratie. Ze werd zelfs beledigend. Het geeft niet wat ze zei. Ik luisterde niet meer en wilde alleen maar weg van alles en iedereen. Ik had beseft dat mijn terugkeer naar Farthy een vergissing was; ik kon hier niet dicht bij jou leven zonder je te kunnen bezitten. Ik werd nu al achtervolgd door de herinnering aan je stem. Ik zag je overal om me heen. Geen enkel meisje op het feest kon zelfs maar bij jou in de schaduw staan. Het was om gek te worden, en Jillian wist het. Telkens als ik naar haar keek zag ik haar sadistische, voldane glimlach.

'Ik ben nooit van plan geweest om te doen wat ik deed. Ik denk dat ik naar de paarden ging omdat ik gedreven werd door de gelukkige herinnering aan onze ritten samen, maar toen ik bij de stallen kwam zag ik Jillians paard staan, even uitdagend als Jillian zelf. Impulsief besloot ik Abdulla Bar te berijden en dat paard te laten zien dat ook een ander dan Jillian het de baas kon.

'Ik weet dat het dom en onvolwassen was, maar ik was woedend op mijn lot, woedend op een wereld die dergelijke dingen mogelijk maakte. Waarom moest juist ik zoveel verdriet hebben? dacht ik. Waarom, toen ik eindelijk liefde en hoop had gevonden, werden die me ontnomen, en waarom had het lot Jillian uitgekozen om dat te doen? Het was zo onrechtvaardig. Het kon me allemaal niets meer schelen, zeker niet mijn eigen welzijn.

'Ik zadelde het paard en we stormden de stal uit naar het strand. Mijn woede sloeg over op het paard. Hij draafde of hij zelf wegrende voor zijn leven, alsof hij was aangewezen om me van dit aardse bestaan naar het volgende te brengen. Snap je niet,' zei hij, met een blik van opwinding in zijn ogen toen hij zich maar me toeboog, 'toen ik op dat paard reed en de wind door mijn haar streek, en ik de angst voelde in die opengesperde, verwilderde ogen, raakte ik ervan overtuigd dat het paard was voorbestemd om me weg te voeren uit deze wereld, uit mijn ellendige bestaan. Dus leidde ik hem met opzet naar de zee, en het paard stormde naar voren alsof het zelfmoord in de zin had.

'We reden de zee in tot de golven man en paard naar de diepte sleurden. Ik zag het paard achter me worstelen, zijn ogen nog kwaad, uitdagend, en nu ook beschuldigend, omdat ik het tot deze afschuwelijke dood had gedwongen, en even had ik medelijden met het dier en haatte ik mezelf. Ik kon niets aanraken zonder het te vernietigen of kwaad te doen, dacht ik. Ik was voorbestemd om in zee te verdrinken.

'Ik deed mijn ogen dicht,' zei hij, terwijl hij achteroverleunde in zijn stoel en zijn ogen sloot, 'bereid mijn onontkoombare dood te aanvaarden.'

Hij deed zijn ogen weer open, en keek me met sombere blik aan.

'Maar de oceaan is niet te temmen en laat zich niet dwingen om zich te richten naar de wil van de mens. Hij is niemands slaaf, zelfs niet van iemand die zo wanhopig was als ik, zo vastbesloten hem te gebruiken als een instrument van de dood. Telkens als ik onderging tilden de golven me weer op. Ik deinde op en neer, en bleef drijven. Ik werd heen en weer geslingerd en door de golven gedragen. Ik verloor mijn laarzen. Ik zag dat Abdulla Bar naar de kust werd gespoeld, tot hij vaste grond onder de voeten had en naar het strand kon waden.

'Ik sloot mijn ogen en wachtte tot de machtige oceaan, waarnaar ik zo vaak had geluisterd en waarnaar ik 's avonds in alle eenzaamheid had zitten staren, gefascineerd door zijn schoonheid en kracht, me omlaag zou trekken in de kille duisternis.

'In plaats daarvan werd ik heen en weer geslingerd door de golven tot ik bewusteloos raakte. Toen ik wakker werd lag ik languit op het strand. Ik leefde nog; mijn smeekbede om een snelle, pijnloze dood was niet verhoord. Terwijl ik daar lag en medelijden had met mezelf, besefte ik plotseling dat de oceaan in ieder geval enige verlichting had geschonken – hij had me de kans gegeven om als dood te worden beschouwd. Ik kon mijn identiteit en mijn leven in Farthy achter me laten.

'Dus stond ik op en zonder iemand te laten weten wat er met me gebeurd was, zelfs Tony niet – vooral Tony niet – keerde ik heimelijk terug naar mijn bungalow, naar ik meende voor de laatste keer. Ik haalde een paar noodzakelijke dingen en ging toen weg om in de nacht te verdwijnen.'

Hij leunde weer achterover, alsof hij daarmee alles had verklaard. Mijn schrik en verbijstering werden snel verdrongen door woede. O, o, o! Al dat verdriet dat hij had veroorzaakt – me in de waan te laten dat hij dood was. En nu was het te laat. Te laat om bij elkaar te kunnen zijn! Hoe had hij me zo kunnen laten lijden terwijl hij nog in leven was? Al die tijd in leven was geweest!

'Maar al het verdriet dat je ons hebt aangedaan door ons te laten denken dat je dood was? Besef je niet wat je mij hebt aangedaan?'

'Ik dacht dat het niets was vergeleken met het verdriet dat je zou hebben als je wist dat ik vlakbij was en we nooit minnaars konden zijn; als je wist hoe ik zelf moest lijden. Ik besefte wel dat het in wezen egoïstisch was, maar toch leek het me beter.

'Het wás beter,' ging hij verder, knikkend. 'Zie je dan niet, Heaven, dat jij je leven in de hand hebt genomen en belangrijke dingen hebt gedaan. Misschien, als je dacht dat ik nog leefde, als ik hier in de bungalow was blijven wonen, zou je nooit uit Farthy zijn weggegaan. Misschien zou je net als Jillian zijn geworden. Ik weet het niet. Ik dacht dat ik deed wat het beste was voor ons beiden. Ik hoop dat je dat zult geloven. Het zou te pijnlijk voor me zijn als je me nu zou haten,' zei hij. Zijn donkere ogen keken me angstig aan.

'Ik haat je niet, Troy,' zei ik. 'Ik zou je nooit kunnen haten. Ik haat alleen wat er gebeurd is. Wat heb je gedaan toen je opstond van dat strand?'

'Ik ben gaan reizen.' Hij vouwde zijn handen achter zijn hoofd terwijl hij sprak en de herinneringen ophaalde aan zijn heimelijke bestaan. 'Ik ging naar Italië en bestudeerde de grote meesters van de schilderkunst en de architectuur. Ik ging naar Spanje en Frankrijk. Ik zocht troost in het reizen en in afleiding. Een tijdlang hielp het. Ik putte mezelf uit door van de ene plaats naar de andere te trekken, en toen' – hij zweeg even en richtte zich op, boog zich weer naar me toe – 'op een keer werd ik 's nachts in Engeland wakker. Ik logeerde in een herberg bij Dover Beach. Ik was daarheen gegaan omdat ik voortdurend moest denken aan dat gedicht van Matthew Arnold. Herinner je je dat nog? Ik heb het je eens voorgelezen. Een paar regels achtervolgden me.

'Ah, love, let us be true to one another! for the
world, which seems to lie before us like a land of
dreams,
So various, so beautiful, so new,
Hath really neither joy, nor love, nor light,
Nor certitude, nor peace, nor help for pain...

> [Ach, liefste, laten we trouw zijn aan elkaar! Want de wereld
> die voor ons schijnt te liggen als een land van
> dromen,
> Zo anders, zo mooi, zo nieuw,
> Bevat geen vreugde, geen liefde, geen licht,
> Geen zekerheid, geen vrede, geen hulp tegen pijn...]

'Het leek speciaal voor ons geschreven. Ik lag in bed en luisterde naar het geruis van de zee en meende jouw stem te horen; ik meende te horen dat je me riep van de overkant van de oceaan en ik dacht dat het geen zin meer had om nog langer weg te lopen. Ik kón niet meer weglopen. Niet voor jou, niet voor de herinnering aan je gezicht en je stem en je aanraking.

'Die nacht nam ik het besluit om terug te keren en zo nodig de natuur en de goden uit te dagen. Ik zou teruggaan naar jou, om je te smeken bij me terug te komen. Ik was bereid te leven als een uitgestotene, alles en iedereen op te geven als we maar bij elkaar konden zijn, al was het alleen maar om je in mijn armen te houden terwijl de winterse stormen rond de bungalow joegen. Dat zou voldoende zijn, dacht ik, want als ik vóór mijn dertigste zou sterven, zoals ik altijd had gevreesd, zou ik in jouw armen sterven. Dat was waar ik thuishoorde.'

'O, Troy, liefste, liefste Troy, waarom heb je me niet geschreven? Waarom heb je niet geprobeerd je met me in verbinding te stellen?' riep ik uit.

'Dat had geen zin meer. Toen ik dat besloten had was je al verloofd met Logan.'

'Maar hoe wist je dat?' vroeg ik. Hij glimlachte en dronk zijn thee op.

'Vlak voor het huwelijk was ik in Winnerow. Ik kwam vermomd en was zelfs in de drugstore van Logans ouders. Ik hoorde de gesprekken en ontdekte dat je verloofd was. Dus ben ik weggegaan, maar in plaats van te blijven reizen in het buitenland, besloot ik terug te keren naar mijn bungalow om mijn leven hier te beëindigen, en sinds die tijd ben ik hier geweest.

'Ik heb je huwelijksreceptie gezien in Farthy, ik heb ernaar gekeken achter een van de heggen in de doolhof. Je zag er zo mooi uit en Tony keek zo gelukkig. Ik heb jou en Logan zelfs gevolgd tijdens jullie wittebroodsweken, ik heb jullie uit de verte bespied, gedroomd dat ik degene was die je in zijn armen hield; dat ik het was die je kuste. Even was mijn fantasie zo sterk dat ik je zelfs naast me voelde.

'Het was verkeerd van me, dat weet ik,' zei hij haastig. 'Maar vergeef me, ik kon er niets aan doen.'

'Natuurlijk vergeef ik het je. Ik begrijp hoe moeilijk het voor je moet zijn geweest om me te zien zonder dat ik je zag.' O, mijn eigen Troy, die mij zag trouwen met Logan! Ik kon de gedachte niet verdragen. Waarom was hij niet naar voren gekomen, waarom niet?

'Het was moeilijk, ontzettend moeilijk.' In zijn donkere ogen verscheen voor het eerst een flits van leven. 'Ik wilde dat je me zag; ik probeerde de moed daartoe op te brengen,' zei hij. 'Vannacht, wetend dat Logan er niet was, ging ik naar je kamer toen je terugkwam van je uitstapje met Tony.'

'Ik heb het gemerkt vannacht, al wist ik niet dat jij het was. Ik werd wakker en heb geroepen, omdat ik een gedaante zag in het donker.'

Hij staarde me even aan.

'Waarom ben je vandaag hier gekomen?' vroeg hij zacht. 'Omdat je dacht dat ik het kon zijn?'

'Nee. Ik voelde me of ik gehypnotiseerd was, maar ik wist niet dat ik jou zou vinden. Toen ik besefte dat er iemand was, dacht ik dat Tony iemand had aangenomen om hier te werken. Ik dacht dat hij tegen me had gelogen en ik wilde die man zien en spreken, en toen had ik plotseling het gevoel dat ik in aanwezigheid was van iets spiritueels, misschien in aanwezigheid van een geest.'

'Ik ben geen geest, Heaven. Niet meer.' Hij staarde me aan. 'Je bent veranderd, ouder geworden, wijzer. Je schoonheid is gerijpt. Ik beef helemaal nu ik zo dichtbij je ben en je stem hoor.'

Hij boog zich naar voren en strekte zijn hand uit om mijn gezicht aan te raken. Ik trok me niet terug, maar voelde zijn vingers niet op mijn huid. Langzaam leunde hij weer achterover.

'Ik voel me net een kleine jongen die gefascineerd is door een vuur en het wil aanraken, ook al weet ik dat het me alleen maar pijn zal doen.'

'O, Troy,' zei ik. De warme tranen drupten uit mijn ooghoeken en zigzagden over mijn wangen. Hij strekte weer zijn hand uit en deze keer voelde ik zijn vingertoppen over mijn huid strelen. Ik sloot mijn ogen.

'Hoeveel keren kan ik je verliezen, Heaven? Is dit weer een andere manier van het lot om me te kwellen?'

Ik kon geen woord uitbrengen. Hij gaf me een zakdoek en ik bette mijn gezicht. Mijn gesnuf bracht een glimlach op zijn gezicht en toen een zacht, vriendelijk lachje. Ik schudde mijn hoofd toen ik besefte wat dit allemaal betekende.

'Kom mee naar de zitkamer,' zei hij. 'Daar is het comfortabeler.'

Ik knikte en liep naar de bank. Net als vroeger ging hij op het kleed liggen en keek naar me op, met zijn handen achter zijn hoofd gevouwen.

'Troy,' zei ik hoofdschuddend. 'Ik kan niet geloven dat dit geen droom is, dat je werkelijk daar ligt en naar me opkijkt zoals je vroeger deed.'

'Ik weet het.'

'Wanneer wist Tony dat je nog leefde?' vroeg ik.

'Eigenlijk pas kort geleden. Ik verbaasde me toen ik terugkwam dat de bungalow nog net zo was als ik hem had achtergelaten. Ik besefte dat Tony geweigerd had mijn dood te aanvaarden. Wat ironisch, dacht ik, en natuurlijk realiseerde ik me wat voor verdriet ik hem moest hebben gedaan. Het maakte het me nog moeilijker naar hem toe te gaan om mijn list op te biechten. Ik heb het een paar keer vergeefs geprobeerd.'

'Je zwierf 's nachts door het huis,' zei ik. Ik begreep nu wat de bedienden bedoelden, en dat het geen inbeelding was geweest van Rye Whiskey toen hij dacht dat geesten van de doden rondspookten in de donkere gangen van Farthy.

'Ja. Ik ben zelfs achter de piano gaan zitten, in de hoop dat hij me daar gewoon zou vinden, maar toen hij niet snel kwam, zonk de moed me in de schoenen. Ik dacht dat ik was herkend door de bedienden, maar ik denk dat ze bang werden toen ze mijn gezicht en lichaam zagen in die halfverlichte gangen.'

'Je hebt geen idee hoe erg,' zei ik.

'En toen, op een nacht, toen jij in Winnerow was, kwam ik Jillian tegen vlak bij haar suite. Haar verpleegster was blijkbaar in slaap gevallen en ze liep in haar eentje rond. Ik zal die uitdrukking op haar gezicht nooit vergeten.' Hij ging rechtop zitten en herinnerde zich dat moment weer. 'Haar gezicht leek oud te worden voor mijn ogen. Ze verloor elke gelijkenis met de jeugd waaraan ze zich in haar waanzin had weten vast te klampen. "Nee," zei ze, "het was mijn schuld niet. Je kunt het mij niet verwijten. Ik deed wat ik moest doen."

Hij draaide zich naar me toe; zijn ogen waren verdrietig. Hij had medelijden met anderen en wilde niemand kwetsen, zelfs niet de mensen die hem met opzet verdriet hadden gedaan. O, Troy, dacht ik, je bent te goed voor deze wereld.

'Ik strekte mijn hand naar haar uit en riep haar. "Jillian, het is in orde," zei ik, maar ze was doodsbang en liep voor me weg. Ik geloof dat ze me daarna nog een keer gezien heeft achter het raam van haar slaapkamer toen ik door de doolhof liep.'

'Maar Tony wist het nog steeds niet?'

'Kort daarna kwam hij in de bungalow. Ik denk dat Jillian iets tegen hem gezegd heeft of tegen de verpleegster en dat hij daarom aan mij dacht en hier kwam. Ook al had hij de bungalow in de oude toestand gehandhaafd, toch kwam hij blijkbaar niet vaak hier.'

'Hij maakte een altaar van de bungalow,' fluisterde ik, en hij knikte.

'Maar die dag kwam hij. Ik hoorde hem naderen. Ik kon het niet opbrengen hem bij de deur te begroeten. Als een lafaard verborg ik me in die kast. Ik zag hem binnenkomen en om zich heen kijken. Hij liep naar de schommelstoel bij de haard en bleef ernaast staan, met zijn hand op de rugleuning, en wiegde hem zachtjes heen en weer. Ik denk dat hij zich verbeeldde dat ik erin zat. Toen draaide hij zich om en wilde weggaan.

'Maar, weet je, in de tijd dat ik hier was kon ik niet beletten... ik was met nieuw werk begonnen. Het leek zo natuurlijk voor me. Ik was in de bungalow. Het gereedschap was er; het materiaal was er. Ik had ideeën, dus werkte ik. Hij zag het nieuwe speelgoed en liep ernaar toe. Hij betastte het even, en hij keek als een goudzoeker die eindelijk een goudader heeft ontdekt. Toen hief hij zijn hoofd op en draaide zich met een ruk om. "Troy," riep hij. "Troy."

'Al mijn angst viel van me af. Ik zag hoe gelukkig hij keek en kon de waarheid niet langer voor hem verbergen. Je weet hoe de verhouding tussen mij en Tony is geweest nadat mijn moeder was gestorven voordat ik een jaar oud was en mijn vader toen ik nog geen twee was. Tony was vader en moeder voor me. Hij was mijn wereld. Ik aanbad hem en hij hield van me, beschermde me, verpleegde me als ik ziek was. Het veranderde pas toen hij met Jillian trouwde. Ik was jaloers op haar en zij op mij.

'Maar toen ik zijn gezicht zag bij het vermoeden dat ik misschien nog leefde, haatte ik mezelf dat ik het zo lang voor hem verborgen had gehouden. Ik kwam uit de kast te voorschijn.'

'Wat deed hij toen?' vroeg ik ademloos.

'Hij barstte in tranen uit en omhelsde me. We klampten ons een tijdje aan elkaar vast en toen we wat gekalmeerd waren, vertelde ik hem het verhaal dat ik jou net heb verteld.'

'En hoe reageerde hij daarop?'

'Eerst was hij kwaad, net als jij. Ik bleef me verontschuldigen en probeerde hem mijn beweegredenen duidelijk te maken. En na een tijdje begreep hij het.'

'Maar hij nam je niet mee naar het grote huis en hij heeft mij niet verteld dat je nog leefde.'

'Nee. We hebben elkaar een belofte gedaan.'

'Een belofte?'

'Natuurlijk vertelde hij me alles over jou, over je huwelijk, en dat Logan bij Tatterton Toys werkte en hij je had overgehaald om terug te komen in Farthy. Hij is bang dat je hem weer in de steek zult laten, en ik kan het hem niet kwalijk nemen. Als jij weggaat, wat heeft hij dan nog? Jillian is volslagen gek, en ik zal hier niet veel langer meer blijven.'

'Wat heb je hem beloofd?' vroeg ik.

'Dat ik bij jou uit de buurt zou blijven, om je huwelijk en je leven in Farthy niet te verstoren. En eerlijk gezegd, Heaven, al verlangde ik nog zo naar je, en al wilde ik nog zo graag met je praten en je terugzien, het leek mij ook beter. Tony beloofde mijn bestaan voor iedereen geheim te houden, zodat ik mijn nieuwe leven kon blijven leiden.

'Ik zou me ergens anders gaan vestigen en mijn werk doen onder een andere naam. Het is voor ons allebei pijnlijk, maar we weten waarom die opoffering noodzakelijk is.'

Hij keek naar me op. Zijn donkere ogen smeekten om begrip. Ik knikte langzaam; er gingen zoveel dingen door mijn hoofd.

'Ik begrijp het,' zei ik. 'Dus toen besefte hij ook dat Jillian geen wartaal uitsloeg toen ze zei dat ze geesten gezien had.'

'Ja.'

'En dat verklaart waarom hij zich niet zo bezorgd maakte over het feit dat ze zo veranderd was. Hij raakte niet in paniek, omdat hij wist dat ze niet echt achteruit was gegaan. Het voorschrijven van kalmerende middelen was het beste wat ze onder de omstandigheden konden doen. Het voorkwam dat ze steeds meer over jou ging praten en wegzakte in haar waanzin.'

'Het kan me niet schelen,' zei Troy, met een plotselinge onkarakteristieke minachting in zijn stem. 'Jillian heeft nooit iets om me gegeven. Ze wachtte op de kans om me zo diep mogelijk te kwetsen. Wat er met haar gebeurd is, is niet meer dan gerechtigheid. Ik wil haar niet nog meer verdriet doen, maar ik wil evenmin medelijden met haar hebben. Ik geloof dat Tony er nu net zo over denkt.'

'Misschien,' zei ik. We staarden elkaar aan. Opnieuw werd ik in Troys wereld getrokken en raakte de realiteit op de achtergrond. Hier in dit veilige, gezellige en warme huis vond ik alleen maar schoonheid en liefde. Zijn zachte, donkere ogen liefkoosden me. Ik voelde mijn lippen naar de zijne toe getrokken, maar ik verzette me ertegen. Logans beeltenis danste voor mijn ogen. Logan. Mijn echtgenoot, mijn eeuwige, ware liefde.

'O, Heaven,' zei Troy, alsof hij mijn gedachten kon lezen en begrijpen. 'Hoe komt het toch dat ons geluk zoveel anderen ongelukkig moet maken?'

'Ik weet het niet. We zijn een speelbal van het lot.' Ik stond op en liep naar het raam dat uitkeek op de doolhof. Mijn hart was vervuld van liefde voor twee mannen. Lange tijd bleef het stil. 'Logan is zo enthousiast over zijn nieuwe leven,' zei ik tenslotte. 'Hij is nu in Winnerow om toe te zien op de bouw van de nieuwe fabriek. '

'Tony heeft me alles verteld. Het lijkt me een prachtig project. Ik heb er zelfs over gedacht een of twee nieuwe stukjes speelgoed bij te dragen.'

'Heus?' Ik draaide me naar hem om en bedwong met moeite mijn tranen. 'Logan houdt zoveel van me,' zei ik. 'Hij voelt al mijn stemmingen aan. Hij was bij me toen ik liefde en troost nodig had. Hij was er altijd als ik behoefte aan iemand had.'

'Ik weet het,' zei Troy. 'Heaven, ik wilde jou niet nog meer verdriet doen. Als ik niet zo zwak was geweest, zou ik zijn weggegaan voor je me ontdekt had en zou ik Tony's plan hebben gevolgd. Zoals meestal is hij de verstandigste. Nu heb ik alleen maar bereikt dat jij over je toeren bent geraakt. Het schijnt dat ik de mensen die ik liefheb altijd verdriet doe.'

'Nee, Troy, zo mag je niet denken,' zei ik, terwijl ik naar hem toeging. 'Ik heb geen verdriet; en ik zal ook geen verdriet hebben, dat beloof ik je.'

Hij knikte, al wisten we allebei dat het niet waar was. Waarom moesten we onszelf toch zo vaak bedriegen in het leven? vroeg ik me af. Waarom moesten we zo vaak in een illusie leven, om gelukkig te kunnen zijn?

'Ik ga nu toch gauw weg.'

'Wanneer?'

Hij stond op en liep langzaam naar de voordeur. 'Dat zal ik je niet vertellen en ik vertel je ook niet waar ik naar toe ga. Dwing me daar niet toe,' zei hij met een tedere glimlach. 'Laten we dit beschouwen als een intermezzo, een geschenk van de goden, een paar ogenblikken die we de dood hebben ontstolen, en het daarbij laten. Zeg niet tegen Tony wat je ontdekt hebt. Hij hoeft niet te weten dat ik mijn belofte heb verbroken.'

'Natuurlijk vertel ik het hem niet. Maar, Troy, verwacht je nu heus dat ik gewoon de deur uitwandel en je vergeet?'

'Nee, ik verwacht niet dat je me vergeet, maar het is beter dat je aan me denkt zoals ik was... weg. Gek,' zei hij, en zijn glimlach werd breder, 'ik heb mijn dertigste verjaardag achter de rug, en ik leef nog steeds. Je schijnt toch gelijk te hebben gehad met je optimisme.'

We staarden elkaar aan.

'Troy...'

'Als ik je nu kus, laat ik je nooit meer gaan en veroorzaken we alleen nog maar meer droefheid en tragedies, want jij zult een leven en een huwelijk verliezen dat goed en produktief belooft te zijn, en dat vervangen door een verboden, zondige liefde, die alleen maar je eigen egoïstische genot dient. Dat weet je evengoed als ik,' zei hij. Ik knikte en boog mijn hoofd. Hij legde zijn hand onder mijn kin. 'Ik wil je glimlachend in mijn herinnering houden,' zei hij.

Ik lachte door mijn tranen heen. Hij deed de deur van de bungalow open en ik liep naar buiten. Hij bleef even naar me staan kijken en toen deed hij de deur dicht. De tranen stroomden over mijn wangen. Ik klemde mijn handen tot vuisten en holde het pad af naar de doolhof en rende als een wild en dol geworden dier door de gangen, als Abdulla Bar, die met rode en verwilderde ogen de zee inholde. Ik schreeuwde en bleef niet staan tot ik uit de doolhof te voorschijn kwam en naar Farthy keek.

Ik wreef de tranen weg met mijn vuisten en liep door. Ik stond slechts één keer stil om naar Jillians raam te kijken. Ze zat er weer en keek naar buiten met een voldane uitdrukking op haar gezicht. In haar waanzin kende ze de pijnlijke waarheden, waarheden die jaren geleden waren begonnen toen mijn moeder een zondige liefde was begonnen met Tony, waarvan de tentakels zich tot aan onze dood als lianen door ons leven zouden slingeren.

Ik was van plan rechtstreeks naar mijn suite te gaan om te rusten, maar Curtis begroette me met het nieuws dat Logan gebeld had. Met zijn gebruikelijke stijfheid overhandigde Tony's butler me in de gang een stukje papier met Logans boodschap. Het leek wel of hij sinds Logans telefoontje in de gang had staan wachten tot ik thuis zou komen.

'Meneer Stonewall heeft twee keer gebeld, mevrouw Stonewall. De laatste keer was een paar minuten geleden. Hij heeft gevraagd of u dit nummer wilt bellen.'

'Dank je, Curtis,' zei ik. Ik liep naar de zitkamer, nam de gouden antieke telefoon op en draaide het nummer. Mijn handen beefden. Een man gaf antwoord.

'Meneer Stonewall? Ja, mevrouw. Ik verbind u door,' zei hij. Ik hoorde geroezemoes op de achtergrond – mensen die luidkeels met elkaar praatten, een schrijfmachine die ratelde, nog een telefoon die rinkelde, en het geluid van bulldozers en andere bouwmachines vlak bij een raam.

'Heaven, waar was je?' vroeg Logan, zodra hij aan de lijn was.

'Ik heb buiten gewandeld.' Ik verlangde er wanhopig naar hem te zien, hem dicht bij me te voelen. 'Wat is dat voor lawaai?'

'O, dit is mijn hoofdkwartier,' zei hij, met zo'n duidelijke trots in zijn stem, dat ik me kon voorstellen hoe hij zijn schouders naar achteren trok, glimlachend en met opgeheven hoofd. 'Ik heb een caravan ingericht op het terrein van de fabriek. En ik heb een secretaris, de man die de telefoon aannam. Misschien herinner je je hem nog – Frank Stratton, Steve Strattons jongste zoon. Stratton's Lumber company,' voegde hij eraan toe, toen ik niet reageerde.

'Het klinkt of je het erg druk hebt,' zei ik.

'Het loopt voortreffelijk. O, Heaven, ik wou dat je mee was gegaan op deze reis, dan had je zelf kunnen zien hoeveel vorderingen we maken. We zijn al over de helft, en ik heb twee mannen gevonden in de Willies die een Madonna kunnen snijden uit een berketak.'

'Geweldig,' zei ik. Ik probeerde mijn stem enthousiast te doen klinken, maar verkeerde nog steeds in een shocktoestand. Ik kon alleen maar aan Troy denken. Troy die nog leefde!

'Ik heb je gebeld om te zeggen dat ik vandaag nog niet thuis kan komen. Ik zal hier moeten blijven tot het weekend. Er zijn nog te veel problemen.'

'O, Logan.'

'Ik weet het. Ik was niet van plan je zo lang alleen te laten, maar niemand durft een besluit te nemen als ik er niet ben,' zei hij. 'Waarom kom je niet hier naar toe!'

Ik dacht even na. Misschien moest ik nu meteen weggaan, naar de veilige haven vluchten van Logans armen, waar Troy slechts een vage herinnering zou zijn. Maar toch... maar toch... meer dan ooit wilde ik nu in Farthy blijven.

'Ach nee, het is immers maar anderhalve dag,' zei ik zo beheerst en opgewekt mogelijk.

'Je bent van streek. Het spijt me. Ik vind het ook afschuwelijk dat ik niet bij je kan zijn, maar dan denk ik maar weer dat ik het allemaal voor jou doe.'

'Je bent een gladde prater, Logan Stonewall,' zei ik.

Hij lachte. 'Ik sprak Tony vanmorgen. Hij vertelde me dat jullie gisteravond zo'n goed toneelstuk hebben gezien.'

'Ja.'

'Het spijt me dat ik niet mee kon, maar ik beloof je dat zodra dit klaar is –'

'Doe geen beloftes, Logan. Neem elke dag zoals hij komt en gaat,' zei ik. Er viel even stilte.

'Je stem klinkt zo triest, Heaven. Wat is er? Ik bedoel, behalve het feit dat ik niet kan komen?'

'Niets,' zei ik haastig. 'Ik wil alleen niet teleurgesteld worden.'

'Natuurlijk. Dat begrijp ik,' zei hij. 'Mams en paps laten je groeten.'

'Bedank ze voor me. Heb je Fanny nog gezien?'

'Fanny? Nee. Ze is... ik geloof dat ze deze week weg is met Randall Wilcox.'

'Gaat ze nog steeds met hem?'

'Afwisselend,' zei hij snel. 'Ik bel je vanavond. En vergeet niet dat ik heel erg veel van je hou.'

'Ik zal het niet vergeten,' beloofde ik. Toen ik de hoorn had neergelegd bleef ik zitten en staarde naar de piano.

Verward en gedeprimeerd stond ik op en ging naar mijn suite. Ik moet meteen in slaap zijn gevallen, want toen ik wakker werd was het bijna donker en werd er zachtjes op mijn deur geklopt. Het was Tony.

'Ik hoorde van de bedienden dat je de hele dag in je suite bent geweest. Je bent zelfs niet komen lunchen. Is er iets?' vroeg hij, met half dichtgeknepen ogen. Ik wendde mijn blik af, bang dat Tony in mijn hart zou kunnen kijken en daar het beeld van de levende Troy zou zien. Zou ik mijn belofte aan Troy kunnen houden om Tony niet te vertellen dat ik Troy had gezien? Hoe zou ik me argeloos tegen Tony kunnen gedragen in het besef dat hij had geweten dat Troy leefde, maar het voor mij had verzwegen? Ik nam het hem kwalijk dat hij me de waarheid niet had verteld, maar begreep ook dat hij alleen maar probeerde me te beschermen.

'Een zomerverkoudheid,' zei ik. 'Ik heb een paar aspirientjes genomen en ben in slaap gevallen.'

'Je moet gisteravond kou hebben gevat toen we uit het theater kwamen. Voel je je nu weer wat beter?'

'Een beetje.'

'Is het hier warm genoeg?' Hij keek om zich heen in de zitkamer.

'O, ja.'

'Goed,' zei hij. Hij leek niet helemaal op zijn gemak, zoals hij in de deuropening stond, maar ik had hem niet gevraagd binnen te komen. Het enige wat ik wilde was de deur dicht doen en weer naar bed gaan. 'Je hebt Logan gesproken, neem ik aan.'

'Ja. Alles schijnt goed te gaan.'

Tony haalde zijn schouders op. 'Er zijn een paar probleempjes. Ik denk dat ik er morgen voor één dag naar toe vlieg. Ga je mee?'

'Nee, ik denk het niet. Als het mooi weer is blijf ik hier wat in de zon liggen.'

'Oké. Kom je beneden voor het eten?'

'Vind je het niet erg om me wat boven te laten brengen? Ik eet vanavond liever in mijn suite. Ik voel me nog niet helemaal in orde.'

Hij trok zijn wenkbrauwen op en bekeek me nog aandachtiger. Nu ziet hij natuurlijk wat ik heb ontdekt, dacht ik. Ik kon mijn gezicht nooit zo goed in de plooi hadden als hij. Ik leek meer op Jillian: mijn emoties waren voor iedereen zichtbaar, mijn ogen en mond verrieden mijn gevoelens.

'Zal ik dokter Mallen vragen even langs te komen?' vroeg hij.
'Nee, nee, dat is echt niet nodig.'
'Maar –'
'Ik beloof je dat als ik me morgenochtend niet beter voel, ik hem zal laten komen,' zei ik snel.
'Goed dan. Ik zal tegen Curtis zeggen dat hij je eten bovenbrengt. Maar ik zal me eenzaam voelen,' ging hij glimlachend verder. 'Je weet wat het wil zeggen om in die grote kamer te eten met Curtis vlak achter je, wachtend tot je een lepel laat vallen.'
Ik lachte. Ik wist het maar al te goed!
'Dat is beter. Ik kom later op de avond nog even bij je kijken,' beloofde hij en ging weg.
O, Tony, dacht ik, toen hij de deur dichtdeed, ik weet niet of ik medelijden met je moet hebben of je haten. Ik voelde me als iemand in een draaimolen; alle paarden bewogen voortdurend op en neer en in het rond; niets stond ook maar een seconde stil om een rustpunt te verschaffen, zodat je weer stevige grond onder de voeten kon voelen. Er werd aan alle kanten aan mijn gevoelens getrokken en ik werd rondgedraaid, tot ik me duizelig voelde.
Ik wilde alleen zijn om te proberen de dingen op een rijtje te zetten, en toch was ik bang om alleen te zijn. In de stilte van mijn slaapkamer vocht ik tegen de gedachten aan Troy, gedachten die nu meer verboden waren dan ooit tevoren. In dit bed, in Logans armen, met zijn kussen op mijn lippen en wangen, had ik hem liefde en trouw beloofd. Het leek een afschuwelijk verraad in ditzelfde bed te liggen met het visioen van Troy voor ogen, van Troys lippen, Troys omhelzingen, terwijl de geur van Logans after-shave nog in de lakens hing.
Ik probeerde de beelden van Troy terug te dringen, ik probeerde me Logan voor te stellen toen hij voor het eerst in Winnerow kwam, want geen enkele vrouw kan een eerste liefde, een jeugdliefde, vergeten. Die heeft een bijzondere, eeuwigdurende charme. Zelfs als ik een oude vrouw zou zijn, ouder dan Jillian, ouder dan oma, zou ik in mijn schommelstoel zitten en me die bijzondere opwinding herinneren die ik voelde toen mijn hart voor het eerst geraakt werd door de verliefde blik, de aanraking van een jongen. Dergelijke herinneringen kunnen het eenzaamste hart verwarmen en de droefste ogen opvrolijken. Ze waren als de jaarlijks terugkerende vruchten – appels, perziken, pruimen – die jaar na jaar aan de bomen groeiden.
Zo was het ook tussen Logan en mij, toen we allebei nog jong waren in de Willies. Ik kon de beelden uit mijn geheugen putten en me Logan weer voorstellen zoals hij was toen ik hem die eerste keer op school ontmoette, in zijn grijsflanellen broek met de scherpe vouw, zijn helgroene trui over een wit overhemd en een grijs met groen gestreepte das. Niemand op school kleedde zich als Logan Stonewall.
Ik kon nog mijn broer Tom horen toen hij ons aan elkaar voorstelde.
'En dit is mijn zusje, Heaven Leigh.' Er lag een trotse klank in Toms stem.

'Wat een mooie naam,' zei Logan. 'Hij past goed bij je. Ik geloof niet dat ik ooit mooiere, blauwe ogen heb gezien.'

We keken elkaar diep in de ogen toen hij dat zei, en het leek het of er een gongslag weerklonk die we ons hele leven zouden blijven horen.

Logan Stonewall, mijn knappe, eerste vriendje, die had wat niemand van ons in de bergen bezat – stijl.

Lange tijd wist ik dank zij die herinneringen mijn gevoelens en de verleidingen buiten te sluiten. Curtis bracht mijn eten en ik at het meeste ervan op. Later kwam Tony, zoals hij had beloofd, om te zien hoe het met me ging. In de overtuiging dat het alleen maar een lichte kou was ging hij weg, na me te hebben verteld dat hij de volgende ochtend vroeg naar Winnerow zou vertrekken.

'Ik zie je niet meer voor ik wegga, maar ik bel je in de loop van de dag om te horen of alles goed met je gaat.'

Hij bleef even staan voordat hij me welterusten wenste, alsof hij nog iets wilde zeggen of vragen, maar hij zweeg.

'Welterusten,' zei hij toen.

Ik deed de deur achter hem dicht en probeerde weer afleiding te zoeken in gelukkige herinneringen.

Maar deze keer pleegden ze verraad. In plaats dat ik me de heerlijke dagen herinnerde met Logan, dacht ik aan Troy die naar de diploma-uitreiking van de Winterhaven School kwam. Ik was diep teleurgesteld geweest toen ik hoorde dat Jillian en Tony die dag in Londen zouden zijn. Niemand zou getuige zijn van mijn succes, dat zo onbereikbaar had geleken toen ik nog in de Willies woonde.

Achter elkaar kwamen de geslaagden binnen om hun plaats in te nemen. Ik was de achtste in de rij en zag aanvankelijk alleen maar een wazige vlek van onbekende gezichten. Toen zag ik Troy zitten, die trots en blij naar me keek. Ik voelde me intens gelukkig, omdat Troy was gekomen en verscheidene directieleden van Tatterton Toy met hun gezinnen had uitgenodigd om voor mijn familie te fungeren.

'Had je echt gedacht dat ik niet zou komen?' had hij plagend gevraagd, toen we die avond na het schoolbal naar huis reden. 'Ik heb nog nooit een meisje gekend dat harder een familie nodig had dan jij, dus wilde ik je meteen maar een heel grote familie geven.'

Ik had hem toen al willen omhelzen. Ik geloof dat ik toen voor het eerst besefte dat ik verliefd op hem werd.

Ik herinnerde me dat we rustig in de tuin hadden gewandeld en gepraat, tot het begon te regenen, en hoe hij die avond voor me was gevlucht. Toen ik hem had gevraagd waarom hij zo vroeg wegging, vertelde hij me dat het was omdat ik jong en gezond was en vol dromen die hij onmogelijk kon delen.

8. VERBODEN HARTSTOCHTEN

Het was al over tweeën. Ik had een gevoel of ik droomde. Urenlang had ik liggen woelen en draaien. Eindelijk viel ik in een rusteloze slaap, niet de vredige vergetelheid waarnaar ik zo wanhopig verlangde. Ik zag mezelf aan de rand van een scherpe klip hangen, hulpeloos bungelend boven het duister. De scherpe rand van de rots waaraan ik me vastklemde sneed pijnlijk in mijn vingers tot ik los moest laten. Ik voelde me naar beneden vallen in de duisternis en werd met een schok wakker.

Ik ging snel rechtop zitten. De illusie dat ik aan die klip had gehangen was zo levendig geweest dat mijn vingers echt pijn deden. Ik deed mijn handen open en dicht en keek om me heen in de kamer. De maan wierp een witte lichtstraal door de gordijnen naar binnen.

Plotseling werd de stilte verbroken door de zachte klanken van de piano beneden. Was het mijn verhitte verbeelding, of had Troy weer een van zijn spookachtige, nachtelijke wandelingen gemaakt en was hij teruggekeerd naar het verleden? Was dit zijn manier om te treuren over onze verloren liefde, via de muziek, of riep hij me? Als hij me riep, waarom achtervolgde hij me dan met onmogelijke beloftes?

Ik stapte uit bed, trok mijn fluwelen pantoffels aan en liep naar de deur van de suite. Mijn vingers trilden toen ik de koperen knop omdraaide. Ik keek de gang in, maar alles was stil en donker. Ik moest me die pianomuziek verbeeld hebben. Niemand anders was erdoor gewekt. Toch deed ik de deur niet dicht en ik ging niet terug naar bed. Als een slaapwandelaarster liep ik door de halfduistere gangen.

Even bleef ik bovenaan de trap staan en keek naar de lege kamers onder me. Het grote huis leek zijn adem in te houden. Ik deed een paar stappen. Ik had nog steeds het gevoel of ik niet echt wakker was, of dit een deel was van de nachtmerrie. Ik bleef in de deuropening van de zitkamer staan en keek naar de piano. Er was niemand. Het deksel van het toetsenbord was gesloten. Alles was stil, maar toch voelde ik het bloed naar mijn wangen stijgen, alsof ik Troy zag die op me wachtte, me smeekte bij hem te komen. Ik wilde zo graag dat het waar was, dat ik weigerde te geloven dat hij me niet riep.

Ik ging niet terug naar mijn suite. Ik liep door de eetkamer naar de keuken en de bijkeuken, naar de deur van de trap die omlaagleidde naar de tunnels. Ik nam de kaars van de plank bij de deur en stak hem aan; het licht wierp een flakkerend geel pad dat ik volgde.

Elke stap die ik deed werd begeleid door denkbeeldige stemmen; sommige fluisterden waarschuwingen, andere riepen me zachtjes. Toen het licht op de muren van de tunnel viel, zag ik daar een galerij van gezichten uit verleden en heden.Ik zag oma, die zei dat ik voorzichtig moest zijn en me waarschuwde voor onzichtbare slechte geesten. En Luke, die met een stuurs gezicht knikte, alsof hij wilde zeggen dat ik precies deed wat hij verwachtte dat ik zou doen. Tom, de knappe, elegante Tom, die me vertelde dat ik aan Logan moest denken. En Fanny die me met een wellustige glimlach aanspoorde om door te zetten en mijn verlangen te bevredigen. Jillian, zwaar opgemaakt, die me waarschuwde dat ik vóór mijn tijd oud zou worden. En tenslotte Tony, die angstig en jaloers keek, en me smeekte terug te gaan.

Ik nam een bocht in de tunnel en alle gezichten verdwenen in de duisternis achter me. Ik was weer alleen, omgeven door zo'n intense stilte dat ik het bonzen van mijn eigen hart kon horen. Na een ogenblik werd het vervangen door de melodieuze klanken van een piano. Droomde ik nog steeds? Was ik hier echt?

Ik bleef staan toen ik bij de kelder van de bungalow kwam. Ik kon nu nog omkeren, dacht ik aarzelend. Maar een tochtvlaag achter me deed de kaars flakkeren, en voor ik hem met mijn hand kon beschermen, ging hij uit en stond ik in het donker. Ik zag een vage lichtstreep bij de deur boven aan de trap. Troy had de deur opengelaten.

Verwachtte hij me of hoopte hij alleen maar dat ik zou komen? Had hij werkelijk op de piano gespeeld in Farthy en toen hij terugkwam de deur opengelaten, omdat hij wist wat een magische uitwerking onze herinneringen hadden? Met wild bonzend hart klom ik de trap op. Vlak voordat ik bij de deur kwam verscheen zijn silhouet in het lichtschijnsel van een kleine lamp achter hem. Zijn gezicht was verborgen in de schaduw, maar ik zag dat hij zijn handen naar me uitstrekte.

'O, Heaven!' riep hij uit. 'Je had niet moeten komen!'

'Dat weet ik,' fluisterde ik. Ik keek naar hem en pakte zijn hand vast.

'Je moet omkeren voor het te laat is,' fluisterde hij, maar zijn ogen logenstraften zijn woorden.

'Het is al te laat,' zei ik. Ik legde al mijn liefde en hartstocht in mijn stem.

'We mogen dit niet doen,' zei hij, maar hij trok me naar zich toe, sloeg zijn armen om me en drukte me dicht tegen zich aan. 'O, Heaven, hoe kan ik je nu wegsturen?' Hij tilde me op in zijn armen en droeg me naar zijn bed.

Vele keren sinds die fatale dag toen ik Tony aan het strand had ontmoet en hij Troys dood had beschreven, had ik in mijn verbeelding met Troy gevrijd. Het was mijn manier om hem weer tot leven te brengen. Ik had zo naar dit moment verlangd, zelfs in de tijd toen Logan me weer het hof begon te maken. En nu, in Troys armen, terwijl zijn ogen vol liefde in de mijne keken, leek het meer dan ooit op een droom.

Hij bleef zwakjes protesteren, terwijl we ons aan elkaar vastklampten, maar ik beschermde onze gestolen momenten van hartstocht en genot en kuste hem steeds opnieuw, tot alle aarzeling in hem verdween.

Iets in me wilde zich nog verzetten, herinnerde zich dat ik getrouwd was met een andere man. Maar toen Troy me hartstochtelijk omhelsde en kuste, verdween al mijn weerstand.

Het kon me niet meer schelen. Ik hield van hem, ik zou altijd van hem houden. Ik wilde dat hij me verteerde, zoals een vlam het aanmaakhout verteert. Het leek terecht dat we in elkaars armen zouden sterven en zouden opgaan in de rook van onze hartstocht. Nooit had ik zoveel hartstocht gevoeld voor een man. Nooit was onze liefde zo intens en opwindend geweest als op dit moment, misschien juist omdat het een verboden liefde was. Ik gaf me volledig aan hem over.

'O, Troy,' fluisterde ik, 'ik heb van je gedroomd, ik heb zo naar dit moment verlangd.'

Hij kuste me hartstochtelijk. 'Ik hou nog steeds van je, Heaven. Je bent mijn hemelse Heaven.'

Ons liefdesspel was zo fantastisch, dat ik tranen van geluk in mijn ogen kreeg, tranen die hij gretig wegkuste. Steeds weer bereikten we een extase in een hartstocht die geen goed of kwaad kende.

Toen het voorbij was lagen we in elkaars armen, bevredigd, uitgeput, als twee boten die door een orkaan zijn overvallen en samen de veilige haven hebben bereikt.

'Heaven,' vroeg Troy, terwijl hij mijn haar streelde. 'Hoe kan zoiets moois en goeds zondig zijn? Het is een wrede grap die ze met ons uithalen.'

'Het kan me niet schelen,' zei ik uitdagend. 'Het enige wat me kan schelen is dat ik in jouw armen lig en dat je me stevig tegen je aanhoudt. Zo wil ik blijven liggen tot we doodgaan.'

Hij lachte en kuste eerst mijn rechteroog en toen mijn linker.

'Je klinkt precies als de Heaven die ik de eerste keer ontmoette,' riep hij uit. 'Wild en vol hoop en bereid alles te tarten wat onze liefde in de weg kan staan. Maar alles is nu anders; alles is veranderd,' zei hij bedroefd. 'Ik had dit niet mogen toestaan. Ik ben bang dat je spijt zult hebben als je er later aan terugdenkt. Het spijt me.'

'O, nee, Troy!' riep ik uit en trok hem nog dichter tegen me aan. 'Nooit. Ik zal er nooit spijt van hebben dat ik van je hou en naar je verlang, en dat ik me volledig aan je heb gegeven.'

Hij ging rechtop zitten in het licht van de maan en streek met zijn vingers door zijn lange haar; zijn mooie, gevoelige gezicht werd uitgewist door het zilverkleurige licht dat door het raam naar binnen viel. Toen draaide hij zich naar me toe.

'Misschien ken jij jezelf niet zo goed als ik je ken, Heaven.' Zijn stem klonk laag en schor, en heel droevig. 'Denk aan Logan, aan wat jullie samen zijn begonnen. Kun je dat alles vergooien voor een paar gestolen ogenblikken van genot met mij?'

'Het kan me niet schelen,' hield ik vol. 'Ik zal dit koesteren zo lang als ik leef.'

'Ja, maar Tony? Hij zou er achter kunnen komen; hij zou woedend zijn en een eind kunnen maken aan de bouw van die fabriek in Winnerow. En als de mensen in Winnerow zouden ontdekken waarom, zou je nooit, nooit meer terug kunnen naar de Willies, Heaven. Je weet zelf hoeveel incest er is in de bergen. De mensen zouden je veroordelen als een van de vele hillbillies. De mensen in de Willies zouden je haten omdat je hun hoop had vernietigd, hun enige kans om vooruit te komen. Je zou eenzamer zijn dan ooit.'

'Ik zou niet eenzaam zijn als ik bij jou was,' zei ik smekend, terwijl ik me aan hem vastklampte.

'Zou je met jezelf kunnen leven, wetend hoeveel verdriet je die arme Logan aandeed? Dit is niet zijn schuld. Je zegt zelf dat hij zoveel van je houdt, je zo trouw is. Is dit jouw manier om die toewijding te belonen?'

'O, Troy.' Zijn argumenten deden mijn zeepbel van geluk uit elkaar spatten. Ik voelde me verpletterd, mijn droomwereld stortte ineen onder de waarheid en de realiteit, en ik vond het verschrikkelijk. Ik zocht naar een manier om het onvermijdelijke eind te voorkomen.

Hij stond op van het bed en liep naar het raam. Ik zag dat hij zwijgend naar buiten staarde, terwijl de hete tranen over mijn gezicht rolden.

'Denk niet dat ik je niet dolgraag zou willen aanmoedigen het te doen. Ik heb het je al gezegd, ik ben teruggekomen in de hoop de rest van mijn leven met jou door te brengen, maar dat was voor je getrouwd was. Er zijn nu te veel mensen die we verdriet zouden doen. O, we zouden korte tijd gelukkig kunnen zijn, maar, Heaven' – hij zuchtte en keek me indringend aan – 'geen van ons is ongevoelig genoeg om te leven met het verdriet dat we anderen zouden aandoen. Je weet toch dat ik gelijk heb, hè?' vroeg hij zacht. Ik knikte en hij kwam naar me toe. Hij kuste mijn tranen weg en streek over mijn haar.

'Ik kan je niet opgeven. Ik kan het niet!' riep ik uit.

'M'n arme, liefste Heaven,' zei Troy sussend.

'Troy,' zei ik, terwijl ik me snel oprichtte, met een kinderlijke opwinding in mijn stem. 'Waarom kunnen we het niet allebei hebben? Blijf in de bungalow. Laat Farthinggale niet in de steek. Ik kom naar je toe wanneer ik maar kan. Niemand hoeft het ooit te weten. De tunnels die onze voorouders hebben gebouwd zullen een zegen worden, een manier om ons eeuwig bij elkaar te houden.'

'O, lieveling van me,' zei hij. 'Besef je dan niet dat het op die manier nog veel moeilijker zou worden. Elke keer als je me zou verlaten om terug te gaan naar Logan, elke keer als we een geluid hoorden in de buurt van de bungalow en angstig opschrokken, zouden we onszelf onnodig verdriet berokkenen. En hoe lang zou het duren voordat Logan zich zou realiseren dat je kussen geforceerd waren? Dat je jezelf bewaarde voor een andere man?

'Een man voelt dat aan, weet je. Al heeft hij het nog zo druk, als hij 's avonds thuiskomt en tederheid en liefde zoekt, zal hij voelen dat je hart elders is. En jij zult zijn beschuldigingen weerleggen, jezelf verstoppen, leven als een soort misdadigster of spionne. Misschien zou hij een van de bedienden in de arm nemen om je te volgen terwijl hij weg was. Misschien zou hij zich beklagen bij Tony, die maar al te gauw door zou hebben wat er aan de hand was.

'En als de waarheid uitkwam, hoe zou jij je dan voelen? Hoe zou je Logan onder ogen kunnen komen? Nee, m'n liefste Heaven, het zou het allemaal nog veel erger maken als we dit heimelijk voortzetten, door de ondergrondse tunnels naar elkaar toe kwamen, elkaar ontmoetten als Logan weg was, of je er nu en dan een uurtje tussenuit kon.

'Onze liefde, onze kostbare, mooie liefde zou bezoedeld worden, het zou iets stiekems en lelijks worden.

'En weet je wat er uiteindelijk zou gebeuren? Uiteindelijk zou je mij erom gaan haten,' zei hij. Zachtjes streek hij met zijn hand langs mijn gezicht. Ik sloot mijn ogen bij zijn aanraking.

'Hoe kom je zo verstandig?' vroeg ik hem.

'Ik zou het liever niet zijn, geloof me. Je weet dat het waar is wat ik je vertel, hè? Je weet hoe moeilijk het me valt je te laten gaan?'

'Ja,' zei ik. 'Ik weet het, omdat ik weet hoe moeilijk het voor mij is.'

We staarden elkaar aan in het donker, onze ogen verlicht door de maan. We waren als twee sterren die naar elkaar fonkelden in de nachtelijke hemel, zo helder, zo verlangend elkaar aan te raken en één te worden, en toch zo ver van elkaar verwijderd.

'Ga terug, Heaven,' fluisterde hij bedroefd. Ik stak mijn hand uit en raakte zijn lippen aan met mijn vingertoppen om hem het zwijgen op te leggen.

'Nog niet,' zei ik. 'We hebben nog één kostbaar moment gestolen, nog één nacht samen, en ik wil er tot het eind van genieten. Ik wil naast je liggen tot het licht begint te worden. Dan sta ik stilletjes op en verlaat je bed voorgoed.'

Hij zei niets. Hij stribbelde niet tegen. Hij zoende mijn hals en trok me weer naar zich toe. Later vielen we in elkaars armen in slaap, maar ik werd wakker bij het aanbreken van de dag, zoals ik had beloofd. Ik lag met mijn gezicht naar het raam en zag hoe het ochtendlicht de sluier van de duisternis oplichtte. Ik had gehoopt dat de nacht eeuwig zou duren, maar de ochtend was gekomen, net als de waarheid en de realiteit, net als alle dingen die Troy had voorspeld. Het viel niet te ontkennen. Onze liefde was te kwetsbaar, te intiem, om de stroom tegen te houden van alle minuten en uren, dagen en maanden, van jaren, die we zonder elkaar zouden moeten leven.

Mijn hart was zo zwaar als een steen. Zachtjes maakte ik me uit zijn armen los. Troy sliep. Hij zag eruit als een kleine jongen die droomde van de vakantie, misschien van een nieuw stuk Tatterton-speelgoed. Misschien konden twee mensen als wij hun liefde alleen in een speelgoedwereld ongeremd beleven.

Zachtjes liet ik me uit bed glijden en trok mijn nachthemd en peignoir aan. Ik stak mijn voeten in mijn pantoffels en ging naar de keuken om een lucifer te pakken en mijn kaars aan te steken. Toen ik me omdraaide naar Troy waren zijn ogen nog gesloten. Ik wilde naar hem toe gaan en hem nog een laatste keer kussen, maar ik was bang om hem wakker te maken. Het was beter voor hem en voor mij als ik stilletjes wegging. Misschien zou hij denken dat het allemaal een droom was geweest als hij wakker werd. Misschien zou ik zelf ook denken dat het een droom was geweest als ik weer in mijn eigen bed lag. Misschien wás het wel een droom.

Ik deed de deur achter me dicht, liep de trap af, de kelder in, en ging op weg door de tunnels. Alles was stil. De stemmen die me op de heenweg hadden vergezeld was het zwijgen opgelegd door onze liefde. Ik liep snel verder, de trap op, door de keuken, het grote huis in. Het was nog zo vroeg, dat het nog doodstil was in huis. Niemand had zich bewogen.

In de gang boven bleef ik staan. De krachtige ochtendzon verdreef de duisternis en de kilte. Zonder aarzelen liep ik naar mijn kamer. Maar toen ik bij de deur was hoorde ik plotseling een luide gil. Ik draaide me om en zag Martha Goodman met haar handen tegen haar gezicht uit Jillians suite komen. Ze bleef staan toen ze mij zag.

'Heaven!' schreeuwde ze. 'Kom gauw! Gauw!'

Ik holde de gang door, juist toen Tony in zijn blauwzijden kamerjas uit zijn suite kwam. Hij keek naar mij en ik hief mijn armen op om te beduiden dat ik niets wist. We volgden Martha naar Jillians slaapkamer en ontdekten wat de oorzaak was van haar hysterie.

Jillian zat onderuitgezakt in haar fluwelen stoel tegenover de lege spiegellijst. Haar armen bungelden over de armleuningen. Ze was gekleed in haar zwartwollen pakje met de kraag en manchetten van nerts. Onder haar jasje piepte een glanzende bloese uit van zwart chiffon. Ik herinnerde me haar in dat pakje. Ik herinnerde me hoe mooi ze erin had uitgezien. De hele kamer rook naar haar parfum, alsof ze zich van onder tot boven ermee had begoten. Haar haar was opgestoken met kammen die met parels waren bezet, en ze had zich weer ondergesmeerd met make-up, starend naar een illusie van zichzelf, terwijl ze de rituelen uitvoerde die altijd zoveel van haar tijd in beslag namen.

Alleen waren het deze keer de voorbereidingen voor haar laatste gala. Ik slaakte een kreet en greep Tony's arm beet, terwijl we naar de dode Jillian staarden. Op de grond, net buiten bereik van haar bungelende vingertoppen, lag het flesje tranquillizers.

Martha Goodman huilde hysterisch. Ik ging haar troosten.

'Wat is er gebeurd?' vroeg Tony, alsof het pas tot hem door zou dringen als hij het een ander hoorde zeggen. Langzaam liep hij naar Jillian toe en knielde naast haar neer. Hij nam haar hand in de zijne en keek naar haar stille gezicht. De dood maakte de glimlach onder haar masker van schmink nog grotesker. Hij keek naar mij en Martha Goodman. 'Wat is er gebeurd?'

'O, meneer Tatterton, ik wist niet dat ze zelfs maar begreep wat ze kreeg als ik haar de pillen gaf. Ik vertelde haar dat het vitaminen waren, zodat zij ze zonder protest zou innemen. Ze glimlachte altijd en knikte, en ze leek ze altijd graag in te nemen.'

'Ja?' zei hij. Martha keek naar mij. Begreep hij het niet? Ze richtte haar blik weer op Tony.

'Ze moet al die tijd geweten hebben wat het was. Op een gegeven moment moet ze vannacht mijn slaapkamer zijn binnengekomen en de hele fles hebben gestolen. Toen is ze hier teruggekomen, heeft zich zo aangekleed en opgemaakt, en... en ze heeft het hele flesje kalmerende pillen ingenomen. Ik heb haar niet gehoord. Ik wist niet wat er gebeurd was tot ik opstond om te zien hoe het met haar ging en ik haar zo vond. Maar het was te laat. O, mijn God, het was te laat,' zei Martha, en begon weer te huilen.

Ik probeerde haar te troosten. 'Martha, het is niet jouw schuld. Je moet het jezelf niet kwalijk nemen,' zei ik.

'Schat,' zei Tony teder, terwijl hij de make-up van Jillians gezicht veegde. 'Nu zul je rust krijgen. Er zullen geen geesten meer zijn die je achtervolgen.'

Hij liet zich op zijn knieën vallen en drukte Jillians slappe pols en hand tegen zijn voorhoofd. Zijn lichaam schokte van stille snikken. Ik had nooit gedacht dat Tony tot zoveel emotie in staat zou zijn. Ik had gedacht dat zijn liefde voor Jillian was verdwenen toen ze geestesziek was, maar nu huilde hij om haar of ze gestorven was op het hoogtepunt van hun liefde. Plotseling besefte ik dat hij op een merkwaardige manier had geweigerd haar anders te zien dan de schoonheid die ze vroeger geweest was. Misschien was dat wel de ware reden waarom hij haar in Farthy had laten blijven, in de hoop dat de vrouw van wie hij eens had gehouden hem op een wonderbaarlijke wijze zou worden teruggegeven.

'Ik kan niet geloven dat ze weg is,' herhaalde hij steeds weer. 'Ik kan niet geloven dat ze weg is.'

Hij keek naar haar zoals hij vroeger deed, toen ik voor het eerst in Farthy kwam en hen beiden vol leven en activiteit aantrof, toen Jillian een van de mooiste vrouwen en Tony de elegantste man was die ik ooit had gezien. Ze waren een soort droompaar, de jonge echtgenoot en zijn prinses die woonden in een kasteel van dromen en dure schijn.

'Jillian,' kreunde hij. 'Mijn Jillian.' Hij keek naar mij, zijn vochtige ogen smeekten de woorden te horen. 'Het is niet waar.'

'O, Tony,' zei ik, 'misschien is dit wat ze het liefst wilde; misschien kon ze dit leven niet meer aan. In ieder geval heeft ze zich in slaap gewiegd terwijl ze zich zag zoals ze was – eeuwig jong en mooi. Ik weet zeker dat ze tot het eind toe gelukkig is geweest.'

HIj knikte en keek weer naar haar.

'Ja,' zei hij. ' Natuurlijk, je hebt gelijk.' Hij kuste Jillians hand en stond op, drukte zijn palmen tegen zijn ogen en streek met zijn handen door zijn haar terwijl hij zich oprichtte. 'Wel,' zei hij, met een hardere, officiëlere klank in zijn stem. 'We zullen in ieder geval de dokter moeten bellen. Er volgt altijd een onderzoek als iemand is overleden zonder dat er een getuige bij was.'

'O, mijn God,' zei Martha Goodman. 'Die arme vrouw.'

'Nee, hou daarmee op,' zei Tony snel. 'Laten we doen wat we doen moeten. Er moet van alles geregeld worden. Er moeten mensen worden ingelicht.' Hij keek naar mij. 'Denk je dat jij je goed genoeg voelt om...? Kun jij...'

'Ja,' zei ik. 'Maak je geen zorgen, Tony. Doe wat je doen moet. Ik zal je helpen.'

'Dank je,' zei hij met een laatste blik op Jillian. 'Ik zal de bedienden op de hoogte gaan stellen en de dokter waarschuwen.'

Martha begon nog luider te snikken toen hij de kamer uit was. Ik bracht haar terug naar haar eigen slaapkamer en raadde haar aan zich aan te kleden.

'Ik zal hetzelfde doen,' zei ik.

'Ja, natuurlijk. Je hebt gelijk. Ik moet me beheersen. Dank je, Heaven. Je bent zo sterk.'

Ik liet haar alleen en ging terug naar mijn suite, verbijsterd door Jillians dood, zo vlak na Troys wederopstanding – en de wederopstanding van mijn liefde voor hem. De Dood was geen vreemde voor me.

Ik dacht aan Jillian, die van deze wereld was overgestapt in de volgende; ik had minder medelijden met haar dan met Tony. Hij had geprobeerd zich vast te klampen aan een mooi en gelukkig deel van zijn leven, dat nu onherroepelijk voorbij was. Hij zou eenzamer zijn dan hij ooit geweest was.

Toen ik me had aangekleed belde ik Logan in Winnerow om hem het nieuws te vertellen. Hij beloofde met het eerstvolgende vliegtuig naar Boston te komen.

'Hoe houdt Tony zich eronder?' vroeg Logan.

'Hij is op het ogenblik bezig met alles te regelen. De moeilijke tijd komt pas daarna,' zei ik, sprekend uit ervaring.

'En hoe gaat het met jou?' vroeg Logan.

'Goed.'

'Ik kom zo gauw ik kan,' beloofde hij. 'Ik zal altijd bij je zijn als je me nodig hebt,' voegde hij eraan toe, voor hij ophing.

Misschien was het Logans belofte die de sluizen openzette. Ik wist dat hij meende wat hij zei, en de tedere klank in zijn stem herinnerde me aan mijn intense behoefte aan een familie. Eens had ik gehoopt dat Jillian meer als een moeder dan een grootmoeder voor me zou zijn, maar ze was geen van beiden, en daarom had ik een hekel aan haar, maar ik was altijd blijven hopen dat ze van me zou houden en me nodig zou hebben.

Ik dacht aan alle familie die ik verloren had – de moeder die ik nooit had gekend omdat ze was gestorven toen ik geboren werd, de vader die ik dacht te hebben, maar die een hekel aan me had omdat mijn geboorte hem de jonge vrouw ontnam die hij adoreerde, mijn grootmoeder, die lang vóór haar tijd oud en versleten was, uitgeput door het harde leven in de Willies, mijn grootvader, die van me was gaan houden en op me steunde, tot aan zijn sterfdag in zijn eigen denkbeeldige wereld leefde, en mijn lieve broer Tom, het slachtoffer van een afschuwelijk ongeluk, een ongeluk dat was veroorzaakt door mijn behoefte aan liefde en vergelding.

Voor mij had liefde altijd geleken op een klein rookwolkje dat door mijn leven zweefde. Ik strekte mijn handen ernaar uit om het aan te raken, maar ze gingen er recht doorheen tot het in de verte verdween. Alleen Logan was zo constant gebleven als de zon. Alleen Logan had beloofd dat hij er altijd zou zijn. En Troy... ik moest huilen als ik aan hem dacht. Ik huilde om mezelf en om Troy en om Jillian. Ik huilde om oma en opa en Tom en de moeder die ik nooit had gekend. En tenslotte huilde ik alleen maar om Jillian. Misschien had ze, toen ze voor die valse spiegel zat en zich voor de laatste keer opmaakte, de waarheid leren kennen. Misschien had ze zich omgedraaid naar een donkere hoek van haar kamer en de Dood zien staan, geduldig wachtend, met een zachte glimlach, zoals oma had geglimlacht toen ze stierf. Ik kon haar bijna horen praten tegen de Dood, als hij haar kwam begeleiden naar het mooiste galabal van haar leven.

'O, hemel,' zou ze zeggen, 'ben je daar al? Je moet nog even geduld hebben; je moet me de tijd geven om me behoorlijk op te maken. Ik zal belangrijke mensen ontmoeten, en ik weiger ergens naar toe te gaan voor ik klaar ben.' En dan zou ze naar haar garderobekast zijn gegaan en alle kleren hebben nagekeken, tot ze dat zwarte pakje had uitgezocht, denkend dat het perfect was voor deze gelegenheid.

'Trouwens, Tony zegt altijd dat zwart mijn kleur is. Wat vind jij?' zou ze vragen. De Dood zou knikken en glimlachen en ze zou het pakje aantrekken na eerst parfum te hebben gespoten op haar borsten en armen. Dan zou ze haar haar hebben gedaan en die mooie parelkammen hebben uitgezocht. 'Die heeft Tony me jaren geleden gegeven. Als een verrassing, zie je. Hij kwam altijd thuis met een of andere verrassing. Hij houdt zoveel van me. Hij aanbidt me, weet je.'

Ja, de Dood wist het.

Ze had hem laten wachten terwijl ze zich opmaakte, misschien urenlang, tot ze eindelijk tevreden was. Daarna was ze opgestaan uit haar stoel, had zich omgedraaid en zichzelf van alle kanten bekeken. Tenslotte was ze naar Martha Goodmans kamer gegaan en had het flesje met kalmerende pillen gepakt.

Terug in haar suite had ze pil na pil doorgeslikt, babbelend over haar vriendinnen, over iets dat de een droeg dat in de mode was, iets dat een ander droeg dat uit de mode was. De Dood was geduldig, hij kon goed luisteren. Hij maakte haar tot aan het eind toe gelukkig.

'Ik ben erg moe,' moest ze tenslotte hebben gezegd en hij was eindelijk uit zijn hoek naar voren gekomen. Misschien had ze haar hand uitgestoken toen hij naderde en haar ogen hebben gesloten toen hij hem aanpakte. Hij hoefde niet lang meer te wachten.

In gedachten had ze beslist muziek en gelach gehoord. Overal om haar heen waren mensen in elegante kleren, en Tony had als gewoonlijk terzijde gestaan met zijn zakenvrienden en vol trots naar haar gekeken, omdat zij zijn eeuwig jonge en mooie vrouw was, tot aan dit laatste moment toe, deze afscheidsparty waar zij de eregast was.

Ik zuchtte, wreef de tranen weg met mijn vuisten en stond op om naar de badkamer te gaan en de sporen van mijn rouw weg te wassen. Ik moest sterk zijn voor Tony en Logan en de bedienden. Ik had nu verantwoordelijkheid. Ik was geen klein meisje uit de Willies meer.

De dokter was al gearriveerd en onderzocht Jillian. Toen ik naar beneden ging naar de anderen had hij haar juist dood verklaard. Er was een ambulance gebeld om haar naar het dichtstbijzijnde ziekenhuis te brengen, waar een autopsie zou worden verricht. Het was zelfmoord, dus de politie moest worden gewaarschuwd. Tony was druk met alles bezig, dankbaar voor de afleiding.

Natuurlijk waren de bedienden gedeprimeerd. Er heerste een sombere rouwstemming in huis, al was het een zonnige, warme dag. Curtis hield de gordijnen gesloten; iedereen sprak op zachte toon en keek elkaar met bedroefde ogen aan. Martha Goodman bleef het grootste gedeelte van de dag in haar kamer. Ik ging twee keer naar haar toe. Ze was van plan in Farthy te blijven tot de begrafenis en daarna te vertrekken.

Jillian had nog twee zusters en een broer die in leven waren. Haar moeder, Jana Jankins, die ik had ontmoet toen ze al zesentachtig was, was nu volkomen seniel en zat in een verpleeginrichting. Tony belde de zusters, die samenwoonden, en ze zeiden dat ze hun broer zouden bellen en dat ze allemaal op de begrafenis zouden komen. Hij vertelde me dat hij aan hun stem kon horen dat ze rekenden op een erfenis.

'Dat zal ze niet meevallen,' zei hij. 'Jillian was nooit erg op ze gesteld. Ze minachtte ze zelfs. Ze heeft hun niets nagelaten in haar testament. Jou wel,' zei hij.

'Laten we daar nu alsjeblieft niet over praten,' zei ik.

'Maar we moeten erover praten, Heaven. Ze heeft ertoe besloten kort na het incident met Troy, toen ze hem had verteld over Leigh en mij en wie je in werkelijkheid was. Ze liet me beloven het nooit tegen je te zeggen. Ze wilde zeker weten dat je niet zou denken dat ze probeerde je liefde en genegenheid voor haar terug te kopen. Ik heb er daarna nooit meer aan gedacht; ik was het totaal vergeten, tot het me nu plotseling weer te binnen schoot.'

'Ik denk dat ze gecompliceerder was dan ik dacht,' zei ik. Hij knikte. 'We schijnen allemaal heen en weer geslingerd te worden tussen onze liefde en onze haat. Meestal worden we in twee verschillende richtingen getrokken, ten prooi aan onze gevoelens. Het is bijna beter om... om...'

'Om te zijn zoals zij de laatste jaren was,' vulde hij aan. 'Levend in een troostrijke illusie.' Hij staarde me aan. 'Je lijkt op haar, zoals ze was toen ze jong en heel erg mooi was.'

Ik kon me niet herinneren wanneer hij me voor het laatst zo indringend had aangekeken. Het gaf me een onplezierig gevoel.

'Kan ik nog iets doen?' vroeg ik snel.

'Wat? Nee, nee.' De telefoon ging. 'Met mij gaat het wel. Logan zal wel gauw komen,' zei hij, terwijl hij opnam.

Tony bleef het grootste gedeelte van de dag in zijn kantoor, weigerde iets anders te eten of te drinken dan thee. Toen het nieuws bekend werd, kwamen er telefoontjes binnen van zijn zakelijke kennissen en zijn vrienden. Ik liet hem alleen toen ik besefte dat het nog een uur zou duren voordat Logan zou komen en dat ik de tijd had om naar Troy te gaan en hem het verschrikkelijke nieuws te vertellen. Tony zou daar waarschijnlijk niet aan gedacht hebben.

Deze keer liep ik snel door de doolhof en nam automatisch de juiste weg, zonder erbij na te denken. Zoals gewoonlijk om deze tijd van de dag baadde de voorkant van de kleine bungalow in het zonlicht. Het sprookjesachtige uiterlijk was een welkome onderbreking van alle verdriet en leed. Ik beschouwde het weer als een ontvluchten van de werkelijkheid, deze keer een heel droevige en tragische werkelijkheid.

Ik klopte zachtjes op de deur en draaide de knop om. Tot mijn verbazing was de deur op slot. Ik klopte nog harder. Het was niets voor Troy om de deur van zijn bungalow op slot te doen. Hij bekommerde zich nooit om dieven of indringers, zelfs niet als hij de bungalow voor langere tijd alleen liet. Omdat ik geen voetstappen hoorde, tuurde ik door het raam naar binnen. De bungalow leek leeg en stil. Ik zag geen teken van leven.

'Troy,' riep ik. 'Ben je daar?'

Geen antwoord. Alleen maar stilte. Ik liep naar de zijkant en tuurde door een ander raam. Ik zag hem niet, maar iets anders trok mijn aandacht. Tegen het zoutvat midden op tafel stond een envelop, en ik zag dat er *Heaven* op geschreven stond. Ik zag ook dat de deur naar de kelder open was gelaten. Troy had aangenomen dat ik alleen door de tunnels naar hem toe zou komen, dacht ik. Ik morrelde aan het raam om te zien of het openging, maar het was gesloten. Alle ramen waren dicht.

Gefrustreerd en met stijgende angst voor het nieuws dat die brief zou bevatten, ging ik door de doolhof terug naar Farthy en sloop door de keuken naar de deur van de tunnel. Haastig liep ik naar de kelder van de bungalow en de trap op naar de keuken. Ik hield mijn adem in toen ik de envelop opnam.

Mijn hart bonsde zo hevig dat ik moest gaan zitten voor ik de envelop kon openscheuren. Toen haalde ik het velletje briefpapier eruit en begon te lezen.

Mijn liefste, liefste, verboden liefde,

Nu meer dan ooit lijkt de afgelopen nacht een droom. Zoveel keren in het afgelopen jaar heb ik in mijn fantasie beleefd wat tussen ons gebeurd is, nu kan ik nauwelijks geloven dat het werkelijkheid is.

Ik heb hier zitten denken over jou, ik heb gedacht aan onze kostbare gestolen momenten, je warme omhelzing, de tederheid in je ogen en je aanraking. Ik ben opgestaan en heb in mijn bed naar een paar haren van je gezocht, die ik God zij dank heb gevonden. Ik zal er een medaillon voor laten maken en ze op mijn hart dragen. Het is een troost te weten dat ik altijd iets van jou bij me zal hebben.

Ook al besefte ik dat het een marteling zou zijn, had ik toch gehoopt hier nog wat langer te kunnen blijven en je van tijd tot tijd in Farthy gade te slaan. Ik zou het heerlijk en tegelijk verdrietig hebben gevonden je te zien wandelen of te zien zitten lezen. Ik zou me als een dwaze schooljongen hebben gedragen. Ik weet het.

Vanochtend, kort nadat je weg was, kwam Tony naar de bungalow en vertelde me het nieuws – nieuws dat ook jij me ongetwijfeld zult komen brengen. Alleen, als jij komt zal ik weg zijn. Ik weet dat het wreed van me lijkt Tony op dit moment alleen te laten, maar ik heb hem zo goed mogelijk getroost toen hij hier was.

Ik heb hem niet verteld over ons en over je bezoek vannacht. Hij weet niet dat jij van mijn bestaan op de hoogte bent. Ik kon zijn moeilijkheden niet nog groter maken. Misschien komt er een tijd in de toekomst waarop jij vindt dat hij het moet weten. Dat laat ik aan jou over.

Waarschijnlijk vraag je je af waarom ik het nodig vind zo snel na Jillians overlijden te vertrekken.

M'n lieve Heaven, al zul jij dat misschien moeilijk begrijpen, ik voel me enigszins verantwoordelijk. De waarheid is dat ik het plezierig vond haar met mijn aanwezigheid te kwellen. Zoals ik je al zei, heeft ze me een paar keer gezien en ik weet dat het haar iedere keer een schok gaf. Ik had haar de waarheid kunnen vertellen, dat ik niet dood was, maar ik heb haar in de waan gelaten dat ze een geest zag. Ik wilde dat ze zich schuldig zou voelen, want zelfs al was het niet haar schuld dat je Tony's dochter bent, ik heb het haar altijd kwalijk genomen dat ze het me verteld heeft, dat ze die afschuwelijke waarheid aan het licht heeft gebracht. Ze is altijd erg jaloers geweest op Tony's genegenheid voor mij, zelfs toen ik nog maar een kleine jongen was.

Nu voel ik me verschrikkelijk schuldig. Ik had niet het recht haar te straffen. Ik had me moeten realiseren dat het Tony, en zelfs jou, alleen maar verdriet zou doen. Het schijnt dat ik iedereen om me heen ongelukkig maak. Natuurlijk vindt Tony dat niet. Hij wilde niet dat ik weg zou gaan, maar uiteindelijk heb ik hem ervan overtuigd dat het zo beter was.

Alsjeblieft, steun hem in deze moeilijke tijd en troost hem zo goed je kunt. Je zult het voor ons beiden moeten doen.

Ik denk niet dat we elkaar ooit nog zullen zien of bij elkaar zullen zijn zoals vannacht. Maar de herinnering aan jou is in mijn hart gegrift en ik neem je met me mee waar ik ook naar toe ga.

Voor eeuwig en altijd,
je Troy

Ik vouwde de brief keurig op en stopte hem weer in de envelop. Toen stond ik op en liep naar de voordeur. Ik maakte hem open en keek nog een laatste keer om me heen in de bungalow. Daarna deed ik de deur achter me dicht. Zonder achterom te kijken rende ik naar de doolhof en holde snikkend door de gangen, steeds harder, in de hoop het deel van me te ontvluchten dat in een droom had geleefd. Nu was het gedoemd voor eeuwig rond te zwerven, verdwaald in deze doolhof.

9. OUDE EN NIEUWE LEVENS

Ik lag in bed toen Logan eindelijk kwam. Ik had mezelf in slaap gehuild en was met een zere keel wakker geworden. Ik lag omhoog te staren naar het plafond; het verdriet had me in zijn greep. Ik draaide me niet eens om teneinde Logan te begroeten toen hij de slaapkamer binnenkwam.

'Heaven!' Hij kwam snel naar het bed en omhelsde me. Ik was blij dat ik zijn sterke armen om me heen voelde en zijn vertrouwde after-shave rook.

'Arme Heaven,' suste hij me, terwijl hij mijn hals streelde.

Ik liet mijn hoofd op zijn schouder rusten. Ik voelde me oneerlijk, een verraadster, omdat hij dacht dat mijn verdriet alleen Jillian gold. Maar ik liet hem begaan. Hij legde zijn gezicht tegen het mijne en kuste me.

'Het moet verschrikkelijk zijn geweest voor je,' zei hij. 'Het spijt me dat ik er niet was toen je haar vond. Tony is er heel slecht aan toe,' ging hij verder. 'Ik ben even langs zijn kantoor gegaan voor ik naar boven ging, en hij was opvallend stil. Kan ik nog iets doen? Ergens mee helpen?'

'Ik geloof het niet,' zei ik, mijn hoofd schuddend. Ik keek naar hem, mijn trouwe, toegewijde Logan, energiek, optimistisch en vastberaden als altijd. Hij was gezond en sterk en vol leven. Het leek wel of hij nooit gedeprimeerd kon zijn. Zijn saffierkleurige ogen waren vol hoop en leven. Zelfs in deze moeilijke tijd was zijn houding nog even geruststellend als toen ik hem voor het eerst ontmoette.

Wat een totaal ander temperament dan Troy, die altijd onder een dreigende wolk van verdriet leek te leven. Het was waar dat Logan niet zo gevoelig of poëtisch was, maar op dit moment verwelkomde ik zijn zonneschijn als het gras en de wilde bloemen in de Willies de zonnestralen verwelkomden die in het halfduister van het bos vielen. Ik wist dat ik altijd op hem kon vertrouwen. Hij was mijn bron van kracht, mijn Rots van Gibraltar.

In de rouwperiode hield Logan voortdurend contact met zijn kantoor in Winnerow, maar hij had het fatsoen zijn zaken te regelen zonder dat we het zagen en hoorden, en hij sprak er zelden over. Tony wilde over niets anders praten dan Jillian.

De bezoekers begonnen te komen op de dag na Jillians dood. Ik moest optreden als gastvrouw en hen begroeten en bedanken. De dag voor de begrafenis waren er meer dan honderd mensen in Farthy. Rye Whiskey maakte bladen en bladen eten en drinken klaar. Alle bedienden waren een fantastische steun en enorm bezorgd voor Tony. Ik merkte hoe ze hem respecteerden en van hem hielden.

Logan bleef voortdurend aan Tony's zij, en zag er steeds meer uit of hij, en niet Troy, zijn jongste broer was. Ik was trots op hem, trots op de manier waarop hij met de mensen praatte, en trots op de genegenheid en troost die hij Tony kon geven.

Jillians twee zusters en broers kwamen pas op de ochtend van de begrafenis. Zodra ze in Farthy waren, stond Tony op en nam hen meteen mee naar zijn kantoor om Jillians testament te laten zien en hun duidelijk te maken dat een erfenis er niet in zat. Hij nam hun de wind uit de zeilen van hun hebzucht, en schiep enig plezier in hun sombere, teleurgestelde gezichten. Later vertelde hij me dat Jillian enorme pret erom gehad zou hebben.

'Ze zijn altijd jaloers op haar geweest,' legde hij uit. 'Vooral haar twee zusters. Ze waren zo lelijk en onvriendelijk dat het geen wonder was dat ze geen man konden krijgen. Ze werden zo verzuurd en bitter, dat Jillian het verschrikkelijk vond om in hun gezelschap te verkeren. Ze vertelden haar zelfs pas maanden later dat ze haar moeder in een inrichting hadden geplaatst.'

De elegante kerk in Boston was propvol voor de begrafenis; er stonden zelfs mensen achterin bij de deur. Later deed de begrafenisstoet van dure auto's die voortkroop over de weg naar het kerkhof me denken aan de parade van mensen die op onze huwelijksreceptie waren geweest. Onwillekeurig vergeleek ik de manier waarop deze mensen elkaar begroetten, de mannen in dure pakken en de vrouwen in kostbare jurken en juwelen, met de mensen in de Willies op een begrafenis, als ze met sombere gezichten toekeken hoe jong of oud omlaagzakte in de aarde.

Hoe arm en eenvoudig de mensen in de Willies ook waren, ze deelden elkaars verdriet, alsof ze allemaal tot één grote familie behoorden. Misschien waren ze door alle ontberingen en de strijd om het bestaan zo innig met elkaar verbonden dat ze bij elke begrafenis van een van hun buren het gevoel hadden dat een van hun eigen verwanten was gestorven.

Later keerden ze terug naar hun eigen hut om hun moeilijke en kwetsbare bestaan te overdenken. De dood had vrij spel in de Willies, er heerste daar minder tegenstand. Het feit dat ze arm waren maakte hen zwak. En toch, dacht ik, wat dwaas van deze rijke mensen om zo arrogant rond te lopen. Hadden ze geen gevoel, geen meegevoel? Jillians dood had dezelfde kille angst bij hen moeten wekken als bij de mensen in de Willies, nu ze zagen hoe een van hen, een vrouw die zo rijk en beschermd was als Jillian, zo gemakkelijk door de dood kon worden opgeëist.

Ik stond naast Tony en hield zijn arm vast toen ze Jillians kist in het graf lieten zakken, en ik dacht aan Troys verzoek in zijn laatste brief om Tony genoeg troost te bieden voor ons beiden. Zijn hand sloot zich stevig om de mijne, maar hij huilde niet openlijk. Ik voelde hem beven en toen draaiden we ons om en verlieten het kerkhof.

'Zo,' zei hij, 'nu heeft ze eindelijk rust. Haar strijd is voorbij.'

Logan en ik zeiden niets meer. We stapten in de auto en Miles reed ons terug naar Farthy. Rye Whiskey had een warme maaltijd klaargemaakt, maar Tony at heel weinig. Hij verliet de rouwenden en ging naar zijn suite om te slapen. Aan Logan en mij bleef het voorbehouden de gasten te begroeten, bezig te houden en tenslotte uit te laten.

Onder de gasten die de laatste eer kwamen bewijzen bevond zich een vriendin van me van de Winterhaven School, Amy Luckert, die de vriendelijkste was geweest van alle rijke, arrogante en hooghartige meisjes die me het leven daar zuur hadden gemaakt. Amy was niet getrouwd. Ze had veel door Europa gereisd en was pas kort geleden teruggekeerd. Ze beloofde over een dag of twee in Farthy op bezoek te komen. Ik bedankte haar; ze was een van de laatsten die vertrok.

'Moe?' vroeg Logan, toen we eindelijk alleen waren.

'Ja.'

'Ik ook.' Hij legde zijn arm om mijn schouders.

'Ga maar vast naar boven,' zei ik. 'Ik kom zo.'

'Blijf niet te lang weg,' antwoordde hij, en liet me alleen. Ik ging naar buiten om een frisse neus te halen voor ik naar boven ging. De duisternis was net ingevallen; de natuur bereidde zich voor om te gaan slapen. Ik keek naar de doolhof en dacht aan Troy, ik vroeg me af waar hij naar toe was en wat hij nu zou denken. Ik wist zeker dat zijn gedachten bij mij waren. Ik werd in mijn gepeins gestoord toen Miles de limousine voorreed. Curtis verscheen in de voordeur met twee koffers en Martha Goodman volgde hem naar buiten.

'O, Martha,' riep ik, en liep naar haar toe. 'Ik was vergeten dat je vanavond wegging.' Ik pakte haar hand vast en we omhelsden elkaar. 'Waar ga je nu naar toe?'

'O, het bemiddelingsbureau heeft me al een andere positie aangeboden in Boston. Ik zal u schrijven waar ik ben, en misschien, als u een keer in de stad bent...'

'O, natuurlijk. We gaan een keer samen lunchen,' bood ik aan. Ze knikte glimlachend, en toen betrok haar gezicht.

'Ik heb op de deur van meneer Tatterton geklopt om afscheid te nemen, maar hij gaf geen antwoord. Wilt u hem alstublieft goedendag zeggen van me?'

'Ik zal het doen. Pas goed op jezelf, Martha.'

We kusten elkaar op de wang en toen liep ze naar de auto. Halverwege bleef ze staan en draaide zich naar me om.

'Die pianomuziek,' zei ze. 'Dat was geen verbeelding van mevrouw Tatterton en van mij, hè?' We staarden elkaar lange tijd aan.

'Nee, Martha,' zei ik tenslotte. 'Die was echt.' Ze knikte en liep naar de auto. Ik keek haar na tot de wagen uit het gezicht verdwenen was en toen ging ik naar boven naar Logan.

Die avond ontdekte ik dat een man en een vrouw soms met elkaar vrijen uit behoefte om elkaar te troosten en niet alleen maar uit seksuele hartstocht en begeerte. Logan lag al in bed toen ik binnenkwam. Ik maakte me gereed om te gaan slapen en trok mijn doorzichtige nachthemd aan. Zodra ik naast hem ging liggen sloeg hij zijn arm om me heen en zoende me. Ik drukte mijn gezicht tegen zijn schouder en borst en begon te huilen. Het was waar dat ik huilde om Jillian en Tom en Troy, om alle mensen die ik had liefgehad en verloren, maar ik geloof dat ik voornamelijk huilde om mezelf, en misschien zelfs om Logan.

Ik huilde om het kleine meisje in de Willies, het meisje met de grote, blauwe ogen, dat gedwongen was te snel op te groeien en een moeder te zijn voor haar jongere broer en zuster en dat gezin uiteen had zien vallen door de verkoop van haar broers en zusters aan andere gezinnen. Ik huilde om dat onschuldige kind dat het slachtoffer werd van de krankzinnig jaloerse Kitty Dennison en vriendschap sloot en verleid werd door haar man, Cal. Ik dacht dat dat alle liefde en tederheid zou zijn die ik ooit zou kennen, en ik was zo in de war dat ik aanvankelijk het verlies ervan zelfs betreurde. Maar het meest van alles huilde ik om Troy, om de liefde die eeuwig de mijne had moeten zijn.

Logan kuste mijn tranen weg zoals Troy dat had gedaan en ik kuste hem terug. Ik had behoefte aan liefde. Ik wilde gerustgesteld worden, ik wilde weten dat ik leefde en bemind werd. Elke kus, elke liefkozing versterkte mijn vertrouwen in de toekomst. Ik wilde geen eenzaamheid en verdriet meer. Ik wilde geen tranen meer. Ik wilde iets anders voelen dan droefheid, en ik wist dat lichamelijke liefde dat mogelijk maakte.

Ik kon mijn lichaam tot leven brengen; ik kon het doen tintelen en beven van begeerte. Ik wilde dat Logan me overal zoende, me overal aanraakte. Hij mocht niets van me overslaan; ik wilde me volledig overgeven. Mijn verlangen wond hem op en maakte hem hartstochtelijker dan ooit tevoren. Ik wist dat mijn hartstocht hem verbaasde, maar ik kon mijn dwingende behoefte niet onderdrukken. We vrijden zo intens dat we na afloop allebei een tijdlang zwegen.

'Heaven,' bracht hij er tenslotte uit, terwijl hij zijn hand op mijn schouder legde. 'Er is iets...'

'Sst,' zei ik. 'Je moet de betovering niet verbreken.' Ik wilde me omdraaien en wegzakken in een diepe, vredige slaap. En dat deed ik. Ik hoorde nauwelijks meer dat hij me welterusten wenste. Mijn ogen vielen dicht en de duisternis viel als een zwaar, zwart gordijn.

Maar ik wist dat het morgen allemaal opnieuw zou beginnen.

Na Jillians begrafenis voltrok zich een dramatische verandering in Tony. Hij leek plotseling veel ouder, ook al was hij twintig jaar jonger dan Jillian. Zijn haar leek grijzer, zijn ogen donkerder, de rimpels in zijn voorhoofd dieper, hij leek zich langzamer te bewegen en liep enigszins gebogen.

Hij kleedde zich ook niet meer zo onberispelijk. Vroeger kwam hij zelden beneden zonder jasje en das. Nu droeg hij een hemd dat openstond aan de hals en een broek die dringend geperst moest worden. Hij borstelde zijn haar niet en schoor zich niet meer en rommelde als een bezetene in oude documenten, oude foto's en allerlei souvenirs. Onmiddellijk na het ontbijt, dat voor hem nog slechts uit koffie bestond, sloot hij zich op in zijn kantoor en bracht uren en uren door met het doorzoeken van oude kartonnen dozen en oude archieven. Hij wilde door niets en niemand gestoord worden, en was zelfs kort aangebonden tegen mij en Logan.

Er kwamen voortdurend telefoontjes van de Tatterton-filialen en het hoofdkantoor, maar hij negeerde ze. Logan deed wat hij kon, maar hij wist niets van de zaak af en had zijn eigen verantwoordelijkheid in Winnerow. Ik wist dat hij brandde van verlangen om weer aan het werk te gaan. Tenslotte zei ik tegen hem dat hij terug moest naar Winnerow.

'Maar ik vind het vreselijk om je alleen te laten in deze sfeer,' zei hij. 'Kun je niet een paar dagen meegaan? Ik wil je bij me hebben. Het is belangrijk voor me en –'

'Ik geloof niet dat het verstandig is op het ogenblik weg te gaan, Logan. Maak je niet bezorgd over mij. Ik red het wel. Tony is degene die het moeilijk heeft.'

Logan knikte zwijgend. 'Ik weet er alles van. Ik ging naar hem toe om hem te raadplegen over een paar beslissingen die in Winnerow genomen moeten worden, en weet je wat zijn reactie was? Hij deed of hij nog nooit van het project had gehoord. Wat voor project? zei hij. Ik wist niet wat ik moest doen. En even later zat hij weer in die kartonnen dozen te snuffelen. Ik had nooit gedacht dat Tony met een illusie zou kunnen leven. Hij is veel te realistisch en praktisch.'

'Als het om anderen gaat misschien, maar niet voor zichzelf. We hebben allemaal onze eigen illusies, Logan.'

Hij sperde zijn ogen open. 'O?' Hij staarde me even aan met een vreemde uitdrukking op zijn gezicht. Toen haalde hij zijn schouders op. 'Het komt er dus op neer dat ik alle beslissingen zelf zal moeten nemen.'

'Dat verwachtte Tony toch van je,' zei ik. 'Hij zou je nooit de verantwoordelijkheid hebben gegeven als hij je niet vertrouwde.'

'Je zult wel gelijk hebben. Ja. Oké. Ik ben tegen het weekend weer terug. Ik zal je elke avond bellen en denk eraan dat je mij onmiddellijk belt als er problemen zijn.'

'Ik zal het doen. Maak je niet ongerust,' zei ik. Hij trof de voorbereidingen voor zijn terugkeer naar Winnerow en ging naar boven om zijn koffer te pakken. Ik zat alleen in de zitkamer toen hij afscheid kwam nemen. We kusten elkaar en hij ging weg. Ik kon het hem niet kwalijk nemen dat hij dit sombere huis wilde verlaten.

Ik ging een paar keer naar Tony, en telkens vond ik hem verdiept in een document of fotoalbum.

'Je moet beter en regelmatig eten en zo gauw mogelijk je oude routine weer opnemen, Tony,' zei ik, toen ik de laatste keer bij hem binnenkwam. 'Het is de enige manier om over je verdriet heen te komen.'

Hij hield op met lezen en keek naar me op alsof hij zich nu pas realiseerde wat er gebeurd was. Alle gordijnen waren gesloten, zodat het heldere zonlicht niet in de donkere, troosteloze kamer kon doordringen. Het enige licht kwam van de lamp op zijn bureau, die een bleke gloed verspreidde. Hij keek om zich heen, naar zijn documenten en foto's, en toen weer naar mij. Toen leunde hij achterover in zijn stoel en schoof zijn leesbril omhoog op zijn voorhoofd.

'Zo,' zei hij. 'Hoe laat is het?' Hij keek naar de staande klok in de hoek om zijn eigen vraag te beantwoorden. 'Ik geloof dat ik hier een hele tijd ben geweest.'

'Ja, en je hebt niet behoorlijk gegeten.'

'Ik vind het prettig als je je bezorgd over me maakt,' zei hij glimlachend, en plotseling geanimeerd. 'Je moeder was nooit echt bezorgd voor me,' voegde hij eraan toe.

'Mijn moeder?' Waarom kwam hij daar plotseling op? Mijn moeder was te jong geweest om zich over iemand bezorgd te maken. Ze liep weg toen ze nauwelijks oud genoeg was om een volwassen verantwoordelijkheid te kunnen dragen. 'Mijn moeder?' herhaalde ik.

De vage glimlach op zijn gezicht verdween en hij leunde hoofdschuddend naar voren. Toen wreef hij met zijn palmen langs zijn wangen en met zijn vuisten in zijn ogen, alsof hij de slaap wilde verdrijven. Hij haalde diep adem en keek naar me op.

'Sorry,' zei hij tenslotte. 'Ik was even alle begrip van tijd verloren. Je stond in de schaduw en het leek bijna of Leigh door die deur kwam. Ik denk dat ik me te veel concentreer op het verleden. Je hebt gelijk. Ik moet een douche nemen en me aankleden en behoorlijk eten. Ik weet niet wat ik doe en waarom ik het doe. Heaven, ik voel me zo schuldig over Jillian,' bekende hij.

'Maar, Tony,' zei ik, 'je hoeft je niet verantwoordelijk te voelen. Je hebt alles gedaan wat je kon... Martha Goodman, dokters, medicijnen... je hebt haar zoveel mogelijk comfort gegeven...'

'En haar opgesloten in een wereld van waanzin,' zei hij. 'In mijn eigen belang, in de hoop dat ze op een of andere manier er overheen zou komen en bij me zou terugkomen. Het was verkeerd. Misschien als ik had toegegeven en haar naar een inrichting had laten gaan...'

'Tony, daar zou ze toch niet gelukkiger zijn geweest. Misschien zou ze die pillen niet hebben genomen, maar ze zou op zoveel andere manieren zijn gestorven.'

Hij keek naar me en dacht even over mijn woorden na. Toen knikte hij.

'Je bent een opmerkelijke jonge vrouw geworden, Heaven. Als ik zo naar je kijk moet ik onwillekeurig weer denken aan ons eerste gesprek in dit kantoor, toen je me de waarheid vertelde over je verleden en over Leighs dood en ik je al die regels voorschreef... Ik dacht dat je wild, ongedisciplineerd, onderontwikkeld was. Ik wilde je kneden, buigen en hervormen.

'Maar het bleek dat je ruggegraat had, een sterke wil en intelligentie. Je zou worden zoals je voorbestemd was te worden, zoals je zelf wilde worden, en niets wat ik je gaf of zei kon iets daaraan veranderen. Ik had je verkeerd beoordeeld.' Hij lachte. 'Ik had meer vertrouwen moeten hebben in mijn eigen genen, hè? Ik had je toen de waarheid moeten vertellen over je afkomst.'

'Misschien,' zei ik. En toen dacht ik dat in dit huis de waarheid zo vaak werd verzwegen. Ik kwam in de verleiding hem te vertellen dat ik wist dat Troy nog leefde, maar ik hield mijn mond. Het was nog een te gespannen en emotionele tijd. De wonden waren nog rauw. Bovendien was ik nog kwaad op hem omdat hij het voor me had verzwegen, wat zijn overwegingen ook waren, en ik vond het niet eerlijk hem nu te beschuldigen.

'Waar is Logan?'

'Ik heb hem teruggestuurd naar Winnerow,' zei ik. 'Hij belde om de vijf minuten naar de fabriek.'

'O, ja, Winnerow. Alles lijkt zo vaag. Ik voel me als iemand die een klap op zijn hoofd heeft gehad en helemaal versuft is.'

'In zekere zin is dat ook zo.'

'Ja. Goed, ik moet mezelf weer in de hand zien te krijgen. Ik ga een douche nemen en me verkleden en dan kom ik beneden om te eten. Wil jij het tegen Rye zeggen?'

'Ik zal het doen, maar ik weet zeker dat hij wel iets klaar heeft. Hij had de hele dag iets voor je klaar staan.'

Tony knikte.

'Ik wil je bedanken dat je zo'n steun en toeverlaat voor me bent, Heaven,' zei hij. 'Je hebt bewezen dat je heel bekwaam en betrouwbaar bent. Ik ben blij te weten dat als het zover is, jij mijn positie zonder meer zult kunnen overnemen en leiding geven aan ons financiële imperium.'

'Het duurt nog een hele tijd voor het zover is,' zei ik. Hij gaf geen antwoord. Hij keek me alleen maar aan en liep om zijn bureau heen. Plotseling omhelsde hij me en hield me stevig vast.

'God zij dank dat je er bent,' fluisterde hij. 'God zij dank dat je bent teruggekomen.' Hij kuste me op mijn voorhoofd, hield me nog even vast en ging toen weg. Even bleef ik in zijn kantoor staan en bedacht hoe gecompliceerd mannen konden zijn. Juist als je dacht dat ze ongevoelig, hard, kil, praktisch en meedogenloos waren, legden ze hun diepste gevoelens voor je bloot en brachten ze je aan de rand van tranen. Geen van de mannen in mijn leven was gemakkelijk te doorgronden, dacht ik, en vroeg me toen af of hetzelfde gold voor vrouwen.

Ik liep Tony's kantoor uit om de bedienden instructies te geven en ging toen naar boven om te rusten. Logan belde die avond, hevig opgewonden over een paar dingen die tijdens zijn afwezigheid waren gebeurd. Hij bleef maar praten over de fabriek in Winnerow, maar eindelijk dacht hij eraan naar Tony te informeren. Ik vertelde hem dat Tony weer zijn normale zelf begon te worden, ook al was ik er nog niet helemaal zeker van. Logan greep die gelegenheid aan om te zeggen dat hij misschien tot zaterdag zou moeten blijven. Hij had de elektriciëns overgehaald op zaterdagmorgen te werken en hij wilde erbij zijn als ze begonnen, legde hij uit.

'En omdat bij jullie alles weer normaal lijkt te worden.'

'Doe wat je doen moet, Logan,' zei ik. Net als elke man hoorde hij alleen wat hij wilde horen. Ik was kortaf tegen hem, maar hij verkoos het te negeren.

'Ik zal het doen en dan kom ik gauw naar huis,' zei hij.

De volgende ochtend belde Amy Luckett om te vragen of ze me kon komen opzoeken. Ik was blij met de afleiding en nodigde haar uit voor de lunch. Tony ging inderdaad de deur uit om naar zijn werk te gaan, maar een paar uur na zijn vertrek belde zijn kantoor om hem een paar dingen te vragen. Ik vertelde zijn secretaresse dat ik in de veronderstelling verkeerde dat hij naar kantoor was gegaan. Ik had geen idee waar hij uithing. Ze beloofde me te bellen zodra hij kwam. Ik maakte me ongerust over hem, maar toen Amy kwam werd ik zo afgeleid door haar bezoek, dat ik er pas na haar vertrek aan dacht dat Tony's secretaresse niet had gebeld.

Amy was een stuk dikker geworden sinds we allebei op de exclusieve Winterhaven School voor Meisjes waren. Nu was ze een vrouw met een rond gezicht, een smalle boezem en brede heupen. Ze had nog steeds een innemende glimlach en vriendelijke, bruine, amandelvormige ogen en ze droeg haar haar nog steeds in een wrong bovenop haar hoofd. Ze had perzikkleurige sproeten onder haar ogen en vlak boven haar wenkbrauwen. Ik herinnerde me haar als een klein, mollig en verlegen meisje, dat altijd in de schaduw van de anderen stond. Maar in tegenstelling tot de anderen leek ze haar rijkdom en positie niet zo belangrijk te vinden.

Het was een heldere, zonnige dag, en er stond alleen een zacht briesje, dus liet ik de lunch serveren op de patio die uitkeek op het zwembad en het prieel. Curtis zette een paar parasols neer en we aten kleine sandwiches met ham en tonijn die Rye had klaargemaakt. Ik luisterde naar haar verhalen over haar reizen, de dingen die ze had gezien, de mensen die ze had ontmoet. Toen veranderde ze van onderwerp.

'Een tijdje geleden kreeg ik een brief van Faith Morgantile,' zei ze, 'toen ik in Londen was. De brief was helemaal aan jou gewijd.'

'Je meent het! Faith Morgantile? Op school behandelde ze me als een melaatse.'

'Nou, de waarheid was dat ze altijd jaloers op je was. Ze vertelde me dat je getrouwd was en weer in Farthinggale woonde. Je kon de jaloezie uit de woorden zien druipen. Als ze kon, zou ze met bloed hebben geschreven.'

We lachten.

'Ik probeer niet te veel aan die meisjes meer te denken,' zei ik. 'Anders maak ik me maar weer kwaad. Ik zal nooit vergeten wat ze me hebben aangedaan.' Ik sloeg mijn armen om me heen toen ik eraan terugdacht. Jonge meisjes konden zo wreed zijn tegen elkaar, dacht ik, vooral verwende, rijke meisjes.

'Het was wreed, maar ze waren jaloers!' herhaalde Amy met opengesperde ogen. Ik wist dat zij in het begin eraan mee had gedaan. Ze moest wel, anders hadden ze zich tegen haar gekeerd. Ze verachtten iedereen die in enig opzicht anders was. Ik was onmiddellijk in het nadeel omdat ik geen reizen had gemaakt zoals zij en omdat Tony de verkeerde kleren voor me had gekocht – dure, conservatieve kleren.

'Waarschijnlijk, ja. Al begrijp ik niet waarom. Ze waren allemaal rijk en kwamen allemaal uit een goede familie.'

'Ze konden het niet helpen,' zei Amy. 'Vooral toen ze je zagen met Troy Tatterton en jij hun vertelde dat hij veel te oud en wereldwijs was om met een van hen uit te gaan.'

Ik zette het pijnlijke gevoel van me af dat door me heen ging bij het horen van Troys naam en dwong mezelf opgewekt te doen.

'Ik weet het nog. En ik herinner me dat ze kort daarna al mijn goede kleren beschadigden en mijn truien scheurden. En ze deden ontzettend arrogant toen ik zei dat ik naar mevrouw Mallory zou gaan. Ze wisten dat ze niets zou doen om te riskeren dat hun ouders hun bijdragen zouden inhouden.'

'Ja, dat wisten ze,' zei Amy, die in haar derde sandwich beet.

'En toen op dat schoolbal, toen ze die afschuwelijke truc met me uithaalden en een laxeermiddel in mijn thee en vruchtenpunch hadden gedaan...' Ik herinnerde me de pijn en de verlegenheid toen het tot me doordrong dat iedereen op het bal het wist.

Amy hield op met kauwen.

'Ik probeerde je te waarschuwen. Ik zei dat je niet naar het bal moest gaan, zodra ik zag dat je die uitdagende rode jurk aan had.'

'Ja, ik weet het nog.'

Amy schudde het hoofd en glimlachte toen.

'Maar je hebt het ze betaald gezet toen je Pru door die koker in die vieze troep van je kleren liet glijden.'

'Vreemde manier om hun respect te verdienen. Ik heb nooit tot hun groepje behoord, maar in ieder geval lieten ze me daarna met rust.'

Amy knikte. 'Te oordelen naar de brieven die ik krijg en de dingen die ik hoor als ik sommigen van hen spreek, zijn ze nu jaloerser op je dan ooit. Ze denken dat je het gelukkigste meisje ter wereld bent.'

'O ja?'

'Omdat je hier in Farthinggale woont, getrouwd bent met een knappe man en de erfgename bent van een enorm vermogen...'

Ik keek haar aan. Het leek me duidelijk dat zij zelf jaloers was. Ondanks haar rijkdom en haar goede opvoeding, haar dure scholen en colleges, haar kleren en haar reizen, was ze alleen en nog steeds op zoek naar romantiek. De frustratie bracht haar ertoe te veel te eten en het overeten maakte haar onaantrekkelijk.

'Je bent een stuk zwaarder geworden, Amy,' zei ik, toen ze haar vijfde sandwich nam. 'Trek je je dat niet aan?'

'O, jawel. Ik probeer af te vallen, maar soms heb ik... zo'n honger,' zei ze en lachte. 'Maar je hebt gelijk,' en ze legde de sandwich weer neer. Ze leunde glimlachend achterover. 'Wat een prachtige dag, hè?'

'Ja.'

'Ga je wel eens in die doolhof?' vroeg ze. 'Dat zou ik nooit durven.'

'Soms.'

Ze zweeg even en boog zich toen naar voren. Kennelijk kwam ze nu op de ware reden van haar komst. Ze had tijd nodig gehad om moed te verzamelen. Ik wist dat ze intieme informatie zocht, die haar weer waardevol zou maken in de ogen van de meisjes van Winterhaven. Ze zouden haar opbellen en uitnodigen en ze zou zich belangrijk en populair voelen. Het maakte me triest en tegelijkertijd ergerde het me.

'Vertel eens,' zei ze, 'nu er zoveel tijd overheen is gegaan. Wat was de reden dat Troy Tatterton zelfmoord pleegde?'

'Om te beginnen,' antwoordde ik op stijve en correcte toon, 'was het geen zelfmoord. Het was een tragisch ongeluk. Zijn paard sloeg op hol. En verder was ik toen niet in Farthinggale om op te treden als een amateur-psychiater, die iedereen analyseert, zoals sommigen van die afschuwelijke meiden in Winterhaven deden en hoogstwaarschijnlijk nog steeds doen, alleen omdat ze een elementaire cursus psychologie hebben gevolgd.'

'O, natuurlijk, ik – '

'Ik voel er trouwens toch niets voor om bij te dragen tot dat soort geroddel, Amy. Het past ook niet bij jou. Daar hoor je boven te staan.'

'O, dat doe ik ook,' zei ze, haar ogen wijd opensperrend. 'Ik was alleen maar... persoonlijk nieuwsgierig.'

'We horen niet afhankelijk te zijn van andermans tragedies voor ons amusement,' zei ik kortaf en keek op mijn horloge. 'Ik vrees dat ik me zal moeten excuseren. Ik heb nog zoveel te doen. Dat begrijp je natuurlijk wel.'

'Ja, natuurlijk. Misschien kunnen we elkaar binnenkort nog eens zien. Ik ga pas in de herfst naar Parijs. Ik ga kunstgeschiedenis studeren,' voegde ze er trots aan toe.

'Klinkt goed. Ja, ik zal je bellen zodra ik tijd heb,' jokte ik. Ik wilde haar kwijt. Ook al was ze niet zo wreed als de anderen, haar komst en ons gesprek hadden te veel onaangename herinneringen opgewekt aan mijn tijd in Winterhaven. Het meeste had ik weten te verdringen en ik was niet van plan het weer op te rakelen.

Toen ze weg was vroeg ik aan Curtis of Tony terug was of had gebeld.

Toen hij nee zei, belde ik zijn kantoor, en zijn secretaresse vertelde me dat ze nog steeds niets van hem had gehoord. Ongerust vroeg ik me af wat ik moest doen. Hij had zich zo vreemd gedragen sinds Jillians dood.

Waarom het eindelijk tot me doordrong, weet ik niet. Ik zat in de zitkamer toen ik er plotseling aan dacht. Haastig stond ik op en liep naar buiten naar de doolhof. Snel liep ik er doorheen naar de bungalow. Ik verkilde toen ik Tony's auto voor de deur geparkeerd zag. Langzaam liep ik naar de bungalow en keek door het kleine raampje achter de rozenstruik.

Tony zat in Troys schommelstoel tegenover de open haard. Hij bewoog nauwelijks. Waarschijnlijk had hij het grootste deel van de dag hier doorgebracht, om in stilte te rouwen. Ook al was Troy er niet meer, het gaf Tony enige troost om in het huisje van zijn broer te zijn, temidden van zijn bezittingen. Ik dacht erover naar binnen te gaan, maar bedacht me. Soms is privacy heel belangrijk en kostbaar. Ik wist zeker dat Tony niet ontdekt wilde worden in de bungalow. Er zou zoveel gezegd en opgebiecht moeten worden, niet alleen door hem, maar ook door mij. Ik draaide me om en keerde terug naar Farthy.

Tony kwam vlak voor het eten thuis. Hij deed of hij hard gewerkt had. Ik had de moed niet hem te vertellen dat zijn kantoor de hele dag gebeld had. Curtis gaf hem een paar boodschappen, die hij zonder iets te zeggen aannam. Toen ging hij regelrecht naar zijn suite. Hij zei dat hij honger had en beneden zou komen om te eten, dus ging ik naar mijn eigen suite om te douchen en me te verkleden.

Toen ik na mijn douche uit de badkamer kwam ging de telefoon. Ik nam de hoorn op, in de verwachting dat het Logan zou zijn. Hij was het niet. Het was Fanny. Ik had haar niet meer gesproken sinds onze ruzie in de hut, en ik wist dat ze me ervan zou beschuldigen dat ik haar vermeed, maar ze scheen andere dingen aan haar hoofd te hebben, ergere dingen. Ze had eindelijk een manier gevonden om me te treffen.

'Het spijt me dat je oma dood is,' zei ze. 'Of noemde je haar geen oma? Waarschijnlijk had je een deftigere naam voor haar nu je zo duur doet tegenwoordig.'

'Ik noemde haar bij haar naam,' antwoordde ik. 'Of ik noemde haar grootmoeder. En hoe gaat het met jou, Fanny?'

'Daar moest je ook lang over doen om dat te vragen,' zei ze. Even bleef het stil, toen vroeg ze op zangerige toon:

'Vertel eens, Heaven Leigh, ben je al zwanger? Als je nog in de Willies woonde, zou je dat nu zijn.'

'Nee, dat ben ik niet, Fanny. Ik ben nog niet aan een gezin toe.'

'O, nou ik heb nieuws voor je. Ik ben het wel,' zei ze opgewekt.

'Is het echt?' Ik ging erbij zitten. Ik wist dat ze me nu alles zou vertellen over Randall en dat ze met hem naar bed was geweest en dat hij haar zwanger had gemaakt, maar ze had een andere verrassing voor me in petto.

'En het is niet mijn schuld, Heaven. Het is jouw schuld.'

'Mijn schuld?' Ik bereidde me voor op haar beklag dat ik haar in de steek had gelaten in Winnerow, terwijl ik toen we jonger waren had beloofd altijd voor haar te zorgen. Ze beschuldigde me altijd dat ik haar door pa had laten verkopen aan de dominee en zijn vrouw, en dat ik niet genoeg mijn best had gedaan om te beletten dat ze haar baby aan hem verkocht. Wat ze nu was, alles wat er met haar gebeurd was, was mijn schuld.

'Je had hier horen zijn; je had meer belangstelling moeten hebben,' zong ze. De vrolijke klank in haar stem beviel me niet. Er lag iets vreemds, iets onverwachts in.

'Belangstelling? Belangstelling waarvoor? Waar heb je het over, Fanny?' vroeg ik, op gewild verveelde toon.

'Belangstelling voor je eigen man, voor Logan,' verklaarde ze.

'Logan? Wat heeft Logan hiermee te maken?' vroeg ik. Mijn hart begon te bonzen.

'Omdat Logan me zwanger heeft gemaakt,' zei ze. '*Ik* ben degene die de baby van je man krijgt, niet jij.'

10. FANNY'S SPELLETJE

Ik kreeg kippevel op mijn armen en benen. Ik had het gevoel of twee uit ijs gehouwen armen me omhelsden. Fanny's korte lachje klonk over de lijn. Het geluid deed pijn, maar ook al had ik het gewild, ik had de hoorn niet van mijn oor kunnen nemen. Het leek of hij eraan zat vastgeplakt. Mijn stilzwijgen moedigde haar aan. In gedachten zag ik haar hatelijke en gemene blik, haar fonkelende ogen, haar blinkende tanden. Fanny had haar emoties altijd op commando kunnen in- en uitschakelen, even gemakkelijk van het een in het ander vervallen als ze van televisiekanaal wisselde.

'Als het een jongen is noem ik hem Logan,' zei ze. 'En als het een meisje is, denk ik dat ik haar Heaven noem.'

Lange tijd gaf ik geen antwoord; ik kon het niet. Mijn lippen waren verzegeld, mijn tanden waren zo stevig op elkaar geklemd, dat ik bang was er een te zullen breken. Ik voelde de spieren in mijn hals spannen toen ik een poging deed om te slikken. Mijn keel deed pijn.

Bliksemsnel gingen de gedachten door mijn hoofd. Misschien loog Fanny omdat ze jaloers op me was. Ik geloofde wel dat ze zwanger was, maar ik nam aan dat het kind van een ander was en niet van Logan. Waarschijnlijk was het van Randall, maar toen Fanny ontdekt had dat ze zwanger was, was dit plan bij haar opgekomen. Ze maakte gebruik van het feit dat Logan zo vaak in Winnerow was.

'Ik geloof je niet,' zei ik tenslotte. Mijn stem klonk zo iel en scherp dat ik hem zelf nauwelijks herkende. 'Je liegt, en dat is erg gemeen! Maar het verbaast me niets van je, Fanny,' ging ik iets beheerster verder. 'Het verbaast me niets dat je nog steeds tussen mij en Logan probeert te komen. Dat heb je geprobeerd vanaf de eerste dag dat je hem ontmoette,' zei ik beschuldigend. 'En hij heeft je altijd duidelijk laten merken dat hij mij wilde en niet jou.'

Ze lachte neerbuigend.

'Ga je gang, lach maar. Moet ik je er nog aan herinneren? Moet ik je herinneren aan die keer toen Logan op me wachtte bij de rivier en jij je jurk uittrok en naakt heen en weer holde om te proberen hem naar je toe te lokken voordat ik kwam? Maar hij kwam je niet achterna, hè?'

'Alleen maar omdat hij jou hoorde aankomen, Heaven. Hij had me gevraagd mijn jurk uit te trekken. Ik zei dat ik het misschien zou doen en hij zei: toe dan, ik daag je uit, en dus deed ik het, maar toen werd hij bang omdat hij jou hoorde komen.'

'Weer een van je leugens,' antwoordde ik. 'Die eerste keer toen hij in onze hut kwam, liep je rond in je slipje met alleen een paar van oma's sjaals over je borsten. Had hij je dat soms ook gevraagd?'

'Nee, maar hij keek wel aandachtig, hè? Hij keek altijd naar me, hoopte altijd op een kans.'

'Dat is belachelijk. Dat is het belachelijkste... waarom... waarom ging hij dan niet met jou in plaats van met Maisie Setterton toen hij de kans had, hè?' vroeg ik. Ik haatte de jammerende toon in mijn stem en ik had er een hekel aan om dit kinderachtige spelletje met Fanny te spelen, maar ze maakte me zo woedend, dat ik er niets aan kon doen.

'Hij probeerde je alleen maar jaloers te maken door met de zuster van Kitty Dennison te gaan, omdat hij dacht dat jij nog steeds viel op Cal Dennison. Dat heeft hij me zelf verteld,' zei ze. 'Zo. Je hebt me gedwongen de lelijke waarheid over hem te vertellen, en ik zal voortaan niets meer verbergen. Ik denk alleen nog maar aan mezelf.'

'Je liegt,' was het enige wat ik kon zeggen. Hoe kwam het toch dat Fanny altijd de zwakke plekken wist te vinden in mijn verdediging? Ons leven lang had ze op mijn angst of op mijn geweten gewerkt.

'Ik lieg niet. Vraag het maar aan Logan, laat hem de waarheid maar vertellen. Ik zal je vertellen wat je hem moet vragen. Je moet hem vragen waarom hij zo aardig tegen me was toen ik naar het terrein van de fabriek kwam. En waarom hij geen nee zei toen ik aanbood hem die avond in de hut iets te eten te brengen. En waarom hij me niet naar huis stuurde.

'Je hoeft het hem trouwens niet te vragen,' ging ze haastig verder. 'Ik zal het je wel vertellen. Hij heeft me altijd gewild, maar hij vond me niet goed genoeg. Hij vond jou beter. Nou, je mag dan goed en slim en beschaafd zijn, maar je bent niet bij hem als hij dat wil. Een man wil zijn vrouw naast zich, begrijp je? Het gekke is dat je denkt dat je slimmer bent dan ik, maar je weet niet half zoveel als ik als het op mannen aankomt.'

'Ik geloof je niet,' zei ik zwakjes.

'O, nee? Hij heeft me alles verteld over jullie prachtige suite in Farthy, over dat schilderij van de Willies dat boven je bed hangt, over – '

'Hou je mond,' zei ik. 'Ik wil er niets meer over horen.'

'Oké, ik zal mijn mond houden – voorlopig. Ik verwacht Logans baby en hij is verantwoordelijk, hoor je me? Ik wil dat hij eeuwig voor me zorgt.' Ze zweeg even. Ik kon nauwelijks ademhalen. 'Hij vroeg niet eens of ik wel een voorbehoedmiddel had die nacht. Hij nam me alleen maar in zijn armen en – '

Ik smeet de hoorn neer, in het besef dat Fanny waarschijnlijk zou staan te lachen in plaats van kwaad te zijn. Even bleef ik zitten staren naar het schilderij van de Willies boven het bed. Toen liet ik me op het bed vallen en huilde. Mijn lichaam schokte zo hard door mijn verdriet en pijn, dat de hele kamer leek te trillen.

Opnieuw verraden, door de enige man die ik gedacht had altijd te kunnen geloven. Die me had beloofd er altijd te zijn als ik hem nodig had. Hij was net als alle anderen! Het was niet eerlijk. Waarom werd ik altijd weer verraden door de mannen die ik vertrouwde en nodig had? Fanny had gelijk – ik was veel stommer dan zij als het op mannen aankwam. O, Logan, hoe kón je! Hoe kón je!

Langzaam minderden mijn tranen, tot ik rechtop ging zitten, snuffend en met mijn vuisten in mijn ogen wrijvend tot ze brandden. Ik haalde diep adem. Mijn hart ging weer normaler kloppen. Toen beheerste ik me en gaf mezelf een standje dat ik me door Fanny zo van streek had laten brengen. Er was nog steeds een goede kans dat ze het allemaal verzonnen had.

Met trillende vingers draaide ik het nummer van de hut in de Willies. De telefoon bleef rinkelen, maar Logan nam niet op. Ik belde het terrein van de fabriek, maar ook daar gaf niemand antwoord. Misschien was hij bij zijn ouders, dacht ik, en draaide hun nummer. Zijn moeder antwoordde.

'O, nee, lieve,' zei ze. 'Hij is hier nu niet. We hadden hem voor het eten uitgenodigd, maar hij is in het restaurant. Hij eet met zijn voorman en een van de aannemers. Is er iets? Kunnen wij iets voor je doen?'

'Zeg hem maar dat ik wil dat hij me belt zodra hij terugkomt,' zei ik. 'Op wat voor tijd dan ook.'

'Ik zal het doen. Onmiddellijk.'

Nog geen vijf minuten later ging de telefoon. Het was Logan die me belde uit het restaurant in Winnerow.

'Wat is er, Heaven? Is er iets met Tony?'

'Nee, Logan. Iets met Fanny,' zei ik koel.

'Fanny?' Ik hoorde hem diep slikken aan de andere kant van de lijn en hoorde de aarzeling in zijn stem. Mijn hart verkilde. 'Eh... eh... wat bedoel je?'

'Je weet wat ik bedoel.'

Even bleef het stil aan de andere kant van de lijn. 'Heaven, ik weet echt niet wat je bedoelt. Wat is er met Fanny?'

'Ik zou maar meteen thuiskomen, Logan.'

Weer een lange stilte. 'Heaven, wat heeft Fanny je verteld? Je weet dat ze onze verhouding wil vergiftigen.'

'Ze is zwanger,' zei ik. Ik voegde er verder niets aan toe.

'Zwanger? Maar – '

'Ik ben niet van plan dit over de telefoon te bespreken, Logan.'

'Goed,' zei hij met een zucht. 'Ik kom zo gauw mogelijk.'

Het was zo goed als een bekentenis. Ik legde de telefoon voorzichtig neer. Toen draaide ik me om en bekeek mezelf in de spiegel. Mijn hals en borst waren bedekt met rode vlekken, een nerveuze uitslag. Mijn gezicht zag zo rood of ik hoge koorts had. Mijn ogen waren bloeddoorlopen en mijn haar, dat nog nat was van de douche, viel recht omlaag langs mijn gezicht. Ik zag eruit als Jillian tijdens een van haar momenten van waanzin.

Ik staarde vol verontwaardiging, woede en zelfmedelijden naar mijn spiegelbeeld. Mijn man had geslapen met mijn zuster. Fanny had eindelijk een bevredigende wraak gevonden en uiting gegeven aan haar knagende jaloezie. Ik voelde me gekwetst, diep gewond. Hoeveel kon een liefde verdragen? De mensen die in Farthy kwamen hoefden maar even naar me te kijken om te zien dat ik een bedrogen vrouw was. Stel je voor wat iemand als Amy Luckett met zo'n nieuwtje zou doen. Ik zag die arrogante meiden van Winterhaven al om me heen, zingend: 'Heaven is bedrogen! Heaven is bedrogen!'

En toen, even plotseling als het was opgekomen, viel het zelfmedelijden van me af als het cellofaanpapiertje van een verboden snoepje en werd het vervangen door schuldbesef. Troy. Mijn geliefde, mooie, hartstochtelijke Troy. Ik had Logan bedrogen met Troy. Maar dat was niet hetzelfde, nee, absoluut niet. Want ik hield van Troy, ik hield zielsveel van hem, met hart en ziel, ook al was hij meer een geest dan een man van vlees en bloed. Hoe had ik hem kunnen weigeren? En het was niet verkeerd, want hij was slechts een geest van mijn liefde, die een kostbaar, vluchtig moment was teruggekeerd. Als ik hem had afgewezen, zou ik alles wat puur en nobel in me was hebben afgewezen. Hij was even terug geweest en toen weer verdwenen naar die onbekende, geheimzinnige wereld van de vergetelheid, en ik zou nooit meer iets van hem horen of zien. Daarom was wat ik had gedaan iets anders dan wat Logan had gedaan. Ik kon niet geloven dat Logan echt van Fanny hield. Het was wellust, simpele wellust die hem naar haar toedreef, en het was geen liefde, maar wraak en haat die haar naar hem toedreven. Ze was een object van genot, een seksuele afleiding, een heks. Op dit moment haatte ik haar omdat ze mijn leven ordinair maakte, dat ze iets wat zuiver was veranderde in iets smerigs en laags, en mijn haat tegen haar gaf me de kracht de crisis onder ogen te zien.

Nee, besloot ik, ik zou mijn liefde voor Troy niet op één lijn stellen met Logans vleselijke lusten. Logan was een man van vlees en bloed, Troy een man van geest en dromen. Fanny had gelijk – ze wist meer over mannen dan ik. Maar ik wist beter hoe ik moest overleven.

Ik zei niets tegen Tony over de situatie met Fanny toen we die avond aan tafel zaten. Logan mocht zelf uitleggen waarom hij zo plotseling naar Farthy terugkwam. In ieder geval wilde ik niet dat Tony het ooit te weten zou komen. Aan tafel probeerde ik beheerst en kalm over te komen. Tony leek weer wat opgeleefd; hij droeg een van zijn lichtblauwe zomerpakken, zijn haar was keurig geborsteld, maar hij zei niet veel en staarde me van tijd tot tijd zwijgend aan. Er verscheen een starre uitdrukking in zijn ogen, als iemand wiens blik naar binnen gekeerd is en die naar een beeld of herinnering uit het verleden kijkt. Tussen de gangen door zat hij met zijn elegante, goedgemanicuurde handen onder zijn kin gevouwen, zonder iets te zeggen, en liet dan zijn handen zakken en trommelde gedachteloos op tafel en op mijn zenuwen.

Het weinige dat ik at, at ik omdat ik niet de aandacht wilde vestigen op mijn toestand. Ons langste gesprek kwam toen ik voorstelde dat Tony een tijdje met vakantie zou gaan.

'Een verandering van omgeving zou je een wereld van goed doen,' drong ik aan.

'Zou je met me meegaan?' vroeg hij snel.

'O, ik kan niet,' zei ik. 'Niet nu Logan het zo druk heeft met de nieuwe fabriek in Winnerow. Ik zal meer tijd met hem moeten doorbrengen. Net als elke man, weet hij niet wanneer hij te hard of te lang werkt.'

Tony knikte glimlachend.

'Jillian klaagde daar ook altijd over. Ze wilde dat ik een extra huwelijksreis met haar zou maken en als ik protesteerde dat ik te veel werk had, zei ze dat ik dat aan Troy moest overlaten. Troy was creatief; hij was een creatief genie, maar hij was niet goed in administratie, geen manager.

'Maar zonder Jillian zou ik niet al die vakantiereizen hebben gemaakt of naar feesten zijn gegaan, of hier diners hebben gegeven. Ze was zo'n stralend middelpunt, zo vol energie, ze wist iedereen aan het lachen te brengen.

'O, ik weet dat ze veel te veel met zichzelf was ingenomen, maar het was prettig om iets zachts en moois te hebben, en al was het maar een illusie, iemand die eeuwig jong bleef. Gek,' zei hij, terwijl hij achteroverleunde en mijmerend glimlachte, 'maar zelfs toen ze zich opsloot in haar suite en zich volsmeerde met make-up en begoot met parfum, was het een prettig gevoel te weten dat ze er was. Als ik langs haar kamer liep, kon ik haar parfum ruiken en kwamen alle herinneringen bij me op.' Zijn stem klonk plotseling weer triest en hij keek me met een verdrietige blik in zijn ogen aan.

'Nu zijn de deuren dicht, de gang ruikt als elke andere gang in dit grote huis, en er is alleen maar stilte.' Hij schudde zijn hoofd en sloeg zijn ogen neer.

'Tony, dat is de reden waarom ik vind dat je verandering van omgeving nodig hebt, al is het maar voor korte tijd. Vertel me een paar dingen die in die tijd gedaan moeten worden, en ik zal het voor je doen. Ik kan het,' verzekerde ik hem.

Hij keek glimlachend op. 'Ik weet dat je het kunt. Daar maak ik me geen zorgen meer over.' Hij haalde diep adem en zuchtte. 'Ik zal zien,' zei hij. 'Misschien.'

Na het eten trok hij zich terug in zijn kantoor om te werken. Ik probeerde wat afleiding te zoeken, maar Fanny's lach bleef door mijn hoofd spoken. Tenslotte ging ik naar boven om in onze suite op Logan te wachten.

Het was heel laat toen hij eindelijk kwam. Ik was met mijn kleren aan in slaap gevallen, maar zodra hij binnenkwam deed ik mijn ogen open.

Hij bleef op de drempel naar me staan kijken. Hij zag eruit of hij de hele weg hard had gelopen. Zijn ogen waren bloeddoorlopen, zijn schouders zakten omlaag en zijn haar zat in de war. Het leek of hij door een elektrische mixer was gehaald. Hij had zich niet geschoren en hij had een stoppelbaard. Zijn pak was gekreukt en zijn das zat los, het boord was losgeknoopt.

Even keken we elkaar alleen maar aan. Toen ging ik rechtop zitten, streek mijn haar naar achteren en haalde diep adem.

'Ik wil dat je me de waarheid vertelt, Logan,' zei ik, schijnbaar zonder enige emotie. 'Heb je de liefde bedreven met mijn zuster?'

'Liefde,' zei hij met een spottend lachje. Hij trok zijn jasje uit en hing het over een stoel. 'Ik zou wat tussen ons gebeurd is niet met de naam liefde willen betitelen.'

'Ik wil geen woordspelletjes met je spelen, Logan,' zei ik, terwijl ik me omdraaide. 'Fanny heeft me gebeld om me te vertellen dat ze zwanger is en dat het kind van jou is. *Is* het kind van jou?'

'Hoe moet ik dat weten? Hoe kan één man dat zeker weten bij iemand als Fanny?'

'Vertel me wat er gebeurd is, Logan,' zei ik, naar de grond starend. Ik voelde me versuft. Mijn hele lichaam leek gevoelloos, alsof ik was uitgegleden en in een van de bosvijvers in de Willies was gevallen. Hoe diep zouden Logan en ik nu zinken?

'Het is gebeurd toen we pas met het werk aan de fabriek begonnen,' zei hij. 'Ik ging zo op in mijn werk dat ik niet helder kon denken. Ze kwam een paar keer en bleef rondhangen, keek naar me terwijl ik aan het werk was, praatte met de arbeiders. Ik dacht er niet bij na. Ik wilde haar niet wegsturen, al heb ik haar wel een paar keer gevraagd de mannen niet af te leiden als ze bezig waren.'

'Ga door,' zei ik. Hij liep de kamer door en bleef bij de spiegel staan, met zijn rug naar me toe.

'Op een dag zei ze dat ze naar de hut zou komen met een warme maaltijd die ze zelf gekookt had. Ze zei dat ze iets goed wilde maken, omdat ze ons zoveel last had bezorgd; ze wilde weer als een zuster worden beschouwd, bij de familie horen.' Hij draaide zich met een ruk om.

'Ik geloofde haar, Heaven. Ze was erg overtuigend en ze leek zo zielig.'

'Fanny is een uitstekende actrice,' zei ik.

'Ze huilde bij me uit over het kind dat ze was kwijtgeraakt, vertelde dat het zo moeilijk was om in hetzelfde dorp als zij te leven, haar van tijd tot tijd te zien, maar niet als een moeder voor haar te kunnen zorgen. En toen begon ze over Jane en Keith en dat die niets met haar te maken wilden hebben. Ze vertelde me over haar verstandshuwelijk met de oude Mallory, dat ze een mooi huis en wat geld eraan had overgehouden, maar dat ze helemaal alleen was, zonder familie of gezin. Ze leek zo eerlijk dat ik dacht dat ze misschien veranderd was. Misschien had de tijd haar een en ander geleerd en was ze volwassen geworden.'

'Dus ging je met haar naar bed?' vroeg ik. Hij schudde zijn hoofd.

'Nee, zo is het niet gebeurd. Ze kwam met haar warme maaltijd en we aten samen. Ze bracht me aan het lachen over haar verhalen van vroeger, de ondeugende streken die ze op school had uitgehaald.' Hij staarde me even aan, alsof hij overwoog of hij verder zou gaan. Er zou me geen afgrijselijk detail worden bespaard, dacht ik.

'En?'

'Ze had een paar flessen wijn meegebracht. Ik zocht er niets achter. We dronken de wijn aan tafel en bleven praten en drinken en praten. Ik denk dat ik een beetje dronken was. En ik had jou zo gemist. Maar ik wil dat niet als excuus aanvoeren,' voegde hij er haastig aan toe. 'Ik weet dat het niet te rechtvaardigen is... ik wil alleen dat je begrijpt wat er is gebeurd en hoe het is gebeurd.'

'Ik luister,' zei ik. Ik was koud, streng en vastberaden. Hij wendde zijn blik af.

'Het was een warme avond en Fanny droeg een dunne katoenen jurk. Het drong eerst niet tot me door, maar terwijl we zaten te praten en te drinken zakte die jurk lager en lager van haar schouders tot... ' Hij schudde zijn hoofd. 'Ik weet zelf niet meer hoe het precies in zijn werk is gegaan. Het ene ogenblik zaten we aan tafel en het volgende had ze haar armen om me heen geslagen en was ze halfnaakt.

'Ze bleef maar vertellen hoe eenzaam ze was en hoe eenzaam ik moest zijn en dat ze zo'n behoefte had aan liefde en dat één nacht er niet op aankwam. De wijn had me duizelig gemaakt. Voor ik het besefte lagen we in bed.

'Eerlijk, het was meer of ik verkracht werd dan dat ik met haar vrijde,' zei hij smekend.

'Ach, ach, wat moet je geleden hebben,' zei ik sarcastisch. Hij trok zijn handen terug en knikte langzaam.

'Ik weet het, je hebt geen ongelijk. Wat er is gebeurd, is op geen enkele manier te rechtvaardigen, maar je moet me geloven dat het alleen die ene keer was. Toen ik besefte wat we hadden gedaan, voelde ik me verschrikkelijk schuldig, en ik heb haar onmiddellijk weggestuurd en gezegd dat ze niet meer op het fabrieksterrein moest komen.

'Ik dacht dat het daarmee was afgelopen... een indiscretie van één nacht. Ik zette het van me af, overtuigde mezelf ervan dat het een nachtmerrie was geweest. Ik dacht dat ik er op die manier mee zou kunnen leven en het uiteindelijk vergeten.

'Alsjeblieft, Heaven, je moet me geloven. Dat is alles. Ik hou niet van Fanny. Ik vind haar niet eens aardig. Maar... maar ik ben ook maar een man en ze wist hoe ze daarvan moest profiteren, net als de duivel zou doen,' voegde hij er snel aan toe.

'Sinds die tijd heb ik haar gemeden als de pest. Ze is nog een paar op het fabrieksterrein geweest, maar ik heb haar zelfs niet bekeken.' Hij ging naast me zitten. 'Ik weet dat het veel gevraagd is om me te vergeven, maar ik vraag het je toch,' zei hij. Hij strekte zijn hand uit en ik liet toe dat hij mijn hand in de zijne nam, maar keek hem niet aan. 'Ik weet niet wat ik moet doen om het goed te maken. Ik kan je alleen maar zeggen dat jij mijn hele leven bent, en dat als je je van me afkeert of me wilt verlaten, ik niet weet wat ik moet beginnen. Dat meen ik.'

Ik zei niets. Hij boog zijn hoofd. Ik voerde een innerlijke tweestrijd. De ene kant van me wilde hard en gemeen zijn, allerlei boosaardige dingen zeggen en hem de kamer uitjagen. Mannen! dacht ik. Wat konden ze vals zijn. Het bleven kleine jongetjes, egoïstische kleine jongetjes. Dat deel van me wist dat Logan probeerde de gebeurtenissen te vervormen, de waarheid te verdoezelen, zich voor te doen als het slachtoffer. Alsof het alleen maar Fanny's schuld kon zijn.

De andere kant van me, het mildere, vergevende deel van me, zag de angst in Logans ogen, de gekwelde uitdrukking op zijn gezicht. Hij was bang me te verliezen. Misschien vertelde hij de waarheid; misschien was hij werkelijk maar één keer indiscreet geweest. Misschien had hij zich eenzaam gevoeld en was het verkeerd van me geweest niet met hem mee te gaan naar Winnerow.

En wat had me tegengehouden? vroeg mijn tweede ik. Was dat niet mijn verlangen naar Troy, mijn verliefdheid op het verleden, mijn pogingen om het onmogelijke mogelijk te maken? Ik had zelf ook schuld. Het was niet meer dan rechtvaardig dat ik hem zou vergeven.

'Heaven,' zei hij weer, terwijl hij mijn hand tegen zijn wang legde. 'Geloof me alsjeblieft. Het was fout van me en ik heb er spijt van. Ik wilde niets doen om jou te kwetsen.'

'Ze zegt dat de baby van jou is,' herhaalde ik.

'Wat moet ik doen? Vertel jij het me maar. Ik zal alles doen wat jij denkt dat juist is.'

'Bij Fanny is het geen kwestie van juist of niet juist. Fanny krijgt haar zin. Ze zal overal rondbazuinen dat jij met haar naar bed bent geweest.'

'Maar iedereen in Winnerow weet hoe ze is,' zei hij. 'Daarom – '

'Daarom zullen ze haar geloven,' antwoordde ik. 'Als Jan en alleman met haar naar bed gaat, waarom dan niet Logan Stonewall? Een hoop mensen zijn maar al te bereid slechte dingen over ons te geloven, omdat ze jaloers zijn of het nog steeds niet kunnen verdragen dat een Casteel zo rijk en machtig is in hun eigen dorp.'

'Wil je daarmee zeggen dat we ons door Fanny moeten laten chanteren?'

'Het zou jouw kind kunnen zijn, nietwaar?' vroeg ik. Hij sloot zijn ogen en perste zijn lippen op elkaar. 'Laat Fanny maar aan mij over,' zei ik. 'Ze zal tevreden zijn als ze weet dat er voor haar gezorgd wordt en als ze weet dat ze me intens verdriet heeft gedaan.'

'O, God, Heaven. Het spijt me zo. Het spijt me zo verschrikkelijk,' jammerde hij en sloeg zijn handen voor zijn gezicht. Een deel van me wilde hem troosten, maar een sterker, harder deel van me stond het niet toe.

'Bedenk maar vast een excuus voor je plotselinge thuiskomst,' zei ik. 'Ik wil niet dat Tony het weet, voorlopig tenminste niet.'

'Goed. Ik zal hem gewoon vertellen dat ik je miste en –'

Ik draaide me zo snel om dat hij de rest van zijn woorden inslikte.

'Ik wil er op dit moment niets over horen, Logan. Ik wil gaan slapen en morgenochtend zien wat ik kan doen om mijn zelfrespect terug te krijgen. Begrijp je?'

Hij knikte. Hij zag er zo zwak en onzeker en berouwvol uit, dat ik moeite had mijn harde houding vol te houden.

'Goed,' zei ik en maakte me gereed om naar bed te gaan.

Later kroop hij naast me, en zorgde ervoor dat hij me niet aanraakte. Hij ging zover mogelijk aan de rand van het bed liggen, als een kleine jongen die ondeugend is geweest en zonder eten naar bed is gestuurd.

Onwillekeurig vroeg ik me af hoe het geweest zou zijn als het andersom was geweest. Hoe zou zijn reactie zijn geweest als ik hem mijn ontmoeting met Troy en onze liefdesdaad had opgebiecht? Zou hij me hebben vergeven of me hebben gehaat? Zou hij het begrepen hebben? Zou hij me gedwongen hebben ver bij hem vandaan te slapen in bed en me niet hebben aangeraakt, me geen enkele hoop hebben gegeven het ooit te kunnen goedmaken?

Die nacht huilde ik zachtjes om ons allemaal, zelfs om Fanny, die zo vol jaloezie en haat was dat ze bereid was zichzelf te vernietigen, alleen maar om het mij betaald te zetten. Ik wist dat ze dit kind in de komende jaren zou gebruiken als een zweep, me zou kwetsen wanneer ze maar kon, door me eraan te herinneren wiens kind het was. Mijn enige hoop was dat het zoveel op Randall Wilcox zou lijken dat het duidelijk zou zijn wie de vader was. Maar in mijn hart wist ik dat het er niet echt toe zou doen. Als ik Fanny die eerste cheque had gestuurd, had ze ons in haar macht.

Nou ja, in ieder geval dacht ik, rationaliserend, zou het naar de familie gaan.

Familie. Wat een vreemd en lelijk woord was dat geworden. Misschien was dat wel het droevigste van alles.

Tony verkeerde de volgende dag nog in zo'n versufte toestand dat hij nauwelijks stilstond bij Logans onverwachte terugkeer. Logan zei dat hij maar met een half oor had geluisterd naar zijn uitleg. In zekere zin was het zelfs beter dat hij thuis was gekomen, want hij ging met Tony naar het kantoor van Tatterton en kon een paar van Tony's taken overnemen die hij nog niet op zich kon of wilde nemen.

Elke dag tijdens de rest van de week bracht Logan een of ander geschenk voor me mee. Ik wist dat hij probeerde mijn hart te heroveren. Hij gaf me bloemen en kleren, bonbons en juwelen. Hij drong niet aan op mijn vergiffenis. Hij gaf me alleen maar de cadeaus en wachtte hoopvol op een teken of een hartelijk woord.

Op een keer, toen hij 's avonds boven kwam na de dag met Tony te hebben doorgebracht, trof hij me huilend aan. Ik liet toe dat hij me omhelsde en mijn haar streelde. Ik luisterde naar zijn smeekbeden en zijn woorden van liefde. Ik liet hem eeuwige trouw zweren en smeken om mijn vergeving en liefde. En toen liet ik me hard op de lippen kussen.

Ik was zelf bang dat we nooit meer met elkaar zouden vrijen, of dat als we het deden het zo mechanisch en onpersoonlijk zou zijn, dat het niets te betekenen had. Maar mijn verlangen om bemind te worden en alle verdriet en ellende van me af te zetten was groter dan ik had beseft, en Logans behoefte om te worden vergeven overwon alles. We vrijden hartstochtelijk en toen het voorbij was, lagen we snikkend in elkaars armen.

'O, Heaven,' zei hij. 'Het spijt me dat ik je zoveel verdriet heb gedaan. Ik zou liever door een brandende gang zijn gerend dan jou dit te hebben aangedaan.'

'Kus me alleen maar en hou van me en vergeet me nooit meer,' fluisterde ik ademloos.

'Nooit. Ik zal zo één met je worden dat als jij ziek bent, ik ook ziek ben en als jij moe bent, ik ook moe ben. Als jij lacht, zal ik ook lachen. We zullen zijn als een Siamese tweeling, verbonden door een liefde die zo sterk is dat zelfs Cupido verbaasd zal staan. Ik zweer het,' zei hij. Hij kuste me zo vaak dat mijn hele lichaam tintelde. Hij was zo dankbaar voor mijn liefde en mijn vergiffenis, dat hij me weer het gevoel gaf dat ik een prinses was, die hem de gave schonk van het leven en het geluk.

Die nacht sliepen we beter dan een van ons de hele week had gedaan. De volgende ochtend toen we gingen ontbijten, leek het of een lijkwade van het huis was weggenomen. Zelfs Tony leek energieker en verlangender om de dag te beginnen. Hij en Logan praatten weer over Winnerow. De oude energie en opwinding kwamen terug. We besloten diezelfde middag nog naar Winnerow te vertrekken en het terrein van de fabriek te bezoeken. En terwijl we daar waren zou ik mijn zuster Fanny een bezoek brengen.

Logan wist dat ik dat van plan was toen ik hem en Tony alleen liet bij de fabriek. Fanny had een modern huis laten bouwen hoog op een berghelling, recht tegenover de berg waar de blokhut stond. Ze had hem gebouwd met het geld dat ze van Mallory had gekregen, de oudere man met wie ze getrouwd was en van wie ze daarna weer was gescheiden. Hij had al die tijd haar alimentatie betaald. Haar twee grote Deense doggen sprongen blaffend rond de auto toen ik kwam aangereden. Ze moest ze eerst in de kennel opsluiten voor ik bereid was uit te stappen. Ze vond dat heel grappig.

'Het zijn goeie waakhonden,' zei ze. 'Je weet nooit wie hier komt, snap je wat ik bedoel, Heaven?'

'Als je ze maar uit mijn buurt houdt,' zei ik nijdig. Ze zagen er mager en slechtverzorgd uit. Fanny had nooit van dieren gehouden. Ze zei dat zij ze alleen maar als waakhonden hield, maar zelfs waakhonden hebben wat liefde en aandacht nodig.

'Wat een aangename verrassing,' zei ze, toen ik tenslotte uitstapte.

'Het is geen verrassing, Fanny. Niet voor jou.'

Ze gooide het hoofd in de nek en lachte.

'Geen haat en nijd tussen jou en mij, Heaven. Zusters moeten elkaar steunen, nietwaar?'

'Ja. En zusters proberen ook geen echtgenoot te stelen.'

Ze lachte nog harder.

'Kom je binnen of is mijn huis niet goed genoeg meer voor je?'

Zonder antwoord te geven liep ik naar binnen. Ze had er niet veel aan gedaan sinds ik hier de laatste keer was geweest. Haar ogen waren op mij gericht toen ik om me heen keek.

'Niet al te luxueus, maar comfortabel,' zei ze. 'Misschien kan ik me nu veroorloven een paar mooie, dure dingen te kopen.'

'Wat is er met je alimentatie gebeurd?'

'Heb je dat niet gehoord? De ouwe Mallory is de pijp uit en die ondankbare hond heeft alles aan zijn kinderen nagelaten. Of *zij* ooit iets om hem gegeven hebben. Maar hij was blind voor de waarheid, net als de meeste mannen.'

'Aha.'

'Ik bied je niks te eten of te drinken aan. Je denkt waarschijnlijk dat het niet schoon genoeg is bij mij nu je in een paleis woont en van zilveren schalen en borden eet.

'Dit is geen beleefdheidsbezoek, Fanny. Dat weet je. Je weet waarom ik hier ben.' Ik ging op de bank zitten en keek haar aan. Wat ik ook van haar vond, ik moest toegeven dat Fanny een aantrekkelijke vrouw was. Haar gitzwarte haar was modern gekapt en haar helderblauwe ogen waren levendiger en fonkelender dan ooit. Ze had een prachtige huid. Ze zag hoe ik naar haar keek en zette haar handen op haar heupen. Haar zwangerschap was nog niet te zien, en ze had nog steeds het volmaakte zandlopersfiguur.

'Ze zeggen dat zwangerschap een vrouw er gezond doet uitzien,' zei ze. 'Wat vind je?'

'Je ziet er uitstekend uit, Fanny. Ik neem aan dat je een dokter raadpleegt.'

'Dat neem je goed aan. Ik ga naar de duurste dokter die ik ken. Deze baby krijgt alleen het allerbeste. Ik heb hem al verteld waar hij de rekeningen naar toe kan sturen.

'Zo.' Ze glimlachte en ging tegenover me zitten. 'Ik neem aan dat je je babbeltje hebt gehad met Logan.'

'Ik ben niet gekomen om met je te discussiëren, Fanny. Wat is gebeurd, is gebeurd. We kunnen er onmogelijk zeker van zijn of de baby inderdaad van Logan is, maar–'

'Mooie praatjes, hè? Je kan er onmogelijk zeker van zijn. Je bedoelt zeker dat ik met iedereen naar bed ga, hè? Maar het kan me niet schelen wat voor mooie praatjes je gebruikt, je kan niet om de waarheid heen. Ik heb Randall al in een maand niet meer gezien en ik ben met niemand anders naar bed geweest dan met Logan. Dokters kunnen je vertellen wanneer een kind is gemaakt, Heaven. En Logan Stonewall heeft dit kind gemaakt,' zei ze, op haar buik prikkend. Ik kromp ineen.

Ik was hier gekomen met de opzet hard en vastberaden te zijn, haar een bod te doen en met enige waardigheid te vertrekken, maar zoals gewoonlijk liet Fanny zich niet in verlegenheid brengen en geen angst aanjagen. Haar ogen boorden zich in de mijne met een koppig, arrogant plezier.

'Ik stel geen test voor om te weten wat waar is en niet waar, Fanny. Dat zou voor iedereen pijnlijk zijn.'

'Je stelt niet voor...' Ze leunde achterover, en glimlachte als een wilde kat. 'Wat stel je dan voor, Heaven Leigh?' Ze kneep haar zwarte ogen samen tot het wit fonkelde tussen de dikke wimpers.

'Natuurlijk nemen wij alle medische kosten voor onze rekening.'

'Natuurlijk. En?'

'En we geven een bedrag om te voorzien in het levensonderhoud van het kind...'

'En bij dat levensonderhoud ben ik ingesloten,' zei ze. 'Ik ben geen speldenkussen waarin je prikt en dan weer vergeet, weet je. Ik wil behandeld worden als een vrouw van klasse, net als jij,' zei ze, met haar handen op haar heupen. 'Wie denk je trouwens wel dat je bent, om me te durven aanbieden alleen voor het levensonderhoud van de baby te zorgen? Je man komt bij mij, omdat jij er niet bent als hij liefde en tederheid nodig heeft, en nu zitten we met de gebakken peren. Ik moet met het kind leven, hè? Ik ben gebonden, hè? Ik kan niet op zoek gaan naar een nieuwe man.'

'Fanny,' zei ik glimlachend. 'Weet je zeker dat je het kind wilt houden?'

'O, ja, ik snap al wat je bedoelt. Je denkt dat je hier kan komen en me in één klap afkopen, hè? De baby meenemen en net doen of die van jou is misschien? En dan zou ik nergens recht meer op hebben, hè? Slim hoor... alleen ben ik niet zo stom meer, niet zo stom als toen de dominee mijn Darcy afpakte.'

'Maar je zei zelf dat het zo moeilijk voor je zal zijn om een kind te hebben, en je hebt gelijk. Het zal een beletsel vormen.'

Ze glimlachte. Haar tanden staken fel af tegen haar donkere huid.

'Dat risico wil ik nemen,' zei ze.

'Maar wat voor soort moeder zul je zijn voor het kind?' vroeg ik, zo redelijk mogelijk, al had ik de grootste moeite mijn woede te bedwingen.

Ze kneep haar donkere ogen weer samen.

'Begin niet opnieuw, Heaven Leigh. Dat was het excuus waar je mee aankwam toen je mijn Darcy niet terug kon krijgen van dominee Wise.'

'Het is geen excuus, Fanny,' zei ik, nog steeds op zachte toon. Ze leunde achterover en nam me aandachtig op. Toen schudde ze haar hoofd. 'Je bent net pa, hè? Bereid om kinderen te kopen en te verkopen, om alles te doen wat het jou gemakkelijker maakt.'

'Dat is niet waar,' zei ik. Hoe kon ze zoiets zeggen? Ik zei het niet voor mezelf, ik maakte me zorgen wat zij met het kind zou doen.

'Natuurlijk wel. Je betaalt me een bedrag voor het kind en dan geef je het weg. Ja, toch? Ja, toch?' zei ze.

'Nee. Dat was helemaal niet mijn bedoeling.'

'Nou, het kan me niet schelen wat je bedoeling is. Het antwoord is nee. Ik hou de baby, en Logan en jij zullen me betalen om het te onderhouden. Het zal net zo goed worden als jouw kinderen en naar de beste scholen gaan en de mooiste kleren dragen, begrijp je, Heaven?'

'Ik begrijp het,' zei ik. 'Dus wat stel jij voor?' De vraag, die een specifiek antwoord van haar verlangde, overviel haar. Ze knipperde even met haar ogen. 'Hoeveel vind je dat we je per maand moeten sturen, Fanny?'

'Ik weet niet. Ik denk... vijftienhonderd. Nee, tweeduizend.'

'Tweeduizend dollar per maand?'

Ze keek me aandachtig aan om te zien of ik tevreden of ontevreden was over het bedrag, maar mijn gezicht bleef uitdrukkingsloos.

'Nou, de ouwe Mallory stuurde me vijftienhonderd, maar dat was zonder kind. Ik zou er maar vijfentwintighonderd van maken,' zei ze. 'Ik wil het prompt op de eerste van de maand hebben. Moet voor jou niet moeilijk zijn, Heaven. Niet nu jullie die grote fabriek bouwen hier in Winnerow.'

Ik stond abrupt op.

'Je zult je vijfentwintighonderd per maand stipt op tijd ontvangen, Fanny. Er zal een rekening worden geopend voor jou en het kind bij de Winnerow Bank, maar ik waarschuw je dat als je ooit probeert ons verder te chanteren door te dreigen de mensen in Winnerow verhalen te vertellen over jou en Logan... je geen cent meer van me krijgt en je voor jezelf zult moeten zorgen.

'En ik wil niet dat je met Logan spreekt of probeert hem te zien of op enige manier met hem in contact te komen. Als er problemen zijn, bel je mij rechtstreeks, begrepen?'

Ze staarde naar me met glinsterende ogen, vol haat en jaloezie. Toen werd haar gezicht verdrietig. Niemand kon zo snel van de ene emotie in de andere vervallen als Fanny.

'Ik ben zo teleurgesteld in je, Heaven. Ik had gedacht dat je medelijden met me zou hebben. Er is van mij geprofiteerd, weet je. Dat is het enige wat mannen kunnen doen, van je profiteren.

'Je komt naar mijn huis, waar ik in mijn eentje woon, met twee stomme waakhonden, je komt uit een huis met al die bedienden en familie en een man en alle luxe, en wat doe je, je behandelt me als een dievegge, in plaats van als de zuster die samen met jou heeft geleden in de Willies. Je hoorde me heel wat meer aan te bieden.'

'Het leven is niet zo gemakkelijk voor me geweest als jij schijnt te denken, Fanny. Je bent niet de enige die heeft geleden, en toen ik het moeilijk had, was jij nergens te bekennen. Jij deed niets voor me. Ik was volkomen op mezelf aangewezen.'

'Je had Tom. Je hebt altijd Tom gehad. Hij hield van je en hij heeft nooit van mij gehouden, heeft nooit iets om me gegeven. En Keith en Jane geven ook niets om me.'

'Je krijgt je geld,' zei ik. Ik liep naar de deur. Ze stond op en kwam me achterna.

'Ze geven om je omdat je rijk en deftig bent. Zelfs toen je arm was en alleen maar vodden had, deed je of je rijk en deftig was en behandelde je mij als een arm familielid. Je hebt me nooit als zuster gewild; je hebt nooit om me gegeven!' krijste ze.

Ik liep de deur uit en holde bijna naar mijn auto. Ze volgde me.

'Je hebt nooit een zuster als ik gewild. Je hebt me nooit willen kennen op school of daarna of wanneer dan ook. Heaven!' gilde ze.

Ik draaide me naar haar om. We staarden elkaar even aan. Ik kon het niet ontkennen. Het was de waarheid. Ze had gelijk.

'Zal ik je eens wat zeggen, Heaven? Je was jaloers op me, omdat pa van me hield, me omarmde, me zoende. Ja, toch? Heb ik gelijk of niet?' vroeg ze. 'Omdat jouw geboorte zijn Angel heeft gedood, en daar kun je nooit onderuit, Heaven. Nooit. Niet door in een paleis te wonen of een fabriek te bouwen, door niks.'

Ze sloeg haar armen over elkaar en glimlachte.
'Ik heb medelijden met je, Fanny,' zei ik. 'Je bent als een bloem die in mest is geplant.'
Ik stapte in de auto, maar haar lach volgde me over de weg en dwong me zo vlug te rijden als ik kon.

11. LEVEN EN DOOD

Die avond vertelde ik Logan in details wat ik met Fanny had besproken. Hij zat aan de keukentafel en luisterde, met zijn blik strak gericht op een waterglas dat hij in zijn handen bleef ronddraaien. Ik sprak snel en met nadruk, want ik besefte dat de discussie voor ons beiden pijnlijk was. Hij protesteerde niet één keer en stelde geen enkele vraag. Toen ik uitgesproken was, slaakte hij een diepe zucht en leunde achterover.
'Heaven,' zei hij, 'ik wil niet meer naar Winnerow zonder jou. Ik mis je te veel. Kunnen we daar niet een huis kopen? Een huis dat zo groot is dat het hele dorp erover praat. Ik moet je bij me hebben, Heaven.'
'Wat mankeert er aan de hut?' vroeg ik. 'Dat is altijd mijn thuis geweest. Waarom hebben we een huis nodig?'
'Vind je niet dat de eigenaars en managers van een fabriek die de grootste onderneming van het hele dorp zal worden, een eigen huis moeten hebben, het soort huis waar ze belangrijke gasten kunnen uitnodigen, diners en parties geven? We kunnen de hut houden als weekendhuis.' Hij stond op. 'Ik geloof gewoon dat we hier een nieuw begin moeten maken, Heaven, terwille van ons allebei.'
Ik dacht erover na. De hut was bezoedeld door Fanny's daad. Als we ergens anders gingen wonen zouden we dat incident als afgedaan kunnen beschouwen. Bovendien wist ik dat het kopen van een luxueus huis iets was waar zijn moeder voortdurend op had aangedrongen sinds Logan en ik getrouwd waren. Geld en macht waren niet belangrijk zolang we onze tijd in de Willies doorbrachten. In de hut in de bergen wonen, omringd door arme mensen, was vernederend in het oog van zijn moeder en van de andere dorpelingen. Het bracht de mensen op het idee dat ik hem naar mijn wereld had overgehaald, in plaats van hij mij naar de zijne.
Macht en geld waren bezig Logan te veranderen. Hij ging nooit meer ergens naar toe zonder een pak aan te trekken met een das. Hij kocht een heel duur horloge en een diamanten pinkring, hij liet de baard die hij kort geleden had laten staan om de dag bijknippen en liet zelfs zijn nagels manicuren. Toen ik hem ernaar vroeg, legde hij uit: 'Een man die uit een Rolls-Royce stapt moet eruitzien of hij erin thuishoort.'

Ik wist dat de ware reden voor mijn irritatie te maken had met wat er tussen hem en Fanny was gebeurd. Ik vond het geen prettig idee dat hij in de afgelegen hut woonde, de omgeving waarin hij met Fanny had gevrijd. En ik dacht dat Fanny misschien wel gelijk had toen ze me verweet dat ik niet voldoende tijd met Logan doorbracht in Winnerow. Als we daar ons eigen huis hadden, zou ik meer reden hebben om met hem mee te gaan.

'Waarschijnlijk heb je gelijk,' zei ik. 'Wat dacht je, een huis bouwen of kopen?'

'Kopen.' Hij boog zich naar voren, legde zijn handen op tafel en glimlachte voldaan.

'Je hebt al rondgekeken, hè?'

'Eh, eh.' Er lag een ondeugende blik in zijn blauwe ogen.

'Nou? Welk huis dan?'

'Hasbrouck House.' antwoordde hij.

'Wat? Dat meen je niet!'

Hij schudde zijn hoofd. 'Het staat te koop.'

Hasbrouck House was een mooi huis in koloniale stijl, een kilometer ten oosten van het fabrieksterrein. De eigenaar was Anthony Hasbrouck, die gold als "oud geld"; zijn familie ging terug tot vóór de Burgeroorlog.

'Ik geloof nooit dat Anthony Hasbrouck zijn huis wil verkopen.'

'Hij heeft verliezen geleden op de beurs en hij zit te springen om geld.' Logan scheen goed op de hoogte te zijn van de financiële positie van Anthony Hasbrouck.

'O.' Ik veronderstelde dat Logan, die nu met alle machtige mensen in Winnerow en omgeving omging, achter dit soort dingen kon komen. Te oordelen naar de manier waarop hij glimlachte, had hij Hasbrouck waarschijnlijk al een aanvaardbaar bod gedaan voor het huis.

Ik kon mijn opwinding niet verbergen; ik kende het huis. Tom en ik hadden er vaak langs gelopen toen we kinderen waren. We vonden het precies een van die landhuizen die in romans worden beschreven, met het uitgestrekte, prachtig onderhouden park en de hoge pilaren. Het had een enorme gebeeldhouwde dubbele deur, die eruitzag of er een reus van een butler voor nodig was om hem open te maken. Je kon je gemakkelijk de schitterende diners en parties voorstellen die je in dat huis kon geven. Er konden allerlei romantische avonturen plaatshebben achter die grote eikehouten deur.

We fantaseerden vroeger dat we erin woonden. Iedereen zou zijn of haar eigen kamer hebben. Als oudste dochter zou ik me kleden als een zuidelijke schoonheid en bezoekers meenemen naar het terras om mint juleps te drinken...

Tom droomde van zijn eigen stal racepaarden. Ik glimlachte toen ik dacht aan onze dwaze, kinderlijke dromen, die plotseling een soort profetie leken. O, Tom, Tom, ik miste hem nog steeds. Mijn intelligente, dromerige broer. En nu kwam elke droom, de een na de ander, uit, maar nooit op de manier waarop we het ons hadden voorgesteld, nooit helemaal zo schitterend en stralend als de droom het had voorgespiegeld. Logan zag mijn weemoedige glimlach en zijn gezicht klaarde op.

'Ik hoopte dat je het ermee eens zou zijn,' zei hij. 'Ik ben erop vooruitgelopen en heb een afspraak gemaakt om het huis morgenochtend te gaan bezichtigen. Vind je dat goed?'

'Ja,' zei ik, een beetje teleurgesteld dat hij niet eerst met mij erover had gesproken. Het deed me te veel denken aan de manier waarop Tony te werk ging. Logan stond te veel onder Tony's invloed, hij wilde hem te graag in alle opzichten evenaren. En al was ik onder de indruk van het feit dat Logan zo snel een leidinggevend en zelfverzekerd zakenman werd, toch was ik verliefd geworden op de lieve, zorgzame jonge Logan, en die had ik nodig en die miste ik.

Tony Hasbrouck, een man die me geen blik waardig keurde toen ik als jong meisje in de Willies woonde en die Tom en mij een keer van het hek had weggejaagd, legde de volgende ochtend de rode loper voor me uit toen hij ons een rondleiding gaf door het huis. Hij droeg een zwartfluwelen huisjasje, een zwarte broek en fluwelen pantoffels en sprak met een stroperig zuidelijk accent, en noemde me "Heavenly" in plaats van "Heaven".

'Bedankt voor de bezichtiging van het huis, meneer Hasbrouck,' zei ik.

'Noem me Sonny, zo noemen al mijn vrienden me.'

'Sonny, dus,' zei ik, me naar Logan omdraaiend. 'Als we dit huis nemen,' fluisterde ik, luid genoeg dat Tony Hasbrouck het kon verstaan, 'zullen we alles opnieuw moeten laten schilderen en behangen. Het is erg verwaarloosd.' Ik vond het leuk om erop door te gaan hoe fantastisch het huis zou worden als ik er de scepter zou zwaaien, en dat die oude keuken absoluut onmogelijk was. Ik schepte zelden op over mijn rijkdom, maar tegenover mensen als Tony Hasbrouck, mensen die hadden neergekeken op ons, Casteels, en die mijn lieve Tom hadden weggejaagd, vond ik het heerlijk.

'En in de eerste plaats,' zei ik, Logan een arm gevend toen we door het park wandelden, 'moeten we veel meer personeel en tuinlieden hebben – het is niet te geloven wat er met dat oude landgoed is gebeurd.'

Hasbrouck werd vuurrood. Tandenknarsend bleef hij aan zijn snor draaien. Ik wist dat hij het verschrikkelijk vond zijn huis aan een Casteel te moeten verkopen, maar, zoals Logan me verzekerde, hij had het geld nodig.

'Sonny,' zei ik, met een stralende glimlach en zo charmant mogelijk, 'het huis bevalt me, maar ik ben bang dat de prijs iets te hoog is voor wat we daarvoor krijgen.' Met gefronste wenkbrauwen keek ik om me heen.

Logan was verbijsterd. Hij draaide zich met een ruk om. 'Maar, Heaven, schat –'

'Ik vrees dat uw knappe vrouwtje gelijk heeft,' zei Hasbrouck. Zijn gezicht zag zo rood als een kreeft. 'Heavenly, je bent een harde onderhandelaarster.'

Zodra we in de auto zaten nam Logan me in zijn armen. 'Niet alleen heb ik de mooiste vrouw in het dorp, maar ook de slimste. Ik popel van verlangen om terug te gaan naar Farthy, en Tony te vertellen hoe je dat hebt aangepakt.'

Drie dagen later, toen Tony Logan en mij in zijn kantoor uitnodigde voor een welkom-thuis-drankje, kondigde Logan het nieuws aan. 'Tony,' begon hij, met ogen die glinsterden van trots en opwinding, 'Heaven en ik hebben de eerste grote stap genomen in ons huwelijk. We hebben ons eigen huis gekocht.'

Eerst kon ik Tony's reactie nauwelijks peilen. Het was een mengeling van stomme verbazing, droefheid, eenzaamheid. En toen keek hij alleen nog maar somber.

Hij zei helemaal niets, maar ik voelde dat hij het vreselijk vond dat we Hasbrouck House hadden gekocht. Het was te veel een thuis buiten het thuis, en de realiteit dat we een eigen leven hadden, apart van ons leven in Farthy, viel hem koud op zijn dak. Ik had medelijden met hem, want ik wist dat hij bang was voor de eenzaamheid, vooral nu Jillian er niet meer was.

De weken gingen voorbij, en terwijl ik druk bezig had moeten zijn met het bestellen van behang en gordijnen, kleden en meubels, en personeel aannemen, had ik de grootste moeite om uit bed te komen. Vermoeidheid was mijn constante metgezel geworden, en soms voelde ik me heel vreemd, alsof ik eigenlijk niet wist wie ik was of wat ik wilde. Was het verkeerd geweest om het huis te kopen? Waarom voelde ik me zo verward, zo lusteloos? Ik ging een paar keer naar Boston, naar de dure warenhuizen, om dingen te bestellen voor ons nieuwe huis, en keerde dan uitgeput terug naar Farthy.

'Heaven,' zei Logan een keer na het eten, toen ik hem vertelde dat ik vroeg naar bed ging, 'je lijkt zo moe tegenwoordig. Is er iets? Ik hoop dat de verhuizing niet te veel van je vergt.'

'Het gaat best, schat,' mompelde ik.

'Ik wil dat je morgen naar de dokter gaat, Heaven. Dit is niets voor jou.'

De conclusie van de dokter maakte me sprakeloos.

'Zwanger?'

'Geen twijfel aan,' zei hij glimlachend.

Dat was fantastisch! Waarom had ik het zelf niet vermoed? Ik moest even giechelen. Natuurlijk, dat verklaarde alles! Een baby! Ik had er altijd van gedroomd mijn eigen gezin te hebben, en nu kwam die droom uit. O, ik was zo gelukkig! Ik zou mijn eigen baby kunnen koesteren en liefhebben en beschermen! Ze zou nooit iets meemaken van het verdriet en de pijn die ik en mijn broers en zusters hadden verdragen. Hoewel Logan en ik het niet hadden gepland, leek dit het perfecte moment om ons eerste kind te krijgen. We zouden de nieuwe fabriek hebben, het nieuwe huis in Winnerow en een nieuwe baby. Het vaderschap, dacht ik, zou me de opgetogen, jongensachtige Logan teruggeven met wie ik was getrouwd, het zou hem weer met beide benen op de grond brengen, hem van zijn zakelijke voetstuk stoten.

'Mevrouw Stonewall,' zei de dokter, die me weer in de werkelijkheid terugbracht, 'ik zal u onderzoeken, zodat we precies kunnen vaststellen hoe lang u al zwanger bent.'

Mijn hart stond even stil.

'Het is belangrijk dat we dat weten, zodat we ons goed kunnen voorbereiden op de komst van de baby.'

De arts onderzocht me grondig en zorgvuldig.

'Kleedt u zich aan en komt u dan naar mijn kantoor,' zei hij, toen hij klaar was. 'Dan kunnen we alles bespreken.'

Ik beefde. 'Dr. Grossman, kunt u me zeggen hoe lang ik al zwanger ben?'

Hij vertelde het me.

Ik voelde het bloed uit mijn wangen wegtrekken. Twee maanden. Twee maanden geleden had ik Troy bezocht in zijn bungalow. O, mijn God! Wiens baby was het? Van Logan... of van Troy?

'Mevrouw Stonewall, mevrouw Stonewall,' hoorde ik vaag de stem van de dokter. 'Voelt u zich goed?'

'O, neem me niet kwalijk, dokter,' zei ik, terwijl ik probeerde me te beheersen. 'Ik voelde me een beetje duizelig. Het is zulk verheugend nieuws, zo onverwacht. Ik begrijp niet dat ik het niet vermoed heb. Waarom ik er niet op gelet heb. Er is zoveel...'

Mijn stem stierf weg toen hij me naar de deur bracht. Ik was blij dat ik alleen achterin de auto zat, want diezelfde angst bleef door mijn hoofd dreunen. Wiens baby was het? Van Logan of van Troy? En erger nog, en God mocht me straffen, ik wist niet van wie ik wilde dat het was.

Toen we stopten voor het hek van Farthy wist ik dat het me niet kon schelen – ik hield van allebei. En in mijn hart wist ik dat Logan dol op ons kind zou zijn en dat er geen betere vader bestond. Ik mocht dan niet hebben geweten wie mijn echte vader was, maar de vader die me opvoedde, Luke, hield niet van me zoals ik dat zo graag had gewild. Moest ik Logan de waarheid vertellen, hem zeggen dat het kind van Troy kon zijn en het risico lopen dat hij kwaad en verbitterd zou worden, net als Luke, en de baby behandelen zoals ik was behandeld? Nee, dat mocht niet, dat kon ik mijn baby niet aandoen. Als ik hem de waarheid vertelde, en we konden niet beslissen wiens baby het was als het kind werd geboren, zou hij altijd blijven twijfelen en zou hij minder van het kind houden. Het was niet eerlijk tegenover Logan. Bovendien kon het ook van hem zijn, het kon gemakkelijk van hem zijn! Nee, besloot ik, dit zou een van de verzegelde geheimen blijven.

Logan was in Tony's kantoor aan het telefoneren toen ik terugkwam.

'Kun je alsjeblieft naar onze suite komen, Logan? Ik moet je iets vertellen.'

Hij bedekte de microfoon met zijn hand. 'Kan het nog een halfuur wachten, Heaven? Ik ben midden in een belangrijke onderhandeling.'

'Logan Stonewall. Je zorgt dat je over twee minuten in onze suite bent!' beval ik. 'Je staat op het punt het grootste bezit van je leven te verwerven!' Ik draaide me om en liep haastig de kamer uit. Ik wilde niet dat hij de waarheid zou lezen in mijn welsprekende ogen.

Een paar minuten later stond Logan in de deuropening van onze suite, met over elkaar geslagen armen. Hij keek een beetje verstoord over mijn interruptie. 'Ik hoop niet dat je me voor niets hebt laten komen, Heaven,' waarschuwde hij.

Ik liep naar hem toe, sloeg mijn armen om zijn hals en keek hem diep in de ogen. 'Je wordt vader,' kondigde ik aan.

Zijn gezicht werd rood van opwinding; zijn ogen lichtten op als de ochtendlucht op een heldere zomerdag, en zijn glimlach spleet zijn gezicht in tweeën.

'Heaven,' zei hij, 'hoe kun je daar zo kalm blijven staan terwijl je me dat vertelt?' Hij hield me op een afstandje en zijn ogen namen me van onder tot boven op, zochten naar een bewijs dat ik veranderd was. Toen lachte hij, maakte een jongensachtige sprong en omhelsde me opnieuw. 'Wat een fantastisch nieuws! We moeten het aan Tony vertellen! En aan mijn ouders! Dit moeten we vieren! Laten we vanavond met z'n allen ergens lekker gaan eten! Ik ga het aan Tony vertellen en zeg meteen tegen Rye dat we vanavond niet thuis eten. O, ik ben zo blij dat we dat grote huis hebben gekocht! Ik zal de aannemers meteen opdracht geven een kinderkamer in te richten, en we nemen een verpleegster om je te helpen als je in Winnerow bent, en hier ook.'

Hij sloeg zijn handen ineen en hief ze boven zijn hoofd. Hij zag eruit of hij een van opa's dansjes zou gaan uitvoeren.

'Als de baby geboren is, geven we twee grote feesten – een hier in Farthy voor al onze vrienden in Boston, en een in Winnerow. Jij wordt moeder en ik word vader!' riep hij uit. 'Heaven, je ziet er zo mooi, zo stralend uit. Wat een fantastische verrassing. Dank je, dank je,' zei hij, en hij omhelsde me weer, liet zich op zijn knieën vallen en drukte zijn hoofd tegen mijn buik. Plotseling barstte hij in tranen uit. Hij kon niet meer ophouden, terwijl ik hem voortdurend over zijn hoofd streek.

'Heaven,' snikte hij. 'Ik ben de gelukkigste man ter wereld, ik ben – ' met betraande ogen en vochtige wangen keek hij naar me op. 'Ik verdien dit geluk niet,' zei hij. 'Vergeef me.'

Ik wilde net zo gelukkig zijn als hij en zijn opwinding delen, maar hoe enthousiaster hij werd, hoe meer ik me afvroeg of ik hem met het kind van een ander opzadelde. Het leek bedrog, maar ik kon niets zeggen. Het werd trouwens tijd dat er wat geluk kwam in dit huis, dacht ik. Het werd tijd voor een nieuw begin. Ik wilde niets doen om daar een domper op te zetten, zeker niet nu we het allemaal zo hard nodig hadden.

Hij was zo opgetogen dat hij halfgekleed de suite uitrende. Ik lachte hem uit en zette mijn sombere gedachten en voorgevoelens van me af. Ik wilde even opgewonden en gelukkig zijn als hij. Even later verscheen Tony in de deuropening naast hem.

'Waar heeft Logan het over? Ik sta op het punt overgrootvader te worden?' vroeg Tony, met een stralende en trotse blik.

'Het ziet ernaar uit,' zei ik.

'Gefeliciteerd, Heaven,' zei hij, en hij kwam naar voren om me te omhelzen. 'Je had het niet beter kunnen timen. Het is een bron van nieuwe energie en hoop, een godsgeschenk.'

'We gaan naar het Cape Cod House,' kondigde Logan aan. 'Ik heb al gereserveerd. Champagne, kreeft, alles erop en eraan, hè, Tony?'

'Natuurlijk.' Hij glimlachte, alsof Logan op een briljant idee was gekomen. 'We moeten het vieren. Het is heerlijk om voor de verandering eens goed nieuws te horen. En wat fantastisch zal het zijn om weer een baby te horen lachen en huilen in Farthy. Het Tatterton-geslacht zal worden voortgezet.'

'Ja,' zei ik, met angst in het hart. Misschien werd het geslacht van de Tattertons wel letterlijker voortgezet dan hij vermoedde. Maar ik zette de gedachte van me af en liet me meeslepen door Logans enthousiasme en energie. We kleedden ons allemaal piekfijn aan, stapten in de limousine en gingen op weg om de komst van mijn nieuwe baby te vieren. We waren allemaal al een beetje dronken van geluk voor we onze eerste glazen champagne ophieven om te drinken op de toekomst.

We hadden een verrukkelijke tijd in het restaurant. Tony en Logan dronken anderhalve fles champagne. Telkens als ik mijn glas wilde pakken zei een van hen: 'Je moet voorzichtig zijn met wat je eet en drinkt... moedertje.' Om de een of andere reden was alleen het zeggen ervan al voldoende om ze allebei in een hysterische schaterlach te laten uitbarsten. Het duurde niet lang of iedereen in het restaurant keek naar ons.

Die uitgelaten stemming bleef de hele avond en tijdens de hele weg naar huis. We hadden de gelegenheid tot geluk aangegrepen en gebruikt als een balsem om de littekens te helen. We raakten in een discussie over namen voor de baby, en Tony klaagde dat moderne ouders geen nette namen meer kozen voor hun kinderen.

'Ze noemen ze naar alles tegenwoordig, van soap-opera-figuren tot renpaarden. Als het een jongen is zou ik het prachtig vinden als je hem Wilfred of Horace zou noemen, naar mijn over-overgrootvader en overgrootvader. Hij hoort een keurige middelste naam te hebben... bijvoorbeeld Theodore of...'

'Of Anthony,' viel ik hem in de rede.

'Dat zou helemaal niet zo gek zijn,' gaf Tony glimlachend toe. Logan lachte nerveus.

'Als het een meisje is, wil ik haar naar mijn oma noemen – Annie,' zei ik.

'Annie? Zou je haar niet liever Ann noemen?' vroeg Tony. Logan knikte. Hij zou het op dit moment met alles eens zijn, dacht ik. De champagne was hem naar het hoofd gestegen.

'Nee, ik vind Annie perfect,' verklaarde ik nadrukkelijk.

'Nou ja, zolang je haar maar niet "Late for Dinner" noemt,' zei Tony, en hij en Logan kregen weer een lachstuip.

We waren nog in feeststemming toen we in Farthinggale terugkwamen. Maar het gezicht van Curtis deed ons plotseling weer ernstig worden. Hij begroette ons met een formeel knikje en een triest hoofdschudden.

'Wat is er, Curtis?' vroeg Tony bezorgd.

'Er is een telegram voor u, meneer, en korte tijd later kwam er een telefoontje van een zekere heer' – hij keek in zijn notitieboekje – 'J. Arthur Steine, een advocaat die Luke Casteel vertegenwoordigt.'

'Luke Casteel!' Ik keek verbijsterd naar Tony. Zijn gezicht verbleekte toen hij naar voren liep om het telegram van Curtis aan te nemen. Wat had dit te betekenen? Waarom zou pa's advocaat een telegram sturen aan Tony? Logan pakte mijn hand vast. Tony scheurde de envelop open en las

de inhoud. Alle kleur trok weg uit zijn gezicht tot het een wit masker leek.
'Mijn God,' zei hij zachtjes en gaf me het telegram. Het was geadresseerd aan Anthony Tatterton. De inhoud luidde:

VERSCHRIKKELIJK AUTO-ONGELUK STOP LUKE EN STACIE CASTEEL DODELIJK VERONGELUKT STOP BIJZONDERHEDEN VOLGEN STOP J. ARTHUR STEINE

'Wat is er?' vroeg Logan. Zonder iets te zeggen overhandigde ik hem het telegram.
'O, mijn God,' zei hij. Hij sloeg zijn arm om me heen. 'Heaven...'
Ik stak mijn hand op om te beduiden dat ik me goed voelde en holde naar de zitkamer. Het leek of mijn hart had opgehouden met kloppen en mijn bloed bevroren was. Ik kon de grond niet meer onder mijn voeten voelen.
'Curtis, breng mevrouw Stonewall een glas water,' beval Logan. Hij volgde me naar binnen en Tony ging naar zijn kantoor om J. Arthur Steine te bellen. Ik ging op de bank zitten en leunde met gesloten ogen achterover. Logan zat naast me en hield mijn hand vast.
'Ik weet dat het verschrikkelijk nieuws is,' zei Logan. 'Maar je moet nu aan je eigen gezondheid en die van de baby denken.'
'Het is zo over, Logan,' fluisterde ik. 'Laat me maar even.'
Pa. Luke Casteel. De man naar wiens liefde ik had gehunkerd, zonder die ooit te krijgen. Maar nu herinnerde ik me alleen maar prettige en gelukkige momenten. Ik zag hem voor onze hut een baseball gooien naar Tom, terwijl Tom zwaaide met zijn bat, het enige stuk speelgoed dat van Lukes eigen jeugd was overgebleven. Ik zag hem buiten op het erf op een warme zomerdag, met zijn glanzende, zwarte haar. Hij was knap genoeg om een filmster te zijn als hij goed geschoren en netjes gekleed was. Alle vrouwen draaiden zich naar hem om! Ik herinnerde me hoe ik er naar verlangd had dat hij vriendelijk en teder naar me zou kijken, en hoe opgewonden en gelukkig ik me voelde als ik hem soms erop betrapte dat hij naar me zat te staren – en waarschijnljk zijn geliefde Angel Leigh in mij zag.
Pa, de knappe, onbereikbare man, die ik liefhad en haatte. Hij was nu voorgoed buiten mijn bereik, zonder de kans elkaar op een dag nog eens te ontmoeten om elkaar onze haat en liefde te vergeven, alles uit te leggen en te begrijpen, de dingen bij te leggen en wonden te helen, zonder een kans op lieve woordjes.
Hoe vaak had ik die scène in gedachten gerepeteerd.
Luke zou me aankijken en ik hem, en we zouden weten dat de tijd was gekomen om vrede te sluiten. We zouden samen weggaan, ik en de vader die ik nooit had gehad, en we zouden eerst zwijgend naast elkaar lopen. Dan zou Luke beginnen. Hij zou me vertellen hoe slecht hij was toen we allemaal samen in de Willies woonden. Hij zou zijn zonden opbiechten en zich verontschuldigen voor het feit dat hij ons had verwaarloosd. Hij zou eerlijk met me praten, en tenslotte zou hij erkennen dat het onrechtvaardig van hem was geweest een hekel aan me te hebben alleen omdat ik was geboren. Hij zou mij om vergiffenis vragen en ik hem.

Ik zou hem smeken me mijn krankzinnige verlangen naar wraak te vergeven – te vergeven dat ik geprobeerd had op Angel Leigh te lijken en in zijn circus was komen spoken. En ik zou hem vertellen dat Toms dood niet zijn schuld was... maar de mijne.

En dan zouden we elkaar troosten en omhelzen, terwijl de zon wegzakte achter de horizon, en ik zou zo blij zijn dat ik hardop zou kunnen zingen. Hand in hand zouden we als herboren mensen teruggaan.

En nu zouden die woorden nooit worden uitgesproken.

De tranen rolden stilletjes over mijn wangen. Logan drukte me dichter tegen zich aan en we bleven rustig zitten. Curtis bracht me wat water en toen kwam Tony terug. Ik veegde mijn gezicht af en keek naar hem op. Hij schudde zijn hoofd en ging in de stoel met de hoge rug tegenover ons zitten.

'Het was een frontale botsing. Een dronken bestuurder stak de snelweg over en reed recht op hen in. Ze waren op weg naar huis van het circusterrein even buiten Atlanta. Volgens de advocaat blijkt uit het politierapport dat ze niet beseft kunnen hebben wat er gebeurde. De andere auto moet minstens honderdveertig hebben gereden.

'O, God,' zei ik. Mijn maag maakte rare bewegingen. Het was of tientallen vlinders binnen in mijn lichaam plotseling uit hun cocon te voorschijn kwamen en met hun vleugels sloegen. 'En Drake?' vroeg ik.

'God zij dank was hij er niet bij. Ze hadden een inwonende kinderoppas, mevrouw Cotton. Zij is nu bij het kind. Lukes vrouw had geen broers of zusters. Alleen haar moeder leeft nog, maar die is in een verpleeginrichting.

'Ik moet onmiddellijk naar Atlanta,' zei ik. 'Ik moet de begrafenis regelen en Drake halen. Hij moet nu bij ons komen wonen,' zei ik, naar Logan kijkend. Hij protesteerde niet.

'Natuurlijk,' zei hij. 'Ik ga met je mee.'

'Ik heb de begrafenis al geregeld,' zei Tony. 'Via zijn advocaat.'

Ik staarde hem even aan. Tientallen vragen tolden door mijn hoofd, onder meer waarom het telegram naar hem was gestuurd en niet naar mij, maar ik had nu geen zin om vragen te stellen. Ik wilde onmiddellijk naar Atlanta om Drake te gaan halen.

'Ik moet Keith en Jane waarschuwen en... en Fanny,' zei ik. 'Wanneer is de begrafenis?'

'Onder deze omstandigheden leek het me beter die maar zo gauw mogelijk te laten plaatsvinden,' zei Tony. 'Overmorgen. Dat moet ons voldoende tijd geven om eventuele zakelijke problemen te behandelen en...'

'Ik zal morgen met die advocaat spreken,' zei ik. 'En doen wat er gedaan moet worden.'

Tony staarde me even aan een richtte toen snel zijn blik op Logan.

'Vind je niet dat je, gezien je omstandigheden, dit beter aan ons kunt overlaten? Ik vlieg naar Atlanta en –'

'Ik ben zwanger, Tony,' viel ik hem in de rede, 'niet ziek of hulpeloos. Het is mijn plicht, mijn verantwoordelijkheid,' hield ik vol. 'Ik wil alles doen wat ik kan voor Drake en... voor Luke. Ik wil het doen,' herhaalde ik, met fonkelende ogen.

Tony knikte slechts. 'Goed. Ik ben er als je me nodig hebt. Je hoeft maar te bellen.'

'Dank je,' zei ik. 'Ik zal mijn broer en zusters gaan bellen. Logan, wil jij alsjeblieft de reis in orde maken?'

'Natuurlijk,' antwoordde hij.

'Je kunt mijn kantoor gebruiken als je wilt,' bood Tony aan. Ik knikte en ging erheen om mijn telefoontjes af te handelen.

Keith en Jane vatten het zo kalm op als ik verwacht had. Per slot hadden ze Luke nooit echt gekend. Ze wilden weten of ik het nodig vond dat ze naar Atlanta kwamen om de begrafenis bij te wonen, maar ik vond het overbodig. Wat betekende Luke helemaal voor hen? Een man die hen had verkocht toen ze klein waren. Ze konden beter in hun nieuwe leven blijven, dat beter was dan iets dat Luke hun ooit had kunnen of willen geven. Ze waren kennelijk opgelucht toen ik het zei.

Fanny reageerde emotioneler.

'Is pa dood?' vroeg ze toen ik haar de bijzonderheden had verteld. Ze leek geschokt, alsof ze het hele verhaal nog een keer wilde horen voor ze het zou kunnen geloven. 'Hoe weet je dat hij echt dood is? Misschien is hij niet dood, Heaven,' hield ze vol. 'Misschien is hij alleen maar zwaar gewond. Misschien – '

'Nee, Fanny, hij is dood. Het heeft geen zin om valse hoop te koesteren.'

'Pa... O, Jezus.' Ik hoorde haar snikken. 'Ik had hem binnenkort willen opzoeken, hem vertellen hoe goed het me gaat.'

'De begrafenis is overmorgen,' zei ik. 'Ik ga er vanavond heen om voor Drake te zorgen.'

'Drake,' zei ze. 'Arme, kleine Drake. Hij zal nu een nieuwe mammie nodig hebben.'

'Ik zal voor alles zorgen, Fanny,' zei ik.

'O, ja,' zei ze, plotseling weer verbitterd. 'Heaven Leigh Stonewall, de Tatterton Speelgoedkoningin. Jij kunt voor alles zorgen.'

'Fanny – '

'Zie je op de begrafenis, Heaven.'

De verbinding was verbroken, en ik zat nog met de hoorn in mijn hand toen Logan in de deuropening verscheen.

'Als we opschieten kunnen we het volgende vliegtuig van Boston naar Atlanta nog halen,' merkte hij op. 'Ik heb Miles gezegd dat hij de auto voor moet rijden.'

Ik holde naar boven om in te pakken wat ik nodig had voor de begrafenis. Logan deed hetzelfde en nog geen twintig minuten later zaten we weer in de limousine die ons naar de luchthaven in Boston reed.

Hoe broos, kortstondig en onvoorspelbaar is het leven, dacht ik. Het ene moment zijn we allemaal gelukkig en uitgelaten, en het volgende zijn we in rouw, bedroefd en bevreesd. 'Het leven is net als de seizoenen, kindlief,' had oma eens tegen me gezegd. 'Het heeft een voorjaar en een zomer, en je moet elk moment van het voorjaar koesteren, want niets blijft altijd fris en jong, kind, niets. De vorst komt in de mensen, zoals hij in de grond komt.'

De vorst was nu in mij gekomen. Ik voelde me koud en leeg – zelfs nu ik een nieuw leven in me droeg! Ik huiverde, nestelde me tegen Logan aan en sliep het grootste deel van de rit naar de luchthaven en tijdens de vlucht. Toen we bij Lukes huis in Atlanta arriveerden begon het al ochtend te worden. Maar mevrouw Cotton was op en wachtte op ons.

Ze was een grote, gezette vrouw met grove, bijna mannelijke trekken. Ze zag eruit als iemand die het merendeel van haar leven zware handenarbeid had verricht, een vrouw die er ouder uitzag door alle ontberingen. Ze had doffe bruine ogen en donkerroze, volle lippen. Ze had een oude sprei om haar schouders geslagen toen ze naar de deur liep.

'Ik ben Heaven Stonewall en dit is mijn man, Logan,' zei ik. Ze knikte en deed een stap achteruit. 'We zijn zo gauw mogelijk gekomen. Meneer Casteel was mijn... mijn vader,' zei ik. Het leek me de gemakkelijkste manier om de dingen te verklaren.

'Ik weet het,' zei ze. 'Meneer Steine heeft me gebeld en alles over u verteld. U kunt de logeerkamer gebruiken. Vlak naast de keuken.'

'Hoe gaat het met Drake?' vroeg ik.

'Hij slaapt. Hij weet nog niets,' zei ze. 'Ik vond het niet nodig hem wakker te maken om hem het afgrijselijke nieuws te vertellen. Hij zou toch te moe zijn om het te beseffen.'

'Daar hebt u goed aan gedaan,' zei ik. Maar ze scheen mijn goedkeuring niet nodig te hebben. Ze haalde haar schouders op en maakte aanstalten om weg te gaan.

'Ik moet zelf wat slaap hebben,' zei ze. 'De jongen staat 's morgens heel vroeg op.'

'O, ik zorg wel voor hem,' zei ik.

'Zoals u wilt.'

'Trouwens,' ging ik verder, want ik begon haar steeds minder aardig te vinden, 'u kunt morgen zo gauw u wilt vertrekken. Laat me alleen even weten wat Luke u schuldig is en –'

'Dat is allemaal al geregeld.'

'O?'

'Door meneer Steine,' zei ze. 'Ik ga in de middag weg. Ik word gehaald.'

'Oké.' Ze liet er geen gras over groeien, dacht ik.

'Vlak naast de keuken,' zei ze weer en verdween naar haar kamer.

'Wat een schat van een mens,' zei Logan hoofdschuddend.

'Moet je je dat voorstellen als kindermeisje,' zei ik. Logan bracht onze spulletjes naar de logeerkamer en ik ging even bij Drake kijken. Het was jaren geleden sinds ik hem had gezien, maar zelfs toen hij nog maar een jaar was, vond ik dat hij sprekend op Luke leek met zijn grote bruine ogen en dikke zwarte wimpers.

Ik liep op mijn tenen naar de kant van het donkere houten bed en keek naar het smalle gezichtje. Hij was iets ouder dan vijf jaar en had Lukes gitzwarte haar en gebruinde huid, de huid die Lukes Indiaanse afkomst verried. Ik streek een paar lokken haar van zijn wangetjes. Hij smakte met zijn lippen en kreunde zachtjes, maar hij werd niet wakker. Mijn hart ging naar hem uit toen ik dacht aan het verdriet dat hij morgen zou hebben. In één dag je vader en je moeder verliezen moest een enorme klap zijn, een waar je nooit helemaal overheen kwam. Ik dacht dat ik het kon weten, want zelfs al had ik mijn echte moeder nooit gekend, ik had altijd naar haar verlangd en haar gemist. En pa, de enige vader die ik had gekend, was een echte vader geweest voor de kleine Drake. Vanaf morgen zou hij nooit meer dezelfde zijn, maar ik was vastbesloten al mijn rijkdom en macht te gebruiken om zijn leven zo comfortabel en gelukkig mogelijk te maken.

Logan en ik konden nog een paar uur slapen voordat Drake 's morgens wakker werd. Ik hoorde hem beneden in de gang en even daarna hoorde ik mevrouw Cotton het ontbijt klaarmaken. Ze had hem niet verteld waar we waren. Ik hoorde hem vragen: 'Waar is mammie?'

'Je mammie is er niet,' zei ze. Ik trok zo snel mogelijk mijn ochtendjas aan. Ik vond die vrouw niet geschikt om een kind slecht nieuws te vertellen.

'Waar is ze?' informeerde Drake. 'Slaapt ze?'

'O, ja, ze slaapt. Ze is – '

'Goeiemorgen,' viel ik haar snel in de rede. Drake draaide zich abrupt om en keek me met zijn grote bruine ogen nieuwsgierig aan. Ik dacht bij mezelf dat hij net zo knap en mannelijk zou worden als zijn vader. Hij had nu al sterke schouders voor een jonge jongen, en zijn gezicht had dezelfde krachtige trekken als Luke. 'Ik ben Heaven,' zei ik, 'je oudere stiefzusje. Je herinnert je mij niet, maar ik ben hier jaren geleden geweest, toen je nog een kleine baby was. Toen heb ik je speelgoed gegeven.'

Hij staarde me alleen maar aan. Mevrouw Cotton haalde haar schouders op en ging verder met het ontbijt.

'Ik heb geen nieuw speelgoed,' zei hij. Hij was zo lief dat ik voor hem neerknielde en hem omhelsde.

'O, Drake, Drake, arme kleine Drake. Je zult zoveel speelgoed hebben als je maar wilt, klein speelgoed, groot speelgoed, speelgoed met motoren, speelgoed waarop je kunt rijden, en je zult een heel groot huis hebben om in te spelen.'

Mijn emotionele uitbarsting maakte hem bang. Hij trok zich terug en keek langs me heen de gang in.

'Waar is mijn mammie?' vroeg hij, ongerust nu. 'En pappie?'

Logan verscheen in de gang en Drake sperde zijn ogen nog verder open.

'Dat is Logan,' zei ik. 'Hij is mijn man.'

'Ik wil mijn mammie,' zei hij. Hij stond op van zijn stoel en wilde langs me heen lopen. Ik kon hem niet tegenhouden. Ik keek naar Logan en schudde mijn hoofd. Voor kleine kinderen was verdriet als een grote wilde vogel in een kooi. Te groot om in die kooi te kunnen leven.

Drake deed de deur van de slaapkamer van zijn ouders open en staarde naar het lege, onaangeroerde bed. Ik kwam naast hem staan. Hij draaide zich om en keek me met angstige ogen aan. Op dat moment deed hij me denken aan Keith, toen Keith zo oud was als hij. Keith had ook zo'n uitdrukking in zijn ogen. Ik nam hem in mijn armen en hield hem dicht tegen me aan, kuste zijn wangetjes, zoals ik vroeger de tranen had weggekust op Keiths gezichtje.

'Ik moet je iets vertellen, Drake,' zei ik. 'En je moet een grote jongen zijn en goed naar me luisteren, oké?'

Hij bracht zijn gebalde vuist naar zijn oog en wreef het begin van tranen weg. Ik wist zeker dat hij Lukes innerlijke kracht had geërfd. Hij was pas zes, maar hij weigerde zijn angst en verdriet te tonen. Ik ging op het bed zitten, nog steeds met mijn armen om hem heengeslagen.

'Weet je wat het betekent als mensen dood gaan en naar de hemel gaan?' zei ik. Hij keek me bevreemd aan en ik begreep zijn verwarring. 'Ja, ik heet Heaven, en dat betekent hemel, maar er is ook een plaats die Heaven heet, de hemel, een plaats waar mensen voor altijd naar toe gaan. Heb je daar wel eens over gehoord?' Hij schudde zijn hoofd. 'Die plaats bestaat, en soms gaan mensen er eerder naar toe dan ze verwachten,' zei ik.

Logan verscheen op de drempel en keek naar ons. Drake nam hem behoedzaam op en Logan glimlachte zo teder als hij kon. Toen keek Drake weer naar mij, verlangend om de rest van mijn verhaal te horen. Ik zag dat hij het opvatte als een verhaal, en ik vermoedde dat Stacie vaak zo met hem had gezeten en hem had voorgelezen of sprookjes verteld. Alleen mocht hij dit niet als een sprookje beschouwen, dacht ik. Op de een of andere manier moest ik het hem duidelijk maken.

'Weet je, gisteravond heeft God je mammie en pappie bij zich geroepen in de hemel, en ze moesten gaan. Ze wilden je niet alleen laten,' zei ik snel, 'maar ze hadden geen keus. Ze moesten gaan.'

'Wanneer komen ze terug?' vroeg Drake, die al iets heel verontrustends vermoedde.

'Ze komen nooit meer terug, Drake. Ze kunnen niet terugkomen, zelfs al zouden ze dat willen. Als God je roept, moet je gaan en kom je nooit meer terug.'

'Ik wil er ook naar toe,' zei hij. Hij begon te worstelen om los te komen.

'Nee, Drake, lieverd. Je kunt er niet naar toe, omdat God je nog niet heeft geroepen. Jij moet nog op de aarde blijven. Je gaat met mij mee en je gaat in een groot huis wonen en je zult zoveel mooie dingen hebben dat je niet weet waar je het eerst mee moet spelen of wat je het eerst moet doen.'

'Nee!' riep hij. 'Ik wil met mammie en pappie mee.'

'Dat kan niet, schat, maar ze willen dat je gelukkig bent en dat je opgroeit tot een flinke jongeman, en dat zul je toch voor ze doen, hè?'

Hij kneep zijn ogen halfdicht. Ik voelde zijn armen verstrakken en zijn woede opkomen. Zijn wangen werden rood. Hij had Lukes temperament, dat stond vast. Toen ik in zijn ogen keek, was het of ik terugblikte in de tijd, en Luke naar me zag staren.

'Je moet me niet haten omdat ik je die dingen vertel, Drake. Ik wil van je houden en ik wil dat jij van mij houdt.'

'Ik wil mijn pappie!' gilde hij. 'Ik wil naar het circus! Laat me los! Laat me los!' Hij worstelde in mijn armen tot ik hem losliet. Onmiddellijk holde hij de kamer uit.

'Er is tijd voor nodig, Heaven,' troostte Logan me. 'Zelfs voor zo'n kleine jongen.'

'Ik weet het.' Ik schudde mijn hoofd en keek om me heen in de slaapkamer. Op het kleine nachttafeltje stond een foto van Luke en Stacie voor het huis, terwijl ze elkaar omhelsden. Luke zag er zo jong en gelukkig uit. Zo heel anders dan de man die ik kende als mijn pa in de Willies. Was het leven toen maar gelukkig geweest voor hem, dan zou het voor ons allemaal gelukkig zijn geweest.

'We moeten ontbijten en ons aankleden, schat,' zei Logan. 'Je moet naar die advocaat en daarna naar de rouwkamer.'

Ik knikte en stond langzaam op van het bed waarop Luke en zijn bruid met elkaar hadden gevrijd en elkaar eeuwig trouw hadden gezworen. Nu zouden ze naast elkaar in de koude, donkere aarde komen te liggen.

Ik hoopte dat ik gelijk had; ik hoopte dat wat ik de kleine Drake had verteld waar was. Ik hoopte dat ze naar een gelukkiger plaats waren geroepen, een echte hemel.

12. VAARWEL, PA

Drake was koppig en pruilde. Hij weigerde te ontbijten en zich door mij te laten aankleden. Mevrouw Cotton moest het doen. Het was het laatste wat ze deed voor Luke en Stacie Casteel. Ondanks zijn tegenstribbelen namen we Drake mee naar het advocatenkantoor van J. Arthur Steine in het centrum van Atlanta. De vreemde omgeving en de drukte trokken al gauw Drakes aandacht, en na een tijdje mocht ik hem op schoot nemen terwijl hij uit het raam keek. Ik streek zijn zwarte haar met mijn vingers naar achteren en bestudeerde zijn gezichtje. Stacie had zijn haar lang gelaten, wat ik kon begrijpen, want het was dik en glanzend. Ik gaf hem een zoen op zijn wang en drukte hem dicht tegen me aan, maar hij werd zo in beslag genomen door alles wat hij zag dat hij het niet merkte of zich er niets van aantrok.

Het kantoor van J. Arthur Steine bevond zich in een deftig, modern gebouw. Het verbaasde me dat Luke dit advocatenkantoor had gekozen, want het me leek me meer een kantoor dat uitsluitend voor grote ondernemingen en rijke mensen werkte. Lukes circus was wel niet zó onbeduidend, maar verre van een P.T. Barnum. Hij was voornamelijk van de ene kleine plaats naar de andere getrokken, en met de vaste lasten van een circus had hij er beslist niet erg royaal van kunnen leven.

De kleine Drake was gefascineerd door de glazen lift, die ons naar de twaalfde verdieping bracht, waar het kantoor van Mr. Steine was gevestigd. De receptieruimte van het advocatenkantoor was groot en chic, met twee secretaresses, die achter grote bureaus telefoons beantwoordden en zaten te typen. Er draafden drie bedienden rond, die de secretaresses papieren gaven om te typen of documenten ophaalden. De eerste secretaresse rechts was tevens de receptioniste. Ze vroeg ons op de leren bank te gaan zitten terwijl ze Mr. Steine van onze komst op de hoogte stelde. Ik had net een tijdschrift gevonden voor Drake, toen J. Arthur Steine zelf naar buiten kwam om ons te begroeten.

Hij was een lange, gedistingeerde man, met grijzende slapen. Zijn brilleglazen in het zwarte montuur vergrootten zijn lichtbruine ogen. Zodra ik hem zag kon ik het gevoel niet onderdrukken dat hij iets bekends had. Natuurlijk! Met zijn driedelige kostuum van grijze zij en de gouden horlogeketting die uit zijn vestzakje hing leek hij op een van Tony's zakenrelaties.

'Gecondoleerd,' zei hij, en gaf mij en Logan een hand. Hij schoof zijn bril omlaag over zijn neus en keek over de rand naar Drake, die met bijna boze nieuwsgierigheid naar hem opkeek. Het was beslist geen verlegen jongetje. 'En dit moet Drake zijn.'

'Ja. Zeg eens goedendag, Drake,' zei ik. Drake keek eerst naar mij en toen naar J. Arthur Steine met een arrogantie die niet bij zijn leeftijd paste.

'Ik wil naar huis,' verklaarde hij.

'Natuurlijk wil je dat,' zei Mr. Steine, en ging verder tegen zijn secretaresse: 'Hebben we niet ergens een lekkere lollie voor deze jongeman, Colleen?'

'Vast wel,' zei ze, glimlachend naar Drake. Hij nam haar behoedzaam op. De belofte van een lollie stemde hem wat milder.

'Wil je er een voor hem pakken? Dan kan hij er hier rustig van genieten terwijl ik met de heer en mevrouw Stonewall praat.'

Zijn secretaresse zocht even in een la en haalde er een lollie uit te voorschijn. Drake nam hem gretig aan en wilde zich omdraaien.

'Je moet dank je wel zeggen als je iets krijgt, Drake,' zei ik zachtjes. Hij keek me aan, overwoog wat ik gezegd had en draaide zich toen langzaam om.

'Dank je,' zei hij en holde terug naar de bank om het papier van zijn lollie te halen. Hij scheen het niet erg te vinden dat we hem alleen lieten.

'We komen zo terug, Drake. Wacht hier,' zei ik. Hij keek op zonder iets te zeggen en wijdde toen zijn aandacht weer aan zijn lollie.

'Hierheen,' zei Mr. Steine, en ging ons voor door een gang met vast tapijt, langs een mooie conferentiekamer, een grote juridische bibliotheek en twee kantoorkamers naar zijn eigen kantoor, dat aan het eind van de gang lag. De ramen keken uit op de stad, die dank zij de bijna wolkeloze blauwe lucht een schitterend helder uitzicht bood. 'Gaat u zitten, alstublieft,' zei hij, wijzend op de grijze, zachtleren stoelen voor zijn bureau. 'Waarschijnlijk herinnert u het zich niet, maar ik was op uw huwelijksreceptie in Farthinggale Manor. Wat een party!'

'Ik dacht al dat ik u ergens gezien had,' zei ik peinzend. 'Maar ik vrees dat ik het niet helemaal begrijp... U bent de advocaat van Luke Casteel?'
'Wel, eerlijk gezegd vertegenwoordigde ik meneer Tatterton.'
'Meneer Tatterton?' Ik keek naar Logan, maar hij haalde slechts zijn schouders op.
'Ja, wist u dat niet?' vroeg Mr. Steine.
'Nee. U zult het uit moeten leggen.'
'O, het spijt me. Ik nam aan dat...' Hij boog zich naar voren. 'Een tijdje geleden heb ik in opdracht van meneer Tatterton een circus gekocht dat eigendom was van eh... een zekere Windenbarron.' Hij keek naar de papieren op zijn bureau. 'Ja, Windenbarron.'
'Tony heeft het circus van Windenbarron gekocht? Maar... ik dacht dat het circus van Luke was.' Weer keek ik naar Logan en weer schudde hij zijn hoofd om te kennen te geven dat hij van niets wist.
'O, dat is ook zo,' verzekerde Mr. Steine me.
'Ik begrijp het niet.'
'Toen meneer Tatterton het circus had gekocht, liet hij mij een contract opstellen waarbij het circus voor een klein bedrag werd overgedragen aan Luke Casteel.' Hij glimlachte. 'Om precies te zijn, voor één dollar.'
'Wat?'
'Je zou het een geschenk kunnen noemen. In ieder geval, na de dood van de heer en mevrouw Casteel vervalt het eigendom weer aan meneer Tatterton. Toen we elkaar gisteravond spraken, verzocht hij me het circus te verkopen en de opbrengst in een trustfonds te storten voor Drake. Hij heeft me ook verzocht de nalatenschap van meneer Casteel te regelen, de verkoop van hun huis te bespoedigen en alle eventuele opbrengsten in dezelfde trust onder te brengen. Ik hoop dat dit uw goedkeuring kan wegdragen, mevrouw Stonewall.'
Ik was met stomheid geslagen.
'Eerlijk gezegd,' ging Mr. Steine verder, 'zou deze kwestie normaal gesproken niet belangrijk genoeg zijn voor onze firma, maar wij behandelen veel zaken voor meneer Tatterton in het zuiden, en toen hij belde... natuurlijk zullen wij voor alles zorgen.'
Ik leunde verbijsterd achterover. Waarom had Tony dat gedaan? Waarom had hij het geheim gehouden?
'Alle noodzakelijke documenten bevinden zich hier,' ging Mr. Steine verder. 'Er is nog niets voor u om te tekenen... Het zal even duren voor we alles geregeld hebben, maar als u misschien een en ander wilt doornemen...'
'Hij heeft Luke het circus gegeven?' zei ik. Ik moet er nogal dom hebben uitgezien met mijn open mond en verbijsterde gezicht.
'Ja, mevrouw Stonewall.' Hij zweeg even en boog zich toen naar voren. 'Wat de begrafenis betreft, de stoffelijke overschotten bevinden zich momenteel in het Eddington Funeral Home. De rouwdienst is morgenochtend om elf uur.'
'En Tony heeft dat allemaal met één telefoontje geregeld?' vroeg ik. Ik klonk niet zozeer sarcastisch dan wel verbaasd. Tony had me Luke, en mijn

afscheid van hem, volledig uit de hand genomen. Hij had me Luke praktisch ontstolen. J. Arthur Steine glimlachte vol trots.

'Zoals ik al zei, mevrouw Stonewall, meneer Tatterton is een belangrijke cliënt. We willen u alles zo gemakkelijk mogelijk maken.'

'Typisch Tony,' zei Logan. Ik keek hem aan. Hij besefte niet wat dit betekende. Hij wist nog steeds niet dat Tony mijn echte vader was, dat hij handelde uit jaloezie en bezitterigheid, niet uit pure vriendelijkheid. Maar dat was iets tussen Tony en mij, en Luke en mij, iets dat Logan nooit hoefde te weten.

'Maar misschien hoort Luke in de Willies te worden begraven,' zei ik, en ik dacht aan het graf van mijn moeder en de kleine grafsteen waarop slechts stond:

ANGEL
GELIEFDE ECHTGENOTE VAN
THOMAS LUKE CASTEEL

'Ach, ik weet niet,' zei Logan. 'Atlanta en omgeving zijn Lukes thuis geworden. Geloof je echt dat hij teruggebracht zou willen worden naar de Willies?'

De manier waarop Luke zei "teruggebracht" deed het klinken of ik hem zou terugbrengen naar een slechte, ongelukkige periode uit zijn leven, waaraan hij ontsnapt was door hier te komen wonen en circuseigenaar te worden.

'Misschien niet,' zei ik.

'En je moet ook aan Stacie denken,' merkte Logan op.

'En Drake?' vroeg ik, me weer tot Mr. Steine richtend.

'Voor zover we hebben kunnen vaststellen zijn er geen verwanten van de kant van mevrouw Casteel die belangstelling hebben voor de jongen. Had meneer Casteel broers?'

'Die wilden niet eens voor zichzelf zorgen,' zei ik. 'Ze zijn alle vijf in de gevangenis terechtgekomen.'

'Wel,' zei hij, achteroverleunend. 'U bent zijn stiefzuster. Wat wilt u met het kind doen? U zult dit ongetwijfeld besproken hebben met meneer Tatterton, en hij heeft mij gezegd dat ik uw instructies moet volgen. Als u dat zou willen, zult u beslist geen moeite hebben het voogdijschap over de jongen te verkrijgen. U kunt hem in ieder geval een goed thuis verschaffen.'

'Natuurlijk wil ik het voogdijschap,' antwoordde ik. 'Maar als ik Drakes voogdes word, moeten alle kwesties die hem aangaan met mij worden besproken en niet met meneer Tatterton.' Hij hoorde de ijzige klank in mijn stem en richtte zich een beetje verbaasd op.

'Mooi. Zelfde adres. Correct?'

'We hebben ook een adres in Winnerow,' zei ik. 'Dat zullen we u geven. Daar wil ik alles naar toe gestuurd hebben.' Hij staarde me even aan en knikte toen. Ik was ervan overtuigd dat zodra we zijn kantoor verlaten hadden hij de telefoon zou opnemen en Tony bellen. Ik schreef het adres op van Hasbrouck House en gaf het hem.

'Weet u,' vroeg ik, 'of we Lukes lichaam kunnen zien?'
'Naar wat ik ervan heb gehoord, mevrouw Stonewall, is het geen prettige aanblik. Het is een gesloten kist, en zo kan hij beter blijven.'
Ik sloot mijn ogen en haalde diep adem.
'Heaven?' zei Logan. Hij legde zijn hand op mijn arm.
'Het is goed,' zei ik. Ik stond op. 'Dank u, meneer Steine.' Hij kwam achter zijn bureau vandaan.
'Het spijt me dat we elkaar de tweede keer onder zulke droevige omstandigheden ontmoeten. Ik wens u het allerbeste, en speciaal de kleine jongen. Ik neem contact met u op aangaande de andere zaken.'
Ik bedankte hem weer en we gingen weg. Ik beefde toen we door de gang naar de receptieruimte liepen. Drake had rode strepen van de lollie op zijn mond, zijn kin en zijn wangen. Hij keek ongerust op.
'Als hij een lollie eet, dan éét-ie ook!' zei Logan verwonderd.
'Is er hier ergens een toilet?' vroeg ik aan de secretaresse.
'Zeker. De eerste deur links.'
Ik pakte Drake op en nam hem mee naar het toilet om zijn gezicht te wassen. Hij keek me diep in de ogen. Ik hoopte dat hij mijn liefde voor hem daarin zou lezen.
'Gaan we nu naar huis?' vroeg hij.
'O, ja, m'n lieve Drake. Naar huis en dan naar een nieuw huis waar je nooit meer iets naars zal overkomen.'
Hij bleef me alleen maar aanstaren. Toen tilde hij zijn rechterhand op, met uitgestrekte wijsvinger, en raakte de traan aan die uit mijn rechteroog was ontsnapt en naar het midden van mijn wang was gerold. Plotseling, ook al wilde hij het niet accepteren, leek hij alles te begrijpen wat er gebeurd was.

Zodra we terug waren in Lukes huis en ik het portier van de auto opende, sprong Drake eruit en holde naar de voordeur. Voor we naar het kantoor van J. Arthur Steine gingen had mevrouw Cotton me de sleutels van het huis gegeven, omdat ze weg zou zijn als we terugkwamen. Drake was verbaasd dat de voordeur op slot was toen hij de knop omdraaide. Hij keek achterom naar ons met een wanhopige uitdrukking op zijn gezicht.
'Waar is mammie?' vroeg hij. 'Waar is pappie?'
Ik stak de sleutel in het slot zonder antwoord te geven. Mijn keel was dichtgeknepen en ik kon geen woord uitbrengen. Toen ik de deur opendeed rende hij naar binnen en riep:
'Mammie! Mammie! Mammie!'
Zijn kleine voetjes kletterden op de grond toen hij van de ene kamer naar de andere holde.
'Pappie! Mammie!'
Zijn klaaglijke stemmetje deed de tranen in mijn ogen springen.
'Misschien is het toch niet zo'n goed idee om vannacht hier te blijven, Heaven,' zei Logan, die naast me kwam staan en zijn armen om mijn schouder sloeg. 'Ik denk dat we beter terug kunnen gaan naar Atlanta en een hotel

nemen. We zullen even rondkijken, dan kun je hier vandaan meenemen wat je wilt.'

'Misschien heb je gelijk,' zei ik met bevende stem. 'Al ben ik een beetje huiverig om hem zo snel uit zijn vertrouwde omgeving los te rukken. Maar misschien kunnen we er een opwindend avontuur van maken voor hem.' Ik haalde diep adem om me te beheersen. Er moest nog zoveel gedaan worden, ik had geen tijd om te treuren, en ik moest nu aan de kleine Drake denken. Ik moest sterk zijn voor hem. 'Kijk jij of je een paar koffers kunt vinden, dan zal ik zijn spulletjes nakijken. Ik neem alleen mee wat hij dringend nodig heeft. Ik wil een heel nieuwe garderobe voor hem kopen.'

Logan ging op zoek en ik volgde Drake naar de slaapkamer. Hij stond weer bij de deur van de slaapkamer van zijn ouders en staarde naar het lege bed. Toen ik hem optilde, bood hij geen enkele tegenstand. Hij legde zijn hoofd tegen mijn schouder, stak zijn duim in zijn mond en staarde met glazige ogen voor zich uit.

'We gaan nu naar je kamer, Drake,' zei ik, 'en halen alles wat je mee wilt nemen. Dan pakken Logan en ik het in een koffer en gaan we met z'n allen naar een mooi hotel in Atlanta. Ben je wel eens in een hotel geweest?'

Hij schudde flauwtjes zijn hoofd.

'O, je zult het er leuk vinden. En dan gaan we naar een restaurant. En morgen stappen we in een vliegtuig,' zei ik, en dat pepte hem een beetje op. Hij hief zijn hoofd op en keek me belangstellend aan. 'Heb je nog nooit in een vliegtuig gezeten?' Hij schudde weer zijn hoofd, iets krachtiger deze keer. 'Nou,' zei ik, terwijl ik hem naar zijn kamer droeg, 'we gaan een reis maken met een vliegtuig, en dan stappen we in een grote auto en rijden naar het grootste huis dat je ooit hebt gezien.'

'Is mammie daar?'

'Nee, schat.'

'En pappie?' De hoopvolle klank in zijn stem deed een steek door mijn hart gaan.

'Nee, Drake. Weet je nog dat ik je verteld heb dat God mensen bij zich roept in de hemel?' Hij knikte. 'Daar zijn ze nu, maar ze kijken op je neer en glimlachen omdat er zo goed voor je gezorgd wordt, oké?'

Ik zette hem neer en zocht in de laden van zijn kast. Logan vond een paar koffers, maar ik nam net genoeg kleren mee voor één koffer. Ik zei tegen Drake dat hij zijn lievelingsspeelgoed moest uitzoeken, zodat we het konden meenemen. Een paar minuten later stond hij voor me met een bekende brandweerauto. Het was een Tatterton Toy, een replica van zwaar metaal van een van de allereerste brandweerauto's. De pomp functioneerde, en de auto had kleine rubberbandjes en een stuur waarmee je de voorwielen kon draaien. Het was het soort speelgoed dat in gewone winkels niet meer verkocht werd. De kleine brandweermannetjes, met gezichten die tot in details waren weergegeven en allemaal een verschillende uitdrukking hadden – sommigen lachten zelfs – waren volledig intact. Er was al die jaren goed gezorgd voor het speelgoed. Het was de auto die ik hem na mijn eerste bezoek had gestuurd.

'O, dat is een mooie auto, Drake. Weet je hoe je die hebt gekregen?' Hij schudde zijn hoofd. 'Die heb ik je jaren geleden gestuurd. Ik ben blij dat je er zo goed voor gezorgd hebt en je hem mee wilt nemen. Maar zal ik je eens wat vertellen?' zei ik, terwijl ik hem naar me toe trok en zijn haar van zijn voorhoofd streek. 'Je zult een heleboel speelgoed krijgen zoals dit, mooi, waarheidsgetrouw speelgoed.' Hij sperde nieuwsgierig zijn ogen open. 'En weet je waarom? Omdat Logan en ik een speelgoedfabriek hebben.' Hij keek verbaasd, en ik ging glimlachend verder. 'Ja, een echte speelgoedfabriek. Goed.' Ik stond op. 'Breng dat maar naar Logan en zeg dat je die auto mee wilt nemen.' Ik keek om me heen in de kamer en ging toen terug naar de slaapkamer van Luke en Stacie.

Ik wilde de foto meenemen van hen beiden voor het huis. Ik wilde hem voor Drake, maar ook voor mijzelf.

'Ik ga thee zetten. Wil je ook een kopje?' riep Logan uit de keuken.

'Nee, dank je. Maar vraag of Drake iets wil eten, oké?'

'Goed. Hé, Drake,' hoorde ik Logan zeggen. 'Laten we eens zien of we wat voor de lunch kunnen vinden.'

Terwijl zij in de keuken waren keek ik de laden na, voornamelijk om te zien of er iets van waarde was, dat ik voor Drake moest meenemen. Ik vond Stacies sieraden, voor het merendeel namaak, een horloge dat er kostbaar uitzag, en nog een paar foto's van haar en Luke. In een la, onder Lukes sokken, vond ik een van opa's houtsnijwerkjes, een konijn. De tranen sprongen in mijn ogen toen ik aan hem dacht, zoals hij in zijn schommelstoel zat te werken en te praten tegen zijn denkbeeldige Annie.

Toen vond ik iets dat me verbaasde – een artikeltje uit de *Boston Globe* geknipt, waarin mijn huwelijk met Logan werd aangekondigd. Ik zag dat Luke de zin had onderstreept waarin stond dat ik onderwijzeres was in Winnerow. Ik ging rechtop in bed zitten, met het knipsel op schoot. Dus hij had wel degelijk belangstelling voor me gehad en hij was trots op me geweest. Maar waarom was hij dan niet op mijn huwelijk gekomen, en waarom had hij nooit iets laten horen of me geschreven? Nu was hij weg, Stacie was weg, mevrouw Cotton was weg; bovendien was zij niet het type om vragen te willen beantwoorden, en de advocaat was veel te zakelijk en onverschillig om iets anders te weten dan juridische zaken.

Maar Tony zou het weten, dacht ik. Daarvan was ik overtuigd. Om de een of andere reden was hij nauw bij Lukes leven betrokken geweest. Ik popelde van ongeduld om terug te gaan en uit te vinden waarom hij het allemaal geheim had gehouden. Was het om me te beschermen? Ik was geen kind meer; hij had niet het recht iets voor me verborgen te houden.

Ik legde het knipsel bij de foto's en het konijn en een paar andere dingen die ik wilde meenemen en begon de kasten te doorzoeken toen ik de bel van de voordeur hoorde. Even later hoorde ik een bekende stem. Fanny! Maar er was nog een tweede stem, die me ook vertrouwd in de oren klonk. Ze was met Randall Wilcox. Toen ik de kamer uitkwam stonden zij en Randall al in de keuken.

'Drake, schatje,' teemde Fany. 'Ik ben je zusje Fanny, van wie je pa het meest heeft gehouden.' Voor Drake kon reageren tilde ze hem op, zoende zijn hele gezicht af en liet vlekkerige strepen lippenstift na op zijn wangen en voorhoofd.

'Je lijkt sprekend op hem, je bent net zo knap als hij was.'

'Hallo, Fanny,' zei ik zachtjes. Ze droeg een mouwloze, zwarte jurk met een rok met stroken en een laag uitgesneden lijfje. Hij was een maat te klein rond de heupen en borsten, maar ik kon niet zien dat ze zwanger was – behalve dat ze misschien iets dikker rond het middel was. Ze droeg een zwarte strohoed met brede rand en ze had haar haar in een knot achter op haar hoofd vastgestoken. Zoals gewoonlijk had ze zich te veel opgemaakt – blauwe oogschaduw, rouge en helrode lippenstift.

'Jij ook hallo. Zeg Randall goedendag,' beval ze, terwijl ze zich naar hem omdraaide. Met zijn hoed in zijn handen stond hij in de deuropening van de keuken naar binnen te kijken. Hij was gekleed in een eenvoudig, donkerbruin pak en zag er veel ouder uit dan ik me herinnerde. Het leven met Fanny maakte hem snel oud, dacht ik. Hij glimlachte verlegen en knikte.

'Hallo, Heaven.' Hij keek naar Logan. 'Logan.'

Logan knikte slechts.

'Jullie zouden allemaal best een beetje hartelijker kunnen zijn,' zei Fanny. 'Randall was zo vriendelijk me gezelschap te houden op deze droevige reis,' ging ze verder. Ze stak haar rechterarm door de zijne, terwijl ze Drake met haar linkerarm vasthield. 'Vooral in mijn positie,' voegde ze eraan toe met een sluwe, voldane blik op haar buik.

'Dat is erg aardig van hem.' Ik reageerde niet op haar insinuatie. Ik wilde Drake redden uit Fanny's klauwen.

'Logan, ik dacht dat je Drake iets te eten wilde geven?'

'Ja, natuurlijk. Zijn sandwich is al klaar.' Logan had zich weer hersteld van zijn verwarring toen hij Fanny zag en zette het bord op tafel. 'Ik heb ook wat chocolademelk voor hem gemaakt. Dat wilde je toch, hè, Drake?' Drake knikte en Fanny bracht hem met tegenzin terug naar zijn stoel.

'Zo,' zei ze, om zich heen kijkend, 'heb je het huis al uitgekamd?'

'Er valt niets uit te kammen, Fanny,' zei ik koel. 'Er is weinig van waarde hier. Alles wat van Luke en Stacie was wordt in een trust ondergebracht voor Drake. De advocaat is ermee bezig.'

'Dat geloof ik graag,' zei ze spottend. 'Ik zei je toch dat ze alles in kannen en kruiken zou hebben als we hier kwamen,' zei ze tegen Randall.

'Ik hoefde niets te doen, Fanny. Alles was al geregeld. Er waren instructies achtergelaten.' Ik zei er niet bij door wie. Ik begreep Tony's rol hierin nog steeds niet.

'En de begrafenis en zo?'

'De begrafenis is morgenochtend om elf uur in de Kingsington Kathedraal in Atlanta. Hij wordt op het kerkhof bij de kathedraal begraven.

'Betaal jij dat?'

'Het was allemaal al geregeld, Fanny,' herhaalde ik.

'Blijf je vannacht hier?' vroeg ze, naar Logan kijkend. Hij vermeed haar blik en hield zich bezig met het opruimen van de melk en de pindakaas.

'Nee, we blijven vannacht in een hotel in Atlanta,' zei ik. Ik zorgde ervoor dat Fanny alleen met mij te maken had en niet met Logan. 'Maar jij kunt hier blijven en het huis doorzoeken om te zien of er iets is dat je wilt hebben.'

'Nou, hij was mijn pa. Hij hield het meest van mij. Ik heb rechten,' zei ze koppig.

'Waarschijnlijk wel, ja,' zei ik. 'Hier zijn de sleutels van het huis. Neem ze morgen mee, dan kunnen we ze aan de advocaat geven die belast is met de nalatenschap.' Ik legde de sleutels in haar hand en ze keek me verbaasd aan.

'En Drake?' zei ze, terwijl ze zich naar hem omdraaide. 'Wil je bij Randall en mij blijven, Drake, schatje? Dan kan je morgen met ons mee naar de begrafenis.'

Drake staarde haar lange tijd aan. Toen keek hij naar mij en daarna weer naar haar.

'Ik ga naar een hotel,' zei hij. 'En dan in een vliegtuig. En dan naar een speelgoedfabriek!'

'O, ja?' Ze keek me aan. 'Neem je hem mee naar dat kasteel?'

'Hij gaat met ons mee terug, ja. We zullen hem een thuis geven.'

Ze staarde me even aan, met een vreemde lege blik in haar ogen. Het was een leegte waarin alle emotie ontbrak, een blik die ik nooit eerder bij haar gezien had. Toen richtte ze zich weer tot Drake. 'Schatje, zou je niet liever in je eigen bedje slapen vannacht?'

'Je brengt hem in de war, Fanny,' viel ik haar in de rede. 'Hij is al genoeg van streek. Het is beter als zijn gedachten worden afgeleid.' Ze keek me aan met de meer karakteristieke Fanny-woede in haar ogen.

'Ik breng hem niet in de war.'

'Ze heeft gelijk,' zei Randall zachtjes. Hij keek bijna verbaasd dat hij zijn mond open had gedaan, en besefte vrijwel onmiddellijk dat hij zich Fanny's woede op de hals had gehaald.

'O, natuurlijk zeg jij dat ze gelijk heeft,' snauwde Fanny. 'Je zult waarschijnlijk altijd haar partij kiezen tegen mij, hè?'

'Kom mee,' zei hij op smekende toon. 'Laten we een hapje gaan eten in een restaurant. We kunnen hier later terugkomen.'

Ze staarde me vol haat aan, maar toen verzachtte haar gezicht en ze bracht een van haar stralende glimlachjes te voorschijn.

'Randall heeft gelijk. Ik ben zo van streek door pa's dood, dat ik niet aan eten kon denken. En ik eet nu voor twee, hè, Heaven?' zei ze, Logan recht in de ogen kijkend. 'We hebben nog geen hap gegeten sinds we uit Winnerow zijn weggegaan, hè, Randall?'

'Nee,' gaf Randall toe, blijkbaar verward door de spanning tussen Logan en Fanny.

'Wil je naar een restaurant, Drake, schatje?' vroeg ze.

'Fanny, zie je niet dat hij bezig is een boterham te eten?'

'Een boterham.' Ze legde haar hand op zijn hoofd en streek over zijn haar. 'Je gaat toch zeker liever naar een restaurant, hè, Drake, baby?'

'Ik ben geen baby,' zei hij, zich terugtrekkend.

'Ik bedoelde niet dat je een baby was, schatje.'

'Fanny, laten we nu gaan eten,' smeekte Randall. 'We komen terug.'
'Goed dan,' snauwde ze. Toen plakte ze haar glimlach weer op. 'We zien jullie later wel.' Ze knielde naast Drake op de grond en gaf hem een zoen op zijn wang. 'Net zo knap als je pappa was,' zei ze. Hij staarde haar aan toen ze terugliep naar Randall.
'We zien jullie morgen in de kerk,' zei ik koel.
'O, God, dat was ik vergeten,' zei Fanny. 'Arme Luke.' Ze gaf Randall een arm. 'Ik moet er niet aan denken. Leen me die zakdoek nog even, Randall,' zei ze, en bette zachtjes haar ogen. Ze boog haar hoofd.
'Tot ziens,' zei Randall.
Zodra Fanny en hij uit huis waren haalde ik diep adem en probeerde mijn woede tegen Fanny te bedwingen. Ik keek naar Logan, die met een schuldig gezicht voor zich uit staarde.
'Ik zal Drakes spulletjes vast naar de auto brengen,' zei hij. 'Dan kunnen we weg zodra hij klaar is.'
Ik knikte en ging aan tafel zitten om Fanny's lippenstift van Drakes gezichtje te vegen.

De volgende ochtend vroeg, met Drake tussen ons in, zijn kleine handjes in die van ons, kwamen we als een gezin de kerk binnen. Lukes circusmensen bezetten de banken en zelfs de midden- en zijpaden van de kleine kerk. Er waren reuzen en dwergen; een dame met baard in een lange, zwarte jurk; dierentemmers met lange haren die op body-building rockzangers leken; groepjes acrobaten, die zo op elkaars bewegingen waren ingesteld dat het leek of ze aan elkaar waren vastgebonden; een paar mooie vrouwen die de goochelaars en de pikeurs assisteerden; een paar manager-types in zakenkostuum, en de clowns met gezichten die doorgroefd waren van echt verdriet, alsof ze hun droevige clownsmasker droegen.
Iedereen kende Drake, en toen ze hem zagen leek iedereen tegelijk te zuchten en te snikken. We liepen over het middenpad naar de eerste rij en gingen tegenover de kisten van Drakes ouders zitten.
'Komen pappie en mammie ook?' vroeg Drake. Zijn grote zwarte ogen keken ongerust om zich heen.
Ik had moeite mijn tranen te bedwingen.
'Dit is een speciale plaats, om afscheid te nemen van je mammie en pappie,' zei ik, hem dicht tegen me aandrukkend.
Hij keek omhoog naar het gebrandschilderde raam, naar de kaarsen, naar de twee kisten die naast elkaar stonden. De gebaarde dame was naar Lukes kist gelopen, boog zich huilend eroverheen en legde een enkele roos op het deksel.
'Hij was zo aardig voor me,' fluisterde ze hardop.
'Waarom praat tante Martha tegen die kist?' vroeg Drake. 'Wie ligt daarin? Heeft Merlijn de Tovenaar iemand daarin gelegd?'
'Nee, schat,' zei ik, met een tedere kus op zijn voorhoofd.
'Ik wil erin kijken! Ik geloof je niet! Ik geloof je niet! Ik weet dat mijn pappie daarin ligt!' schreeuwde hij, terwijl hij zich los probeerde te rukken. 'Laat me los! Ik wil naar mijn pappie!'

Hij holde naar de kist. Maar toen bleef hij plotseling staan. Hij legde zijn oor tegen het hout en klopte. 'Ben jij daarbinnen, pappie?'

Ik probeerde naar hem toe te gaan, om hem vast te houden en te beschermen, maar de gebaarde dame pakte me zachtjes bij de elleboog. 'Laat mij maar,' zei ze vriendelijk. 'Ik denk dat ik hem wel kan kalmeren. Drake en ik zijn goede vrienden.'

Drake omhelsde de gebaarde dame. 'Tante Martha, tante Martha! Ligt mijn pappie daarin?'

'Nee, schat van me, m'n allerliefste Drake. Je pappie is in de hemel; dit is maar een omhulsel. Maar je hoeft niet bang te zijn, schat, de hemel is net een prachtig circus. Het grootste circus dat je mammie en pappie ooit hebben gezien. Ze zullen daar heel gelukkig zijn. Maar het belangrijkste is dat ze willen dat jij gelukkig bent hier op aarde. Ze willen dat je naar school gaat en goed je best doet, en gezond blijft, en als je groot wordt, kun je circusdirecteur worden, net als je pappie.' Ze begon te huilen.

'Ik wil circusdirecteur worden,' zei Drake. 'En leeuwentemmer.'

'En nu wil ik dat je teruggaat en naast je zusje gaat zitten. Ze houdt heel, heel erg veel van je.'

De gebaarde dame tilde Drake op in haar armen en kuste hem ten afscheid.

'Ik word leeuwentemmer,' zei Drake trots tegen me.

'Natuurlijk, schat, je kunt worden wat je wilt, en ik zal je helpen,' verzekerde ik hem. 'Kom, Drake.' Ik leidde hem weg van de kist. 'Laten we nu gaan zitten en naar de dienst luisteren, oké?'

Hij knikte dapper en kneep zo hard in mijn hand alsof hij bang was dat ik ook zou verdwijnen. Toen we terugliepen naar de bank zag ik dat Drake zich getroost voelde door het zien van al die vertrouwde gezichten. Ik keek om me heen en zag tot mijn verbazing dat Fanny en Randall er nog niet waren. We gingen zitten en Logan sloeg zijn arm om me heen. Ik kon mijn ogen niet van de kist afwenden en moest voortdurend aan Luke denken.

De orgelmuziek begon. Toen hoorde ik een opschudding bij de deur en ik keek achterom. Fanny en Randall liepen haastig over het middenpad. Fanny droeg dezelfde zwarte cocktailjurk die ze gisteren had gedragen en haar gezicht was even zwaar opgemaakt. Toen ze in de bank naast ons ging zitten kreeg ze plotseling de kist in het oog. Ze greep mijn hand vast terwijl de tranen over haar wangen begonnen te rollen. De zware oogmake-up veranderde haar tranen in zwarte en blauwe modderstromen. Op dat moment voelde ik me bijna intiem met die zuster van me die me altijd verdriet probeerde te doen.

De dominee kwam naar voren. Hij hield een mooie preek voor iemand die Luke en Stacie niet gekend had. Mr. Steine had hem blijkbaar voorzien van wat biografisch materiaal. De dominee praatte over Lukes verlangen om de mensen amusement en plezier te verschaffen. Hij zei dat sommige mensen het leven zelf als een circus zagen en God als de circusdirecteur. Hij zei dat Luke een mooiere voorstelling wachtte in de hemel en dat God hem had geroepen tot een grotere verantwoordelijkheid. Ik was blij dat hij de uitdrukking had gebruikt dat "God hem had geroepen". De kleine Drake, die naar de gesloten kisten staarde, keek met grote ogen op toen de dominee die woorden zei. Hij herinnerde zich wat ik hem had verteld.

Toen sprak de dominee over Stacie, die een goede moeder en een goede echtgenote was geweest, en dat hun liefde voor elkaar zo groot was geweest dat God had besloten hen beiden tegelijk tot zich te roepen, zodat ze samen konden blijven.

Fanny begon nu in ernst te huilen, ze jammerde zo hard dat iedereen in de kerk het kon horen. Randall troostte haar, in de hoop haar wat tot bedaren te brengen, dacht ik. Eén seconde lang, voordat de dominee was uitgesproken, keken Fanny en ik elkaar aan, en ik zag mijn eigen oprechte verdriet weerspiegeld in haar ogen. Luke had haar vaak zijn genegenheid betoond toen ze jonger was, en Fanny had niet veel echte genegenheid ondervonden in haar leven. Ze leed een groot verlies door Lukes dood.

De kisten werden de kerk uitgedragen naar hun plaats op het kerkhof. Er stond al een gebeitelde grafsteen. Bovenaan stond *Casteel* en daaronder hun voornamen met geboorte- en sterfdatum. Daaronder stond slechts "Rust in Vrede". Toen de laatste woorden waren uitgesproken en de kisten neergelaten, gingen de rouwenden uiteen.

Voor de kerk tilde Fanny Drake weer op, terwijl de tranen over haar wangen stroomden.

'O, Drake, schat, nu ben je een weeskind, net als wij.' Ze overlaadde hem met zoenen. Hij verzette zich niet; hij was te veel onder de indruk van de dienst en het zien van de kisten. Maar ik vond dat ze het overdreef en trok hem uit haar armen.

'Hij is geen weeskind,' zei ik met een gezicht dat rood zag van woede. 'Hij krijgt een thuis en een gezin.'

Fanny deed een stap achteruit, getroffen door de ijskoude klank in mijn stem. Ze veegde de tranen van haar wangen met Randalls zakdoek en keek me woedend aan.

'Hij hoort in de Willies,' zei ze. 'Bij het soort van zijn vader.'

'Dat zal nooit gebeuren,' verklaarde ik trots. 'Luke heeft de Willies verlaten voor een beter leven, en hij zou nooit willen dat zijn zoon daar naar terugkeerde.'

'Kom, Fanny,' zei Randall zacht. Een paar mensen van het circus waren blijven staan om naar ons te kijken. 'Dit is niet de geschikte plaats voor een dergelijke discussie.'

Fanny keek even om zich heen en glimlachte toen.

'Je hebt gelijk,' zei ze. 'Voorlopig dan goeiedag, Heaven Leigh. Dag, Drake, schatje.' Ze wierp hem een kushand toe, draaide zich met een ruk om en slenterde weg met Randall.

Wij reden rechtstreeks naar de luchthaven. Drake zat de hele weg als een lappenpop op mijn schoot, slap, stil, met zijn hoofd tegen mijn borst. Maar eenmaal op de luchthaven kwam hij weer tot leven door de sfeer van opwinding die altijd op een luchthaven hangt. Hij at een kleinigheid en daarna gingen we aan boord van het vliegtuig. Ik gaf hem een plaats aan het raam, en hij werd heel geanimeerd. 'Vliegen we boven de vogels?' vroeg hij. 'Landen we op de maan?' Logan legde Drake uit hoe een vliegtuig vloog, dat de wolken beletten dat we de grond zagen als we erboven vlogen en waarom een toestel niet verdween in de wolken. Drake was zo opgewonden over zijn nieuwe avontuur en zijn gezicht stond zo levendig, dat ik zeker wist dat hij gelukkig kon worden in zijn nieuwe gezin. Logan zou een fantastische vader worden. Hij had Drake al helemaal als zijn eigen kind geaccepteerd.

Na een tijdje vielen Logan en Drake beiden in slaap. Drake lag met zijn hoofdje op Logans schoot. Ze leken zo rustig! Ik wou dat ik me zo vredig kon voelen, maar ik werd gekweld door onrustige gedachten. Ik wilde weten waarom Tony Luke het circus had gegeven en waarom Luke dat knipsel over mijn huwelijk in zijn la had liggen. Ik wilde mijn nieuwe leven met Drake en Logan en onze nieuwe baby beginnen zonder het spinrag van het verleden, en ik was vastbesloten Tony te dwingen al die kleverige draden weg te ruimen.

Tony was niet in Farthy toen we aankwamen. Curtis zei dat hij voor zaken was weggeroepen en pas de volgende middag laat zou terugkomen.

Er lagen verschillende telefonische boodschappen op Logan te wachten, en hij ging meteen aan het werk, ging mensen terugbellen, zodra we ons geïnstalleerd hadden.

Drake en ik maakten een korte verkenningstocht door het huis. Hij was verrukt over de muurschilderingen in de zitkamer en nog meer onder de indruk van de grootte van het huis. 'Is dit een kasteel, Heaven?' vroeg hij met grote ogen. 'Word ik nu een prins?'

'Ja, schat,' zei ik, terwijl ik hem dicht tegen me aandrukte. 'Jij wordt de prins van het kasteel en je krijgt alles wat je hartje verlangt.'

Ik had de kamer naast onze suite voor hem in gereedheid laten brengen en Logan bracht hem een paar speelgoedmonsters die we in huis hadden. Drake was uitgeput door de emotionele dag en door de reis, en viel onmiddellijk na het eten in slaap.

Toen ik hem in bed had gestopt bleef ik staan en staarde op hem neer. Hij was zo lief, en zo mooi en onschuldig. Ik beloofde mezelf een echte moeder voor hem te zullen zijn en hem nooit het gevoel te geven dat hij een buitenstaander was. Ja, ik kon proberen het verleden ongedaan te maken. Ik kon met mijn liefde bewijzen dat woede en verbittering en wrok eens en voor al het zwijgen konden worden opgelegd. Ik zou genoeg van hem houden om alle verdriet en ellende goed te maken die ik had geleden door mijn haat tegen Luke.

Fanny had gelijk – we waren in zekere zin allemaal weeskinderen, maar ik zou een hecht gezin van ons maken. De baby die in me groeide zou evenzeer een broertje of zusje voor hem zijn als elke baby die Stacie had kunnen hebben. En ik zou van Drake houden zoals Luke nooit in staat was geweest van mij te houden.

Ik stopte de deken in onder zijn kin, knielde naast het bed, gaf hem een zoen op zijn wang en liet hem alleen. Logan legde juist de telefoon neer in de slaapkamer toen ik binnenkwam.

'Heaven,' zei hij gefrustreerd. 'Ik vind het afschuwelijk om het zo gauw te moeten doen, maar ik moet morgen terug naar Winnerow. De dakbedekkers hebben het bijltje erbij neergegooid na een dispuut met mijn voorman. De hele boel ligt stil. Zodra ik het heb opgelost –'

'Maak je niet bezorgd, Logan. Ga morgenochtend maar. Ik zal het druk hebben met Drake te leren kennen. En hij moet mij en Farthy leren kennen. En ik wil hier zijn als Tony komt. We hebben een paar dingen te bespreken,' zei ik. Logan hoorde de vastberaden klank in mijn stem.

'Ik weet zeker dat hij een goede verklaring heeft, Heaven, en dat hij een goede reden had voor alles wat hij heeft gedaan. Tony houdt van je. Hij zou niets doen dat jou van streek zou kunnen maken, vooral niet nu je zwanger bent.'

'Ik hoop het,' zei ik, maar er was natuurlijk zoveel dat Logan niet wist over mijn verleden in Farthinggale. Zijn optimisme was begrijpelijk.

Logan sliep de slaap der onschuldigen die nacht, terwijl ik lag te woelen en te draaien. Ik lag te denken hoe vreemd het leven was. Hoezeer het leven van Drake op dat van mij zou gaan lijken. En in hoeverre zou het leven van mijn eigen kind, dat misschien nooit zou weten wie zijn of haar echte vader was, op dat van mij lijken? Mijn gedachten maalden door mijn hoofd, probeerden het warnet van mijn leven te ontraadselen. Zoveel knopen waren geconcentreerd rond Tony – Tony, die mijn moeder had verkracht, die de schuld was van Jillians waanzin, die mijn liefde met Troy onmogelijk had gemaakt, en die blijkbaar had geprobeerd Luke te manipuleren zoals hij met mij had gedaan. Waarom? Voor zover ik wist had Tony Luke alleen gesproken toen hij hem belde om te zeggen dat hij een vliegtuigticket voor me had gekocht naar Boston om hem en Jillian te bezoeken en nieuws over mijn moeder te horen. Tony had daarna zelden de naam van Luke genoemd. Waarom zou hij? Hun werelden lagen zo ver uit elkaar, dat ze op een andere planeet hadden kunnen leven.

Maar het telegram, dat Luke en Stacie waren verongelukt, was aan Tony gericht, en Tony had alles geregeld. Waarom had Tony het circus gekocht voor Luke en het mij nooit verteld?

Het was zinloos; ik zou geen oog dichtdoen vannacht. Ik keek naar Logan. Hij was in diepe slaap, zelf uitgeput door de reis en alle emoties. Zijn ademhaling was diep en regelmatig. Ik stapte uit bed, trok mijn ochtendjas en pantoffels aan en liep de vaag verlichte gang in. Eerst keek ik even bij Drake binnen, die rustig lag te slapen. Ik trok zijn deken recht, die hij van zich af had geschopt, en ging weg. Maar in plaats van terug te gaan naar de slaapkamer, ging ik naar beneden.

Het was doodstil in huis. Mijn schaduw, tien maal groter dan ik, volgde me over de muren als een duistere engel, toen ik de trap afliep en even bleef staan om te overdenken wat ik ging doen. Ik had nooit eerder de belangstelling of nieuwsgierigheid gehad, maar vannacht... vannacht wilde ik een antwoord hebben.

Ik ging regelrecht naar Tony's kantoor en draaide het licht aan. Het grote bureau was bezaaid met papieren. Ik wist dat Tony het verschrikkelijk vond als een ander in zijn paperassen snuffelde. Hij vond het zelfs al erg als ze zijn kamer kwamen schoonmaken. Het kantoor zag er altijd stoffig en onverzorgd uit, maar Tony stelde zijn privacy op prijs, hij had zijn eigen systeem van opbergen en hij wilde door niemand gestoord worden.

Mijn blik viel op de archiefkasten. Ik was blij dat hij alles volgens alfabet opborg. Eerst zocht ik zonder iets te vinden. Ik keek onder de C voor Casteel. Verward en teleurgesteld dacht ik na. Toen trok ik de mappen onder de H naar voren, en zocht naar een dossier met het opschrift HEAVEN. Er ging een schok door me heen toen ik het vond.

Ik ging aan zijn bureau zitten en keek het door. Eerst vond ik alle papieren die betrekking hadden op mijn opleiding. Maar toen vond ik een simpel document, een document dat me meer verkilde dan de ijzigste wind die door de spleten van de grond en de wanden van de hut in de Willies had gewaaid.

Het was een overeenkomst tussen Anthony Townsend Tatterton en Luke Casteel, waarbij het Windenbarron-circus aan Luke werd overgedragen voor de prijs van één dollar en de navolgende voorwaarde:

'...dat hij nooit op enigerlei wijze of in enigerlei vorm contact meer zal zoeken met Heaven Leigh Casteel.' De afspraak was dat hij in dat geval het eigendom van het circus zou verliezen.

Ik leunde achterover, te geschokt om woedend te worden of te huilen of te gillen, te geschokt om te weten hoe ik moest reageren. Ik begreep maar één ding.

Luke had me weer een keer verkocht.

13. DE ZONDEN VAN MIJN VADER

Zodra het licht begon te worden werd ik wakker door het getrippel van kleine voetjes. Ik deed mijn ogen open en zag Drake in de deuropening staan met verwarde haren van de slaap. Hij staarde me verlegen aan. Ik had de deur open laten staan, zodat ik hem zou horen als hij 's nachts wakker werd en om zijn moeder of vader riep. Ik glimlachte en ging overeind zitten. Logan werd ook onmiddellijk wakker.

'Goeiemorgen, Drake,' zei ik. 'Heb je trek in je ontbijt?'

Hij bleef met knipperende ogen naar me staren.

'Hallo, Drake,' zei Logan, die snel uit bed kwam. 'Ik heb honger, dat weet ik wel.'

'Ik wil naar huis,' zei Drake. Hij zeurde niet, hij deelde het gewoon mee.

Ik stapte uit bed en liep naar hem toe, knielde voor hem neer en nam zijn handjes in de mijne. Hij bleef met opeengeperste lippen staan en keek me met zijn donkerbruine ogen doordringend aan.

'Je bent nu thuis, Drake. Waar Logan en ik zijn zal voortaan ook jouw thuis zijn. Herinner je je gisteren nog en alles wat we gezegd en gezien hebben?'

Hij knikte langzaam. Ik omhelsde hem en gaf hem een zoen op zijn wang.

'Goed dan,' ging ik met opgewekte stem verder. 'Nu gaan we ons allemaal wassen en aankleden en ontbijten, en dan gaan jij en ik Farthy verkennen. Zo noemen we dit huis en de grond eromheen. Farthy is een afkorting van Farthinggale Manor. Er is een zwembad, en een prieel, en tuinen en tennisbanen.'

'Mag ik gaan zwemmen?' Drakes ogen begonnen te glinsteren.

'Natuurlijk, schat. Maar nu is het te koud. We kunnen wel in de doolhof, al mag je daar nooit alleen ingaan, omdat je dan kunt verdwalen. Als we gewandeld hebben kun je hier terugkomen en met het speelgoed spelen dat Logan gisteravond voor je heeft opgezocht. En na de lunch rijden we met Miles naar Boston in de limousine en gaan kleren voor je kopen. Hoe vind je dat?'

Hij keek van mij naar Logan, die zich al stond te scheren.

'Je moet beginnen met een lekker warm bad,' zei ik, terwijl ik opstond en hem bij de hand nam om hem naar zijn eigen badkamer te brengen.

'Dat wil ik niet.'

'Natuurlijk wel,' zei ik, snel om me heen kijkend. Ik zag de replica van de *Queen Mary* op een stoel naast zijn notehouten ladenkast liggen. 'Je mag je speelgoedschip meenemen in het water; je zult zien dat de kleine reddingsbootjes echt kunnen drijven.'

Dat trok zijn belangstelling en van toen af aan ging het gemakkelijk. Ik mocht zelfs zijn haar wassen. Daarna droogde ik hem af en trok hem zijn eigen kleren aan, met een wollen trui, omdat het al herfst begon te worden en de wind ons eraan herinnerde dat de winter in aantocht was.

Hij speelde zoet in zijn kamer tot ik me had gewassen en aangekleed, en toen gingen we naar Logan om te ontbijten. Hij las *The Wall Street Journal* door, net als Tony altijd deed aan het ontbijt. Ik keek naar zijn bedachtzame frons, kwam in de verleiding hem de waarheid te vertellen die ik de vorige avond had ontdekt, en alle andere waarheden die ik zo lang voor hem verborgen had gehouden. Plotseling keek hij op. 'Een penny voor je gedachten, schat.' Hij glimlachte.

O, waren mijn gedachten zo duidelijk op mijn gezicht te lezen? Ik verborg mijn schaamte achter een glimlach.

'Je bent me een penny schuldig,' ging Logan verder voordat ik iets kon zeggen. 'Ik weet wat je denkt.' Mijn hart stond even stil. Hij legde de krant neer en grijnsde naar me. 'De baby, je denkt aan de nieuwe baby, hè?'

Ik glimlachte alleen maar. 'Ik denk aan al mijn nieuwe kinderen, vooral aan deze jongeman,' zei ik, door Drakes haar woelend.

De bedienden deden hun uiterste best om Drake zich thuis te laten voelen. Rye Whiskey maakte zelfs een olifant van vruchtjes en bracht het bord zelf binnen. Het was de eerste keer dat er een echte glimlach verscheen op Drakes gezicht.

Ik zag dat hij Lukes glimlach had geërfd.

Logan moest onmiddellijk na het ontbijt weg om zijn vliegtuig te halen. Hij gaf mij en toen Drake een zoen, die zo verbaasd opkeek dat ik me afvroeg of Luke hem ooit had gezoend als hij kwam of wegging. Misschien had Luke die afkeer van enig vertoon van emotie die de meeste mannen uit de Willies hadden. Sentiment was iets voor een vrouw.

Na het ontbijt gingen Drake en ik de beloofde wandeling maken door Farthinggale Manor. De bomen in het park en in de omliggende bossen kregen al hun kleurige herfsttooi. Het was of God met een grote verfkwast geel en oranje, rood en roze had aangebracht. Omdat de bomen nog al hun bladeren hadden, was het een adembenemend gezicht. Het was een koele, maar stimulerende ochtend.

De tuinlieden waren aan het werk rond het huis en ik zag dat sommige mannen bezig waren het zwembad gereed te maken voor de winter. Ik zag dat de kleine Drake gefascineerd was door al die activiteit. Zijn ogen gingen heen en weer, keken gretig naar de mannen die bezig waren bomen en struiken te snoeien, de zijkanten van het zwembad te schilderen en scheuren te dichten in de patio's.

Toen we bij een van de ingangen van de doolhof kwamen, legde ik uit wat het was en waarom het gevaarlijk was om in zijn eentje naar binnen te gaan.

'Na een paar bochten kun je al vergeten zijn hoe je terug moet, omdat alle bochten en paden er hetzelfde uitzien.'

'Waarom heeft iemand dat gemaakt?' vroeg hij, met half dichtgeknepen ogen. Hij was een bedachtzame, merkwaardige jongen. Na een jaar lang onderwijs te hebben gegeven, kon ik de leergierigheid herkennen in de ogen van een jong kind. Als hij zich eenmaal op zijn gemak zou voelen bij mij en in zijn nieuwe omgeving, zou hij ongetwijfeld veel gaan vragen. Ik vroeg me af of Luke en Stacie geduld met hem hadden gehad en zijn zucht naar kennis hadden bevredigd. Ik besloot hem een goede privé-leraar te geven, om hem alvast wat te leren voor hij naar school ging.

'De mensen vinden het leuk,' antwoordde ik. 'Het is een puzzel, maar alleen een puzzel voor oudere mensen, begrijp je?'

Hij knikte.

'Beloof me dat je er nooit in je eentje ingaat.'

'Ik beloof het,' zei hij, en ik drukte hem tegen me aan. Hij keek me recht in de ogen, en voor het eerst lag er een warme blik in.

'Kijkt pappie nu omlaag en lacht hij naar me?' vroeg hij.

'Dat denk ik wel, Drake. O ja, vast wel.' Ik stond op. 'Kom, dan gaan we zien wat die mannen bij het zwembad doen.'

Na de lunch liet ik Miles de limousine voorrijden om ons naar Boston te brengen voor onze winkeltocht. Ik dacht aan de tijd toen Tony me mee naar Boston nam om mijn garderobe te kopen voor de Winterhaven School, en hij had gezegd: 'Ik vind het verschrikkelijk zoals de meisjes er tegenwoordig bijlopen, de mooiste jaren van hun leven bederven met slordige, ordinaire kleren... Jij moet je kleden zoals de meisjes zich kleedden toen ik naar Yale ging.' En toen nam hij me mee naar de kleine boetieks waar kleren en schoenen een klein vermogen kostten. Niet één keer informeerde hij naar de prijs van truien, rokken, jurken, jassen, laarzen... wat dan ook. Alleen had Tony zich vergist wat de kleren betrof. Niet één meisje in Winterhaven droeg een rok. Ze kleedden zich als elke andere tiener, in spijkerbroek en slobberige tops, te grote hemden en slechtpassende sweaters.

Ik was vastbesloten niet dezelfde fout te maken met Drake. Ik zou mooie dingen voor hem kopen, maar geen "nette" kleren die hem van andere kinderen van zijn leeftijd zouden onderscheiden. Ik was niet van plan hem te transformeren in iets dat hij niet was, zoals Tony met mij had geprobeerd. Ik lette goed op wat Drake leuk vond. Ik kocht een paar nette kleren voor hem, maar heel veel kleren om in te spelen – spijkerbroek, flanellen hemden, sneakers.

Miles volgde in de limousine en nam de pakjes van me over als ik de ene winkel na de andere uitkwam. Tenslotte waren Drake en ik allebei uitgeput van het winkelen. We stapten in de auto en gingen terug naar Farthy. De bedienden hielpen alles naar Drakes kamer te dragen, maar ik stuurde de dienstmeisjes weg en borg de dingen zelf op. Ik wilde dat Drake mijn sterke band met hem en alles wat met hem te maken had zou voelen. Hij zat op het kleed te spelen met zijn autootjes terwijl ik zijn kleren weghing en in de laden vouwde. Nu en dan keek hij naar me op en staarde naar me.

Ik kon zien dat hij nog niet goed wist wat hij aan me had of wie ik was. Was ik een stiefmoeder, een stiefzuster, een kindermeisje? Hij voelde zich meer op zijn gemak met me, maar bleef nog gereserveerd, was karig met woorden, lachjes en zelfs tranen. Ik wist dat het tijd zou kosten en dat het een kwestie van vertrouwen was. Ik wist beter dan wie ook wat het betekende om opnieuw te beginnen met een nieuw gezin en een nieuw huis.

Hij praatte wat uitvoeriger tijdens het avondeten, vertelde me over de keren dat hij met Luke naar het circus was geweest, over de dieren en de acrobaten. 'Heaven, er was een vrouw die aan haar haar hing en als een tol ronddraaide, en soms mocht ik van pappie de olifanten voeren. Maar wat ik het allerleukste vond was als ik van pappie mijn eigen clownskostuum mocht aantrekken en mijn speciale clownsneus en -pruik opzetten, en bovenop de kameel mocht rijden. Hij heette Ishtar, vind je dat geen grappige naam, Heaven?'

Hij vroeg wanneer hij terug zou kunnen naar het circus, en ik vertelde hem dat ik hem binnenkort zou meenemen naar een circus, misschien zelfs een nog groter circus. Maar praten over het circus deed hem aan Luke en Stacie denken, en hij werd weer melancholiek. Rye Whiskey bracht weer uitkomst toen hij met een chocoladetaart van drie lagen en een clownsgezicht van aardbeien binnenkwam.

'Wauw! Wat is dat?' vroeg Drake opgewonden.

'Die taart heet een Drake-taart,' zei Rye Whiskey glimlachend. 'Vertel me maar of je hem lekker vindt.' Met die woorden zette hij de taart voor Drake neer. 'Mag ik het stukje met de neus?' vroeg Drake.

'Natuurlijk, jongeman,' zei Rye Whiskey. Hij deed net of hij Drakes neus stal, stak zijn duim tussen zijn vingers en grinnikte. 'Ik heb jouw neus, dus mag jij die van de taart hebben.'

Kort daarna bracht ik Drake naar zijn kamer, waste hem en kleedde hem uit om naar bed te gaan. Hij had weer een lange dag achter de rug. Ik liet hem nog even spelen, tot hij slaperig begon te worden. Toen stopte ik hem in onder zijn zachte deken, gaf hem een zoen op zijn wang en liet hem slapen – zijn tweede nacht in Farthy.

Ik ging naar de zitkamer om op Tony te wachten en hem zodra hij thuiskwam de waarheid voor de voeten te gooien. De wereld buiten Farthinggale leek mijn woede en verontwaardiging aan te voelen. De lucht was dreigend donker en bliksemflitsen doorkliefden de lucht. Geen ster durfde zich die avond te vertonen. Even later begon het te stromen van de regen.

Plotseling hoorde ik het geluid van banden die suizend door de plassen reden, en toen ging de voordeur open. Ik hoorde Curtis Tony goedenavond wensen, hem alle boodschappen doorgeven en op de hoogte brengen van alles wat er die dag gebeurd was. Tony kwam de zitkamer binnen en glimlachte toen hij mij zag.

'Het spijt me dat ik er niet was toen jij en Logan thuiskwamen,' zei hij, naar me toelopend. 'Heb je een moeilijke tijd gehad?'

'Ja,' antwoordde ik scherp. 'En om meer dan één reden. Een tijd vol verrassingen en droefheid, geheimzinnigheid en verwarring.'

'Waar is Logan?' vroeg hij, alsof hij een bondgenoot zocht.

'Hij moest terug naar Winnerow. Er is een of andere crisis met de werklieden. Misschien kunnen we even naar je kantoor gaan om te praten, Tony,' zei ik snel. Hij staarde me even aan en kneep zijn blauwe ogen achterdochtig samen.

'Ik was net op weg ernaar toe,' zei hij. Hij maakte een gebaar om me voor te laten gaan. Ik knipte het licht aan en liep meteen naar zijn bureau, ging in de leren stoel zitten en wachtte tot hij in zijn bureaustoel zat. 'Dus je hebt J. Arthur Steine ontmoet,' zei hij, alsof dat alles verklaarde.

'Ja. En nu wil ik het van jou horen, Tony. Waarom heb je het circus gekocht en toen voor één dollar aan Luke gegeven?'

Hij haalde zijn schouders op en leunde achterover. Hij legde de toppen van zijn vingers tegen elkaar, bracht zijn palmen bijeen en legde zijn vingers tegen zijn lippen alvorens iets te zeggen.

'Ik zocht een manier om je bij ons terug te krijgen in Farthy,' zei hij. 'Ik kon niet geloven dat je dit alles wilde opgeven voor een baan als lerares in dat dorp, waar de mensen je niet eens waardeerden.'

'Ik was er niet voor de mensen, maar voor de kinderen,' verbeterde ik hem.

Hij knikte. 'Dat weet ik. Maar ik wist niet meer hoe ik je liefde en aanhankelijkheid moest veroveren, en ik dacht dat als ik iets voor Luke deed, je het zou appreciëren wat ik deed voor iedereen om wie... om wie je gaf... en dat je dan terug zou komen.'

Maar je hebt me zelfs nooit verteld wat je had gedaan,' zei ik, op zijn woorden afspringend. 'Leg me de logica daarvan eens uit. Je bent meestal erg logisch, Tony.'

'Dat besef ik wel,' gaf hij toe. 'Maar toen ik het circus had gekocht en aan Luke had gegeven werd ik bang. Ik dacht dat je zou denken dat ik probeerde je liefde te kopen, en ik uiteindelijk meer schade zou aanrichten door je dit te vertellen. Dus liet ik het maar zo. Het was niet zo'n grote uitgave voor me. Het was niet belangrijk, en toen... toen kwam het telegram, en de rest weet je. Dus,' zei hij, verlangend om van het onderwerp af te stappen, 'hoe gaat het met de kleine jongen? Ik weet zeker dat –'

'Ik wil alles weten, Tony. Ik wil het hele verhaal uit jouw mond horen en ik wil weten waarom je het hebt gedaan,' herhaalde ik, terwijl ik mijn blik koel en strak op hem gericht hield. Ik wist dat ik, als ik het wilde, zijn scherpe, doordringende blik kon weerstaan. Ik had niet alleen die blik van hem geërfd, maar ook de ijzeren ruggegraat. We keken elkaar recht in de ogen, Tatterton tegen Tatterton. Het leek een eeuwigheid te duren. Zijn blauwe ogen bleven kalm en ondoorgrondelijk.

'Wat bedoel je?' vroeg hij tenslotte. 'Ik heb je verteld waarom ik het heb gedaan.'

'Je hebt me niet de waarheid verteld, Tony.' Even vroeg ik me af of hij zelf soms zou denken dat hij dat wél had gedaan. De bewoners van Farthinggale Manor leefden al zo lang met illusies. Misschien wist hij gewoon niet meer wat waar was en niet waar. Soms, dacht ik, kon je zo intens dromen dat je niet meer wist of het een fantasie of een echte herinnering was.

'Wat is niet waar?' vroeg hij.

'De reden waarom je het circus hebt gekocht en aan Luke hebt gegeven.'

'Wat ik je verteld heb is waar,' hield hij vol. 'Ik heb het voor jou gedaan.'

'Dat bedoel ik niet, Tony. Je zult het waarschijnlijk wel gedaan hebben om me hier terug te krijgen. Maar ik wil het hele verhaal horen. Wat was Lukes reactie toen je hem het circus gaf?'

'Hoe zou zijn reactie zijn? Hij was dankbaar,' zei Tony schouderophalend. 'Eerst dacht hij dat jij er achter zat. Ik heb hem moeten uitleggen dat jij er niets van wist, en hem gevraagd jou niets erover te zeggen. Hij was een beetje verbaasd, maar hij accepteerde het. En toen, zoals ik al zei, heb ik het erbij gelaten. Ik heb er niet meer aan gedacht. Dus...'

'Wat heb je hem nog meer gevraagd?' vroeg ik. Hij verbleekte.

'Hoe weet je dat ik hem nog meer heb gevraagd? Heeft J. Arthur Steine je nog iets anders verteld?'

'Nee, Tony. Meneer Steine doet precies wat jij zegt. Maar toen ik hoorde wat je had gedaan en hoezeer je bij Lukes zaken betrokken was, moest ik er voortdurend aan denken. Toen Logan en ik terugkwamen had ik jou willen vragen waarom je had gedaan wat je hebt gedaan, maar je was er niet. Ik kon die avond niet in slaap komen; ik moest er steeds weer aan denken. En toen ben ik naar beneden gegaan naar je kantoor en heb zelf het antwoord gezocht.'

'Wát heb je gedaan?' Geschrokken keek hij naar de archiefkast en toen weer naar mij.

'Ja, Tony, ik heb je dossiers nagekeken en ik heb de overeenkomst gevonden tussen jou en Luke, en wat ik wil weten, wat ik eis te weten, is waarom je zoiets verschrikkelijks hebt gedaan.' Ik beefde over mijn hele lichaam, maar ik was vastbesloten sterk en beheerst te blijven. Ik voelde mijn hart bonzen en de tranen in mijn ogen springen.

Tony was even zo verbluft dat hij geen woord kon uitbrengen. Hij staarde me aan en leunde achterover. Hij sloeg zijn ogen neer, hij kon de scherpe blik van mijn ijskoude, blauwe ogen niet doorstaan.

'Het wás verschrikkelijk,' bekende hij. 'Ik heb al die tijd ermee geleefd, en ik had me voorgenomen er spoedig een eind aan te maken. En toen kwam dat telegram en besefte ik dat het te laat was, dat ik het nooit meer goed zou kunnen maken...' Hij keek op. 'Ik hoefde niet voor zaken weg. Ik ben gewoon een paar dagen gevlucht. Ik wilde je ontlopen als je pas terugkwam van de begrafenis en je gesprek met Steine. Ik hoopte dat je er niet te veel aandacht aan zou schenken, maar dat was natuurlijk een onzinnige hoop. Want jij wilt altijd alles weten, elk deeltje van de waarheid, ook al bezorgt die waarheid je verdriet.

'Een paar van de dingen die je eens tegen me hebt gezegd over de manier waarop ik Jillian behandelde waren waar – ik leefde in een illusie, en ik probeerde hetzelfde te doen met jou. Ik had me moeten realiseren dat je te veel van een Tatterton, van een vroege Tatterton in je had, om dat niet te beseffen.'

'Waarom heb je het gedaan?' drong ik aan. 'Waarom wilde je dat Luke zich niet meer met mij zou bemoeien?'

Hij wendde even zijn blik af, blijkbaar om moed te verzamelen voor hetgeen hij ging zeggen.

'Je weet niet wat het voor me betekende toen je wegging na Troys dood. Je hebt geen idee hoe ik je gemist heb. Ik heb je nooit verteld hoeveel je voor me betekende, hoe belangrijk het voor me was je hier te hebben, je te kunnen zien, met je te kunnen praten... Die avond toen we naar het theater gingen voelde ik me zo gelukkig... Ik... had Jillian in zekere zin al verloren, en het zag ernaar uit dat ik jou ook ging verliezen.

'Plotseling bestond er weer enige hoop dat je misschien terug zou komen, dat ik het zo zou kunnen regelen dat je een groot deel van je tijd hier zou doorbrengen, en toen... toen hoorde ik dat je Luke voor je huwelijk had uitgenodigd...'

'Hoe heb je dat gehoord, Tony? Je was niet bij het huwelijk in Winnerow. Jij hebt er niets van betaald, dat heb ik zelf gedaan,' zei ik trots.

'Logan heeft het me verteld,' antwoordde hij.

'Logan?' vroeg ik verbijsterd. 'Logan?' Hij knikte. 'Maar je kende Logan toen nauwelijks. Ik begrijp het niet.'

'Ik heb hem opgebeld zodra ik hoorde dat jullie je verloofd hadden en we hebben elkaar gesproken. Ik heb hem een paar keer gesproken. Ik heb hem gevraagd niet tegen jou te zeggen dat ik hem belde en vragen over jou stelde. Ik wilde niet dat je zou denken dat ik probeerde me ermee te bemoeien. Hij begreep het. Ik vond hem een intelligente, gevoelige jongeman.'

'En je hebt hem gevraagd naar mijn verhouding met Luke?'

'Ja.'

'En zo hoorde je dat ik hem had uitgenodigd voor het huwelijk,' zei ik.

'Precies. Ik was bang,' voegde hij er snel aan toe. 'Bang dat jullie zo naar elkaar toe zouden groeien dat je in zijn wereld zou blijven en mij uit je leven zou bannen.'

'En toen kocht je het circus en gaf het aan hem vlak voor mijn huwelijk, zodat hij dat niet zou kunnen bijwonen. Dat was het dus!' Plotseling drong het tot me door wat hij precies had gedaan. 'Je hebt het met opzet zo gepland! Je hebt hem van mijn huwelijk vandaan gehouden en toen van mij!'

'Ja.'

'Je durft me in alle rust te vertellen dat je je enorme rijkdom hebt gebruikt om te proberen mijn liefde te kopen.'

'Ja,' zei hij weer. 'Ik beken het allemaal, maar je moet mijn motieven begrijpen. Je moet –'

'Ik moet niets!'

Ik stond op. Al mijn woede barstte los als een lang ingedamde bergbeek, en ik gilde, ik gilde echt tegen hem. 'Mijn leven lang ben ik van het ene paar armen doorgegeven aan het andere paar, gekocht en verkocht lijkt het, als een slavin vóór de Burgeroorlog. Mijn liefde was een soort handelsartikel, iets om te bezitten, te bewaren, te manipuleren en weg te gooien, en jij wilt dat ik dat begrijp?'

'Heaven –'

'Waarom moet ik jouw gevoelens begrijpen? Wanneer zal een van jullie de mijne begrijpen? Wanneer denken jullie eens aan mij en niet alleen aan jezelf? Jij en Luke... jullie zijn één pot nat. Het is hetzelfde of je iemands liefde koopt of verkoopt... het is allebei even verschrikkelijk.

'Ja, Luke was even schuldig toen hij die overeenkomst sloot, maar hij wilde dat circus zo verschrikkelijk graag, dat hij bereid was zijn eventuele liefde voor mij te verkopen. Hij was mijn echte vader niet, en dat wist hij.

'Maar jij!' zei ik, met mijn vinger naar hem wijzend. 'Hem zo'n aanbod te doen, te speculeren op zijn hebzucht, zijn hartstocht... je bent net als... als de duivel.'

'Nee, Heaven. Toe.' Hij wilde naar me toe komen.

'Jawel,' zei ik, achteruitdeinzend. 'Je bent net de duivel. Je speculeerde op zijn begeerte, zijn hartstocht voor dat circus, en net als de duivel liet je hem een deel van zijn ziel verkopen.'

'Maar alleen uit liefde voor jou!' protesteerde hij.

'Ik wil dat soort liefde niet. Dat is geen ware, zuivere liefde; dat is een liefde die parasiteert op anderen. Je hebt een leven vol leugens geleid, Tony. Dat doe je nog steeds, en het heeft een heel egoïstisch mens van je gemaakt.'

'Dat is niet waar,' hield hij vol. 'Alles wat ik nu heb, alles wat ik heb gedaan, is voor jou.'

'Is dat zo? Je wist wat het enige was dat ik in mijn leven verlangde. Het enige dat mijn leven compleet maakte, dat me hoop en geluk gaf. Het enige dat je me onthouden hebt.'

Hij staarde me verward aan.

'Ik begrijp het niet. Wat heb ik je onthouden? Wat heb je ooit gevraagd dat ik je niet heb gegeven?'

'Je hebt me onder donkere wolken laten leven, zodat jij voor de zon kon spelen en me een straaltje hoop en geluk kon geven wanneer het jou uitkwam. Je was bang dat als ik niet bedroefd was, dat als ik niet onder een donkere, sombere lucht leefde, jij nooit iets helders en levendigs voor me kon zijn.

'Dus liet je me in de waan dat Luke niet om me gaf, terwijl je hem in werkelijkheid gevangen had in zijn eigen web van hebzucht.'

'Maar...' Hij deed een stap naar voren, om te proberen me te omhelzen, maar ik bleef achteruitgaan.

'En je liet me in de waan dat Troy dood was,' zei ik. De woorden klonken als een donderslag in de kamer. Hij werd zo bleek, dat het leek of hij in een zoutpilaar veranderde. Ik wilde het geheim niet verraden dat Troy en ik samen hadden. Het was het enige dat over was van alles wat dierbaar en speciaal was. Maar ik besefte plotseling dat als Tony eerlijk was en hij me werkelijk terug wilde hebben in Farthy, hij me zou hebben verteld dat Troy niet dood was en me hebben teruggehaald naar Farthy om Troy te helpen weer een normaal leven te leiden.

Maar hij wilde niet dat ik terugging naar Troy; hij wilde dat ik naar hem, alleen naar hem terugkeerde.

'Je weet het?' fluisterde hij.

'Ja, ik ben er achter gekomen vlak voordat hij wegging.'

'Het was zíjn wens dat je het niet zou weten,' zei Tony snel. Op dat moment leek Anthony Townsend Tatterton in mijn ogen zo goedkoop als een ordinaire dief, een kleine dief die trachtte zich met leugens te redden, en als de ene leugen niet hielp, probeerde hij een andere, en verried tenslotte zelfs degenen die hem het naast stonden.

'Maar je wist dat hij die dingen zei omdat hij gedeprimeerd was, omdat hij geloofde dat we nooit iets voor elkaar konden zijn. Je had méér kunnen doen. Als je het me had verteld en ik had hem kunnen zien en spreken... toen ik hem eindelijk ontdekte, was het te laat.

'En nu is hij weg,' zei ik zachtjes, 'en een werkelijk onbaatzuchtige liefde is verloren gegaan.'

Ik keek naar hem op, terwijl de tranen over mijn wangen stroomden.

'En ik weet niet of jij Jillian niet tot haar waanzin hebt gebracht,' zei ik. 'En je hebt geholpen Troy in de vergetelheid te drijven. En nu,' eindigde ik, me oprichtend, 'heb je mij verdreven.'

'*Heaven!*' schreeuwde hij, toen ik me omdraaide en haastig zijn kantoor uitliep. Ik keek niet achterom. Ik holde de trap op naar mijn suite en begon te pakken.

Morgenochtend zou ik samen met Drake Farthy verlaten. En deze keer voorgoed.

Ik keek bij Drake naar binnen en zag dat hij de deken over zijn hoofd had getrokken, alsof hij de wereld om zich heen wilde buitensluiten. Dat had ik zelf ook wel willen doen, maar ik wist dat je de waarheid niet kon ontvluchten, al deed je nog zo je best je ervoor te verstoppen. De waarheid had haar eigen manier om de spleten en scheuren te vinden in de muren van de fantasie die je om je heen opbouwde, ook al was je rijk.

Ik sloeg de deken omlaag rond zijn hals, streek een paar lokken haar uit zijn ogen en gaf hem zachtjes een zoen op zijn wang. Ik wist dat het hem in de war zou brengen, maar ik wist ook dat dit geen omgeving voor hem was om in op te groeien. Ik mocht dan mijn wortels hebben in Farthy, maar mijn hart was in Winnerow, met die simpele wereld waar ik uit het raam van Hasbrouck House de Willies kon zien.

Het was beter dat Drake daar opgroeide, in die zon, met die geluiden, dan hier in de lage, lege gangen van Farthinggale, omgeven door de jammerende geesten die de Tattertons achtervolgden.

Ik pakte voor ons allebei, tot ik te moe werd en naar bed ging. Ik was fysiek en emotioneel uitgeput, maar bleef met open ogen in het duister staren. Ik vroeg me af hoe het verder zou gaan met Logan en het leven dat we nu in Winnerow zouden gaan leiden. Ik hoopte dat ik hem aan het verstand zou kunnen brengen dat ik niets meer met Farthinggale Manor en heel weinig met Tony te maken wilde hebben. Natuurlijk zou ik het hem niet vertellen van Tony, maar hij moest wel weten wat Tony had gedaan om me bij Luke vandaan te houden, en ik hoopte dat hij het zich net zo zou aantrekken als ik. Maar bovenal hoopte ik dat hij me tegen zich aan zou houden en we mettertijd weer datzelfde verrukkelijke, opgewonden gevoel zouden krijgen als vroeger, toen we nog naar school gingen.

Ik moest ook aan Troy denken. Ik vroeg me af waar hij was en hoeveel hij van mijn leven zou weten, van alles wat er gebeurd was en nog zou gaan gebeuren. Zou hij me van dichtbij gadeslaan, zoals hij mijn huwelijksreceptie had gadegeslagen? Of had hij zich werkelijk gedistantieerd van alles wat met mij en Farthy te maken had?

Elke dag die voorbijging werd hij meer en meer een illusie, de verpersoonlijking van de ideale liefde, de onbereikbare, perfecte liefde, die kapotgaat als je hem alleen maar aanraakt, zoals een mooie, volmaakte zeepbel uiteenspat als je met je vingers de dunne, tere wand beroert.

Ik wist het nu. Ik wist dat de liefde die ik voor Logan koesterde zijn wortels had in de realiteit, en dat ik die liefde moest koesteren en laten uitgroeien tot een stoere eik, die door geen storm aan het wankelen kon worden gebracht. Met Logan zou ik een nieuw leven opbouwen, een gezin, een toekomst. Ik had zoveel verloren, maar ik had nog steeds veel om dankbaar voor te zijn.

Toen ik aan dat alles dacht werden mijn ogen vochtig, maar ik huilde me niet in slaap. Ik deed mijn ogen dicht en liet me wegzakken in het kussen, vallen, wegzinken, tot het geluid van mijn kamerdeur die ruw werd opengerukt me weer tot bewustzijn bracht. Ik kwam snel overeind en zag de donkere silhouet van een man op de drempel. Even dacht ik dat het Troy was. Mijn hart sprong op, maar mijn hoop vervloog toen ik de stem hoorde.

'Leigh,' zei hij. 'Ben je wakker?'

Het was Tony. Zelfs op deze afstand kon ik de alcohol ruiken.

'Wat wil je, Tony?' vroeg ik met harde, koude stem. Hij reageerde met een zacht lachje en deed het licht aan. De kamer was plotseling fel verlicht, en ik hield mijn handen voor mijn ogen. Toen ik ze weghaalde zag ik dat hij gekleed was in een hemd en een lange broek. Zijn hemd was tot zijn navel opengeknoopt. In zijn armen droeg hij een van Jillians doorzichtige nachthemden.

'Ik heb dit voor je meegebracht,' zei hij. Zijn ogen waren glazig, zijn haar was verward en zag eruit of hij er voortdurend met zijn vingers doorheen had gestreken. 'Het staat jou zo mooi. Wil je het niet nog eens voor me dragen? Alsjeblieft?'

'Ik heb dat nooit voor je gedragen, Tony. Je bent dronken. Ga alsjeblieft de kamer uit.'

'Maar je hebt het wél voor me gedragen. En kijk,' hij haalde zijn hand onder de dunne stof vandaan, 'ik heb wat van Jillians parfum voor je meegebracht. Ik weet hoe je daar van houdt. Je probeert altijd wat van haar te krijgen. Ik zal je wat opdoen.' Hij ging op de rand van mijn bed zitten. Ik trok me zo ver mogelijk van hem terug, maar hij stak zijn hand uit, hield het open flesje tegen zijn vingers en streek langs mijn hals. De zware geur van jasmijn drong in mijn neusgaten. Ik wilde me terugtrekken toen hij zijn vingers tussen mijn borsten bracht.

'Nee, Tony, stop. Ik wil Jillians parfum niet. Hou op. Je bent dronken. Ga weg,' beval ik. Hij keek me aan en glimlachte alsof hij me niet hoorde. Toen herinnerde hij zich het nachthemd in zijn armen, stond op en spreidde het uit op het bed naast me, terwijl hij er liefdevol met zijn vingers overheen gleed.

'Toe dan, trek het aan,' zei hij. 'En dan ga ik naast je liggen, zoals ik heb gedaan toen je het de vorige keer droeg.'

'*Ga onmiddellijk mijn kamer uit, Tony!* Ik roep de bedienden als je niet weggaat.'

'Leigh,' fluisterde hij.

'Ik ben Leigh niet!' schreeuwde ik. 'Ik ben Heaven! Tony, ga weg! Je maakt me bang!'

Hij negeerde me weer, tilde de deken op en kwam naast me liggen. Ik probeerde te ontsnappen, maar hij greep me rond mijn middel en trok me naar zich toe.

'Leigh, alsjeblieft, laat me niet in de steek. Luister niet naar wat Jillian zegt. Ze is krankzinnig jaloers op jou, op alle andere vrouwen. Ze is zelfs jaloers op onze dienstmeisjes, omdat de één mooie handen heeft of de ander een mooie kin.' Hij bracht zijn lippen naar mijn schouder, schoof mijn nachthemd met zijn wang omlaag langs mijn arm, en drukte zijn mond op mijn huid.

'Tony, stop!' schreeuwde ik.

Ik zette mijn hand tegen zijn slaap en duwde hem zo hard ik kon weg. Toen zijn hand mijn borst aanraakte, gilde ik en klauwde met mijn nagels over zijn gezicht.

'Ga weg! Ga weg! Weet je niet wie ik ben? Herinner je je niet dat ik je eigen dochter ben en dat ik zwanger ben!'

Ik sloeg hem in zijn gezicht.

Hij staarde me even met knipperende ogen aan. Ik zag dat de realiteit de herinneringen verdreef, hem uit het verleden terugbracht in het heden. Het besef waar hij was en wat hij deed drong met een schok tot hem door. Hij slikte moeilijk en keek om zich heen.

'Mijn God!,' zei hij. 'Ik dacht...'

'Je dacht? Je bent dronken en weerzinwekkend! Ik wil dat je weggaat! Ga weg!' schreeuwde ik, uit bed springend. Hij keek met starende ogen naar me op.

'O, Heaven, vergeef me. Ik...' Hij keek naar het nachthemd dat hij had meegebracht en toen naar mij, en betastte zijn roodgeworden wang. 'Ik was in de war, ik...'

'In de war?' De verontruste gedachten die altijd in de donkerste hoeken van mijn hersens op de loer lagen, kwamen naar buiten gestormd. Ik herinnerde me andere keren waarop hij me had aangeraakt en gekust, en plotseling leek alles even weerzinwekkend, wellustig, incestueus. Alle angsten, alle trieste herinneringen kwamen boven. Ik kon nauwelijks meer denken. Ik drukte mijn handen tegen mijn oren. 'Je bent niet beter dan een van mijn verwanten uit de binnenlanden, mijn hill-billy familie, zoals jij ze altijd noemde!' Ik schreeuwde zo luid dat mijn stem brak. 'Je geld heeft geen enkel verschil gemaakt. Je bent geen haar beter dan de achterlijke hill-billies uit Winnerow die hun eigen dochters verkrachten!'

'Heaven, nee...'

'Ga weg! Ga weg!' schreeuwde ik weer.

Hij stond op van het bed, pakte Jillians nachthemd en liep achteruit naar de deur.

'Alsjeblieft, alsjeblieft, vergeef me. Ik was dronken... ik wist niet wat ik deed. Alsjeblieft,' zei hij, zijn hand naar me uitstekend.

Ik schudde mijn hoofd. De tranen rolden over mijn wangen en mijn hele lichaam trilde.

'Ga weg!' siste ik.

'Ik... het spijt me,' herhaalde hij en vluchtte naar buiten.

Zodra hij weg was, liet ik me op het bed vallen en jammerde. Ik kreeg een hysterische huilbui, en kon mijn woede en verdriet niet bedwingen. Alle droevige en ellendige dingen die me waren overkomen kwamen weer boven. Ik huilde om de moeder die ik nooit had gezien of gekend; om Tom; om Troy; om Logans ontrouw met Fanny; om Luke en Stacie; en ik huilde om Heaven, de arme kleine Heaven Leigh Casteel.

Tenslotte werden mijn tranen gestopt door een koel, zacht handje op mijn schouder. Ik haalde diep adem en draaide me om. De kleine Drake stond naast mijn bed en keek op me neer, met een verwarde uitdrukking op zijn gezicht, maar met zijn ogen vol medelijden.

'Niet huilen,' zei hij. 'Ik ga niet weg.'

'O, Drake. Drake!' riep ik uit en drukte zijn kleine lijfje dicht tegen me aan. 'Ik laat je niet weggaan. We hebben elkaar nodig. Als twee weeskinderen.' Ik gaf hem een zoen op zijn voorhoofd. 'Ik zal altijd bij je zijn. Altijd.'

Hij keek naar me op. In zijn ogen zag ik mijn verdriet weerspiegeld.

'Ik zal niet meer huilen,' zei ik. 'Nu zal ik ophouden met huilen.'

Ik tilde hem in mijn bed en we vielen naast elkaar in slaap, opgerold als twee kleine katjes die hun moeder hadden verloren.

Ik werd wakker met Drake in mijn armen, zijn hoofdje zachtjes tegen mijn boezem. Voorzichtig, om hem niet wakker te maken, liet ik me uit bed glijden, ging me wassen en aankleden. Het was nog vroeg en alles was stil in huis. De bedienden hadden de gordijnen nog niet opengeschoven. De lampen brandden nog. Ik liep snel maar zachtjes de marmeren trap af en botste tegen Curtis op, die zich gereed maakte om de dag te beginnen.

'U bent vroeg op, mevrouw Stonewall,' zei hij.

'Ik heb veel te doen vandaag, Curtis, en snel. Om te beginnen moet ik de luchtvaartmaatschappij bellen en een plaats reserveren voor mezelf en Drake. We gaan vanmorgen naar Winnerow. Wil je Miles waarschuwen? En stuur de dienstmeisjes naar Drakes kamer. Ik heb een paar kleren gepakt en ik wil graag dat zij de rest voor me inpakken. In mijn kamer staan een paar koffers. Vraag of Miles die naar de auto brengt. En wees zo vriendelijk om Rye te vragen een vlug ontbijt klaar te maken voor Drake en mij. Over een dag of twee zal ik nog een paar dingen naar mijn huis in Winnerow laten sturen.'

'Gaat u weg uit Farthinggale?' vroeg Curtis. Ik gaf geen antwoord. Hij keek even naar mijn strenge gezicht en begon toen haastig mijn bevelen uit te voeren. Toen ik weer naar boven ging, zag ik dat Drake wakker begon te worden. Ik haalde hem uit bed, waste hem en kleedde hem snel aan. Hij was beduusd door mijn gespannen houding en zei geen woord. De dienstmeisjes kwamen en ik vertelde ze wat ze moesten inpakken. Drake keek toe, maar zei niets, zelfs niet toen Miles alles naar beneden, naar de auto bracht.

'We gaan op reis naar Winnerow en mijn eigen huis,' zei ik, terwijl ik hem bij de hand pakte om met hem te gaan ontbijten.

'Is dit jouw huis dan niet?' vroeg hij verbaasd en teleurgesteld.

'Nee, dit is van meneer Tatterton,' zei ik. 'Maar maak je niet ongerust. Je krijgt weer een eigen kamer, en Logan bouwt daar een speelgoedfabriek. Je mag gaan kijken.' Dat maakte hem opgewonden en nieuwsgierig.

Ik merkte dat Curtis de anderen had gewaarschuwd voor mijn stemming. Iedereen werkte snel, efficiënt en rustig, en communiceerde met elkaar door middel van gebaren en blikken in plaats van woorden. Ik verwachtte elk moment Tony beneden te zien komen, gekleed om naar zijn werk te gaan, en ik verwachtte dat hij zou proberen me tegen te houden. Maar Drake en ik waren klaar met ons ontbijt voordat hij beneden kwam. Zelfs Curtis was verbaasd.

'Meneer Tatterton is laat vanmorgen,' zei hij, alsof hij excuses voor hem moest maken. Ik zei niets. Ik nam Drake mee naar boven naar mijn suite en belde Logan.

'We komen thuis,' zei ik, zodra hij opnam.

'Je komt thuis?'

'Drake en ik. Ik vertel het allemaal wel als ik er ben,' zei ik.

Ik gaf hem de bijzonderheden over vlucht en aankomst en hij zei dat hij op de luchthaven zou zijn. Toen ik ophing keek ik om me heen of ik nog iets zag dat ik mee wilde nemen. Curtis kwam naar de deur en vertelde me dat Miles alles in de auto had geborgen.

'Mooi, Curtis. Kom mee, Drake.' Ik nam hem bij de hand en liep met hem naar de deur.

'Mevrouw Stonewall,' zei Curtis, toen we in de gang kwamen. 'Mag ik u nog even lastig vallen?'

'Wat is er, Curtis?'

'Toen meneer Tatterton niet beneden kwam, ben ik voor alle zekerheid even boven gaan kijken. Ik heb op zijn deur geklopt om te vragen of hij iets wilde hebben, maar hij gaf geen antwoord. En toen...'

'Ja?' Curtis keek onrustiger en zenuwachtiger dan ik ooit van hem had gezien. Zijn gezicht zag rood en hij bleef aan zijn boord trekken alsof het een maat te klein was.

'Ik zag dat de deur van de suite van mevrouw Tatterton openstond en ik keek naar binnen om te zien of er iets aan de hand was. O, hemel,' zei hij hoofdschuddend.

Ik begon ongeduldig te worden. 'Wat is er, Curtis? Je weet dat ik haast heb.'

'Dat weet ik, maar... maar ik wilde dat u zelf even ging kijken. Ik hoop dat alles in orde is met meneer Tatterton.'

Ik staarde hem even aan. Ik dacht dat Tony een kater had vanmorgen, een welverdiende kater.

'Drake, ga naar beneden met Curtis. Ik kom zo,' zei ik.

'Dank u, mevrouw Stonewall,' zei Curtis. Hij pakte Drakes hand en ze gingen naar beneden. Ik liep door de gang naar Jillians voormalige suite en tuurde naar binnen.

Tony lag languit op Jillians bed, nog bewusteloos in zijn dronkenschap. Maar dat was niet wat Curtis angst had aangejaagd. Het maakte zelfs mij bang. Tony had het nachthemd aangetrokken dat hij bij mij had gebracht, en de kamer stonk naar jasmijn. God mocht weten wat voor illusies hij had gehad, dacht ik, of hoeveel hij nog had gedronken om in deze toestand te raken. Maar ik had geen medelijden; ik voelde alleen maar afkeer.

Ik liet hem daar liggen snurken en deed de deur achter me dicht.

'Het komt best in orde,' zei ik tegen Curtis. 'Laat hem maar met rust.'

'Heel goed, mevrouw Stonewall. En welbedankt.'

Ik liep de voordeur uit en staarde over het terrein van Farthinggale Manor. De herfstwind werd sterker en koeler. Hij rukte aan de bomen en trok de kleurige bladeren van de takken. De rode, gele en bruine bladeren lagen verspreid op de lange oprijlaan en de groene gazons. De takken die al kaal waren staken naakt af tegen de zilverkleurige wolken. Ik rilde en sloeg mijn armen om me heen. Toen liep ik haastig naar de auto.

Drake zat te wachten met zijn brandweerauto op schoot. We hadden hem nieuw speelgoed gegeven, maar dit bleef zijn lievelingsstuk. Hij zag er zo nietig en verloren uit in die grote auto, als een klein vogeltje dat in het nest is achtergelaten. Ik sloeg mijn arm om hem heen en trok hem tegen me aan toen Miles wegreed.

En ik keek niet één keer om.

14. EIGEN HAARD IS GOUD WAARD

Thuis. Thuis. Het woord tolde door mijn hoofd toen ik aan boord ging van het vliegtuig naar Atlanta, met het handje van de kleine Drake in de mijne geklemd. 'Vertel me nog eens waar we naar toe gaan, Heaven,' vroeg hij, toen we in de stoelen van de grote jet zaten.

'We gaan naar huis, Drake. Naar huis in Winnerow. Waar ik ben opgegroeid. Waar je pappie is opgegroeid. En nu zul jij daar ook opgroeien,' zei ik, met een geforceerd opgewekte klank in mijn stem. 'En daar zul je gelukkig zijn. Zo gelukkig!'

'Maar, Heaven, ik dacht dat ik in dat kasteel zou gaan wonen! Ik vond het prettig daar.' Zijn stem klonk teleurgesteld.

'Ik beloof je dat je het in Winnerow nog prettiger zult vinden, Drake. We kunnen het huis gaan bezoeken waar je pappie heeft gewoond. En er zijn een hoop heuvels en bossen om in te spelen, die de Willies heten, en er zijn vioolspelers en een prachtige school en speeltuinen en kinderen om mee te spelen. O, Drake, het is een heerlijke plaats voor een jongen om in op te groeien, dat beloof ik je.'

Even later waren we in de lucht en Drake viel onmiddellijk in slaap, waardoor mijn opgewonden gedachten tot rust konden komen en ik kon nadenken over wat er de vorige nacht gebeurd was, en over het verraad dat zich als een lasso steeds strakker om mijn leven spande, tot het leek of ik zou stikken. Maar ik was vastbesloten me eens en voor al aan Tony's greep te ontworstelen. Want het was me nu volkomen duidelijk. Tony was de schuld van al mijn moeilijkheden, vanaf het allereerste begin van mijn leven.

Logan begroette ons enthousiast op de luchthaven. Hij pakte de slaperige Drake op en gaf hem een zoen op zijn wangen en keek toen met een miljoen vragen in zijn ogen naar mij. 'Als we thuis zijn, Logan, zal ik je alles vertellen. Nu niet. Oké?'

Hij knikte, en we legden de lange rit naar Winnerow zwijgend af. Ik kon de raderen bijna horen draaien in Logans hoofd, als het gecompliceerde mechanisme van een stuk Tatterton-speelgoed.

Hoewel Drake vermoeid was na onze overhaaste reis, ging hij rechtop zitten en keek vol belangstelling naar het landschap toen we Winnerow binnenreden. Op de telefoonlijnen zaten spreeuwen als donkere miniatuursoldaatjes, opgebolde, slaperige vogels, in afwachting van de naderende winter en wachtend op de verwarmende zon. Sommige openden hun ogen en keken op ons neer toen we door Main Street reden.

'Ik herinner me deze straat,' riep Drake uit, zijn neus tegen het raam drukkend. 'Pa's circus is hier geweest!'

'Je bent een slimme kleine jongen, Drake,' zei ik, en knuffelde hem. 'Je kon toen niet ouder zijn geweest dan vijf.'

'Ik was nog maar een kleine baby. Maar Tom zei –'

Drake maakte zich plotseling los uit mijn armen en staarde verwilderd door het raam. 'Is Tom hier? Is hij hier? Is hij hier?'

'Arme schat van me,' zei ik met tranen in mijn ogen. 'Tom is bij je pappie en mammie in de hemel, Drake.'

Toen wees ik snel op een paar bezienswaardigheden in Winnerow. Ik wilde dat Drake de blik op de toekomst gericht hield, die naar ik innig hoopte, alleen maar opgewekt en gelukkig zou zijn voor hem, en niet op zijn duistere en tragische verleden. Winnerow had maar één hoofdstraat, en alle andere straten waren aftakkingen daarvan. In het midden van het dorp lag de school, met de blauwachtige bergen erachter.

'Dat wordt jouw school,' zei ik, wijzend naar het schoolplein. 'Daar heb ik vroeger les gegeven.'

'Ga je mij ook les geven? Ik ben nog nooit op school geweest,' fluisterde Drake opgewonden en tegelijk een beetje angstig.

'Nee, schat, maar je krijgt een heel lieve onderwijzeres. Ik denk dat je het erg prettig zult vinden op school. En zie je die grote berg?'

Drake knikte.

'Daar komt je pappie vandaan, Drake,' zei ik, wijzend naar onze berg. 'Je kunt hem duidelijk zien van de voorkant van ons nieuwe huis,' vertelde ik hem. Hij staarde er zo aandachtig naar, alsof hij zijn hele jonge leventje erop had gewacht die berg te zien.

'Is pappie op mijn school geweest?'

'Pappie is daar geweest en Logan en ik ook, schat.'

'Misschien kan hij dit jaar nog naar school, al is hij nog niet helemaal oud genoeg,' zei Logan. Het was het eerste wat hij zei na een heel lange tijd. 'Soms zijn ze wel wat inschikkelijk, als je iemand kent of als een kind erg intelligent is,' voegde hij eraan toe. Hij keek me aan, maar ik reageerde niet. Een diepe rimpel liep over zijn voorhoofd, een teken dat Logan diep in gedachten verzonken was. Ik wist dat hij dolgraag wilde weten waarom ik uit Farthinggale was weggelopen. Ik had hem niet kunnen vertellen wat er tussen Tony en mij gebeurd was, omdat Drake naar elk woord dat ik zei luisterde. Ik beduidde hem dat ik niet wilde praten waar mijn kleine stiefbroertje bij was.

'Kleine potjes hebben grote oren,' zei ik. Dat zei oma vroeger altijd.

Logan, die duidelijk gefrustreerd en ongeduldig was, probeerde dapper Drake en mij op ons gemak te stellen door al het nieuws te vertellen over Winnerow en Hasbrouck House. Ik wist dat hij kon voelen dat ik van streek was. Wat lief en roerend van hem om zo zijn best te doen me op te vrolijken.

'Ik heb nog niet al het personeel aangenomen,' waarschuwde hij.

'Ik denk dat ik het wel een paar dagen kan redden zonder een leger bedienden, Logan,' zei ik.

'Dat weet ik. Maar het is een groot huis. Het is veel werk om het goed te onderhouden, vooral nu er al een kind komt te wonen.'

'Het komt heus wel in orde,' zei ik. 'Morgen zal ik een dienstmeisje zoeken.'

'En een kok. We zullen een kok nodig hebben,' zei hij. 'Niet dat jij niet kunt koken, maar – '

'Maar je vindt dat we er een moeten hebben. Ik weet het.' Op overdreven toon zei ik: 'Alle fabriekseigenaren hebben hun eigen kok.' Zelfs hij moest erom lachen.

'Ik heb een tuinman aangenomen, dezelfde tuinman die Anthony Hasbrouck had,' zei hij snel. 'Ik heb hem gewoon aangehouden. Er was een butler, maar die is allang weg. Als je wilt, zal ik het dienstmeisje van Anthony Hasbrouck laten komen, zodat je met haar kunt praten.'

'Goed. Ik weet zeker dat als Anthony Hasbrouck tevreden was, ik dat ook zal zijn,' zei ik. Hij knikte en glimlachte toen.

'Ik heb een verrassing voor je. Ik had het nog een paar dagen geheim willen houden, maar omdat de dingen een vreemde wending hebben genomen om een reden waar ik straks wel achter zal komen, zal ik het je nu vast vertellen.'

'Wat?' Ik boog me naar voren. We waren bijna bij Hasbrouck House. Ook al was het nu van ons, het zou in mijn gedachten altijd "Hasbrouck House" blijven.

'Over een maand is de fabriek klaar voor de openingsplechtigheid.'

'Heus? Dat is geweldig, Logan. Ik popel van verlangen om de produktie van het speelgoed van de Willies te zien.'

'Ik wil een galafeest geven. Ik had het met Tony besproken – ' Mijn hart begon te bonzen alleen al bij het horen van zijn naam. 'We zijn al begonnen met een paar voorbereidingen. Iedereen die iets te betekenen heeft binnen een omtrek van honderdvijftig kilometer zal er zijn.'

'O,' zei ik. Ik wilde blij zijn voor Logan, maar er was maar één ding dat ik echt wilde weten. 'Komt Tony ook op het feest?' vroeg ik, en probeerde mijn stem niet te laten trillen.

'Ik weet dat hij het van plan was. Denk je dat daar nu verandering in komt, Heaven?' Ik hoorde de bezorgde klank in zijn stem.

'We zullen het thuis bespreken, Logan,' zei ik. Toen knuffelde ik Drake even en zei terwille van hem: 'Ik ben nu gewoon te moe om erover te praten.'

'Natuurlijk, schat,' zei Logan, met een steelse blik op mij toen we stopten voor een verkeerslicht. 'Maar ik hoop dat je niet te moe bent om al mijn plannen voor het feest te horen. Smoking, ook al wordt het feest buiten gegeven. Ik heb een orkest van twaalf man gehuurd en de beste caterer in Atlanta. Het zal even chic worden als de parties in Farthy, Heaven. Ik zal je eer aandoen!'

Alleen al de naam Farthy deed me huiveren. 'Logan, als je me eer wilt aandoen, laten we dan een echt Willies-feest geven. Een vrolijk feest dat alle andere feesten zal overtreffen. Een feest waar de handwerkslieden die het speelgoed zullen maken zich op hun gemak zullen voelen. Dit is geen Farthy, en we zijn geen Tattertons. Ik wil die naam niet eens op onze fabriek hebben. Ik wil dat dit zuiver Willies is, de Willies Toy Factory.'

'Maar Heaven...' Logan keek of ik hem een stomp in zijn maag had gegeven. 'We kunnen niet zulke eenzijdige beslissingen treffen. Wat voor problemen je ook met Tony gehad hebt, we zijn nog steeds partners, en alles wordt met zijn geld betaald.'

Mijn stem klonk zo koud als ijs. 'Geloof me, Logan, Tony zal het met alles eens zijn wat ik wil.'

Logan reed zwijgend verder. De sfeer in de auto was om te snijden. Ik had het gevoel dat ik stikte, ik wilde thuis zijn, dit eens en voor al achter de rug hebben.

Even later doemde Hasbrouck House voor ons op. 'Daar is het,' zei Logan tegen Drake, met een geforceerd vrolijke klank in zijn stem. 'Je nieuwe thuis, Drake.' We reden de grote oprijlaan op die naar het grote, koloniale huis voerde. De takken van de treurwilgen hingen over de oprijlaan en vormden een groene tunnel.

'Het is niet zo groot als Farthy,' zei Drake toen we stopten.

Logan fronste zijn wenkbrauwen. 'Nee, Drake. Dat is bijna geen enkel huis. Maar dit is groot genoeg, dat zul je zien.'

Toen we stilhielden kwam Appleberry, de tuinman die Logan had aangehouden, naar de voorkant van het huis om ons te begroeten en ons te helpen met de bagage. Hij was een kleine, maar stevig gebouwde man, wiens grijze haar in kleine plukjes op een gedeeltelijk kale schedel groeide, die dezelfde sproeten vertoonde als zijn voorhoofd en slapen. Hij had een vriendelijk gezicht met lachende ogen.

Drake en hij waren onmiddellijk de beste maatjes.

'Ik help u wel daarmee, mevrouw Stonewall,' zei hij. 'Dat wil zeggen, ik en de jongeheer hier. Mijn naam is Appleberry.' Hij stak zijn hand met de lange vingers uit, de hand van een man die werkte met planten en bomen en bloemen. 'En u heet?'

Drake lachte bijna, iets wat ik hem niet vaak had zien doen sinds ik hem uit Atlanta had meegenomen.

'Drake,' zei hij. Appleberry pakte zijn hand en schudde die krachtig.

'Prettig kennis met u te maken, meneer Drake. Neemt u deze?' Hij gaf Drake een linnen tas en Drake pakte hem aan, hield hem met beide handen tegen zijn lichaam gedrukt en keek met een trotse blik naar mij.

'Mooi zo. Sterke jongeman,' zei Appleberry met een knipoog naar mij.

'Dank u, meneer Appleberry,' zei ik, en we gingen naar binnen. Logan en Appleberry namen het grootste deel van onze bagage mee. Ik ging met een van Drakes koffers en hemzelf regelrecht naar zijn slaapkamer.

'Morgen gaan we dit huis verkennen, Drake,' zei ik. 'Het begint al laat te worden en je bent moe van de reis. Oké?'

'Heel verstandig, meneer Drake,' zei Appleberry, die de rest van Drakes spullen binnenbracht. 'Een goede rust betekent een goede dag. Ik wens u welterusten, maar ik ben in de buurt als u hebt ontbeten. Er moeten wat bladeren bij elkaar worden geharkt, als u daar iets voor voelt.'

Drake keek van mij naar Appleberry. Aan zijn gezicht zag ik dat hij zich afvroeg of ik het goed zou vinden dat hij echt werk zou doen. Ik glimlachte. Toen knikte hij snel.

'Mooi zo,' zei Appleberry, en ging weg. Ik nam Drake mee naar de badkamer, waste hem en kleedde hem uit om hem naar bed te brengen. Ik hoorde Logan buiten op de gang. Hij bracht mijn bagage boven en een paar van zijn bezittingen die ik had ingepakt en meegenomen uit Farthy.

Drake had een tweepersoonsbed met een eikehouten hoofdeinde. De matras voelde hard en nieuw aan en de dekens waren fris en schoon. Naar wat ik er in de gauwigheid van gezien had, was het huis in perfecte conditie achtergelaten.

Toen ik bij Drake neerknielde en hem een nachtzoen gaf, had ik medelijden met hem. Hij was uit het ene gezin en huis weggerukt en naar een ander gebracht, en toen ook daar weer vandaan gehaald. Weer werd hij naar bed gebracht in een vreemde omgeving, de brandweerauto naast hem, zijn enige band met het recente verleden.

'Dit is het einde van de reis, lieve, lieve Drake,' fluisterde ik. 'Ik beloof je dat dit je thuis zal worden. Het is goed voor je om in het land te zijn waar je vader zijn wortels had, ook al zul je een veel en veel beter leven krijgen dan hij.'

Ik bedacht dat ik hem op een dag mee naar de Willies kon nemen om hem het graf van zijn grootvader en grootmoeder te laten zien. Hij zou de hut zien, ook al was dat nu een moderne jachthut geworden, en op dezelfde plaats spelen waar Tom en Keith hadden gespeeld. Luke zou hem waarschijnlijk nooit hier mee naar toe hebben genomen, dacht ik. Hij zou misschien zelfs allerlei verhalen hebben verzonnen om zijn verleden voor zijn zoon verborgen te houden.

Ik liep zijn kamer uit en ging direct naar onze slaapkamer om Logan alles te vertellen. Mijn hart bonsde, want er was zoveel dat ik voor hem verborgen had gehouden en dat ik nu zou moeten uitleggen. De ene schande na de andere, waarvan zelfs hij niets had geweten. Ik haatte Tony Tatterton dat hij me dit liet doormaken.

Logan liep zenuwachtig door de kamer te ijsberen en bleef staan toen ik binnenkwam. 'Wel,' zei hij. 'Laat eens horen. Alles.'

Ik haalde diep adem en begon te vertellen wat Tony had gedaan om Luke bij me vandaan te houden, de overeenkomst die ik had ontdekt in zijn archief en wat hij had gezegd toen ik het hem voor de voeten gooide. Logan zat op de stoel bij de toilettafel en luisterde, terwijl ik liep te ijsberen en praatte. Zijn gezicht stond bezorgd, maar hij zei niets, tot ik zweeg en op het bed ging zitten.

'Tja,' zei hij, 'het was verkeerd, verschrikkelijk. Ik begrijp je woede, maar ik geloof dat Tony de waarheid vertelde. Ik geloof dat hij eenzaam was en bang je te verliezen. Ik kan zijn angst begrijpen.'

Ik kon niet geloven dat Logans eerste reactie sympathie voor Tony was. Ik had verwacht dat hij onmiddellijk van zijn stoel zou opstaan om me te omhelzen en me te troosten, omdat Tony de man had omgekocht naar wiens vaderlijke liefde ik zo had verlangd. Ik wilde dat hij me zou kussen en woedend zou zijn op Tony. Ik wilde dat Logan van me zou houden zoals hij had gedaan toen ik nog arm was en in een hut in de Willies woonde. Ik wilde dat hij iets zou doen dat de herinneringen terug zou brengen aan onze jeugd, toen we gelukkig waren omdat we elkaar hadden.

In plaats daarvan probeerde hij kalm te blijven en begrip op te brengen voor het egoïstische en wrede gedrag van een andere man. Mijn gezicht werd zo vuurrood dat zelfs Logan angstig keek.

Natuurlijk begreep ik wel dat zijn relatie met Tony grensde aan idolatrie. Tony had gemaakt dat hij zich belangrijk en rijk en machtig voelde. Hij had een enorme bewondering voor Tony en zijn zakelijke verstand, en het was moeilijk voor hem Tony plotseling te zien als een zwak, zelfzuchtig mannetje. Ik wist ook dat ik Logan niet de hele waarheid had verteld, de hele schandelijke waarheid.

'Ik heb je niet alles verteld,' zei ik. 'Als je alles weet, zullen we zien of je nog zoveel begrip kunt opbrengen.'

'Is er nog meer?'

'Ja, er is nog meer...' Ik haalde diep adem. 'Nog meer redenen waarom ik Farthy moest verlaten. Vannacht, toen Tony en ik die ruzie hadden gehad en ik had gezegd dat ik wegging, kwam hij naar onze suite. Hij was dronken en half ontkleed.'

'Wat wilde hij?' Hij kromp bijna ineen bij de gedachte aan wat hij te horen kon krijgen.

'Wat hij wilde,' zei ik langzaam en weloverwogen, 'was met mij naar bed gaan. Ik moest me met geweld tegen hem verzetten en hem in zijn gezicht slaan om hem tot zijn positieven te brengen.'

Heel lang zei Logan niets. Het was bijna of hij me niet gehoord had. Toen leunde hij achterover als een vermoeide, verslagen man. Zijn kin hing op zijn borst en hij schudde langzaam het hoofd.

'O, mijn God, o, mijn God,' fluisterde hij. 'Ik... ik had... ik had het moeten vermoeden.'

'Vermoeden? Wat bedoel je? Wist jij iets wat je me niet verteld hebt?'?

'Het was niet iets wat ik wist, maar wat ik meende te voelen. Wat moest ik zeggen? Pas op voor je grootvader – '

'Logan,' zei ik, terwijl de tranen over mijn wangen rolden. 'Tony is mijn... mijn vader.'

'Hij is *wat*?'

'Mijn vader, Logan. Ik heb het een paar jaar geleden ontdekt, en ik heb het je nooit verteld omdat ik me zo schaamde.' De woorden rolden eruit. Ik had hem zoveel te vertellen, het kon me niet schelen of hij het zou begrijpen of niet. 'Hij heeft mijn moeder verkracht. Daarom is ze weggelopen. O, begrijp je het dan niet? Daarom haatte pa mij zo. Hij is slecht, Logan, Tony is slecht. Hij probeerde hetzelfde met mij te doen.' Toen begon ik te snikken en kon ik niets meer zeggen.

'O, Heaven, arme Heaven,' zei Logan. Hij stond op en omhelsde me. 'Wat moet je hebben geleden.' Hij hield me dicht tegen zich aan en kuste me steeds opnieuw op mijn voorhoofd. 'O, Heaven, het spijt me zo. Nu spijt het me.' Hij schudde zijn hoofd en sloeg zijn ogen neer.

'Is dat alles wat je erover hebt te zeggen? Dat het je spijt?'

Hij keek scherp op. 'Nee. Het maakt me doodziek. Ik wil in een vliegtuig stappen en teruggaan naar Farthy. Ik wil er met Tony over praten en hem duidelijk maken wat hij is en wat hij heeft gedaan, zelfs al zou ik zijn nek moeten omdraaien,' voegde hij er met fonkelende ogen aan toe. Dat leek meer op de reactie die ik verwacht en gewild had, ook al wilde ik niet dat hij zijn dreigementen ten uitvoer bracht. In ieder geval wist ik nu zeker dat Logan meer om mij gaf dan om zijn nieuwe zakelijke avontuur en nieuwe rijkdom en macht.

'Nee,' zei ik. 'Ik wil niet dat je dat doet. Dat is nu niet nodig. Ik heb hem achtergelaten als een gebroken, zieke man, omgeven door zijn schuldgevoelens en zijn droevige herinneringen. We kappen hem uit ons leven. Hij zal precies zijn wat hij is... een zakelijke compagnon en meer niet. Ik zal nooit meer aan hem denken als mijn vader, en jij mag niet aan hem denken als je schoonvader. Dat deel van mijn leven heeft afgedaan.'

Logan hield me nog steeds dicht tegen zich aan en streelde over mijn hoofd. 'Logan, we kunnen hier ons leven opbouwen, ver weg van Farthy en het verleden. Vergeet de fabriek, vergeet alles wat iets met Tony Tatterton te maken heeft. We kunnen een prachtig imperium maken van de Stonewall-apotheken, zonder iemands hulp. Binnenkort hebben we de baby en Drake zal als je eigen zoon zijn.'

'Heaven,' zei Logan, terwijl hij me losliet en rechtop ging zitten. 'Ik veracht Tony meer dan je je kunt voorstellen, maar – maar het is absoluut noodzakelijk dat ik mijn persoonlijke gevoelens voorlopig opzij zet.'

'Logan, dat begrijp ik niet. We kunnen die man niet langer in ons leven dulden!'

'We willen Tony misschien niet in ons leven, maar wat denk je van de mensen in Winnerow, de mensen in de Willies? Zonder de fabriek, Heaven, hebben ze geen hoop meer. En,' zei hij, terwijl hij opstond en nerveus begon te ijsberen, 'zonder Tony is het afgelopen met de fabriek.'

'Wat probeer je te zeggen, Logan?'

'Ik zeg, Heaven, dat zonder Tony's kapitaal al onze dromen voorbij zijn. De dromen van iedereen.'

'Logan, ik dacht dat je me zou beschermen – '

'Ik regel alles, Heaven. Tony is niet de enige die kan manipuleren.' Hij ging weer zitten en legde zijn handen op mijn schouders.

'Ik weet,' zei hij, 'dat ik niet ben geweest wat je gehoopt had. Ik weet dat ik je in veel opzichten in de steek heb gelaten, en niet genoeg aandacht heb besteed aan jou en ons huwelijk. Maar dat gaat allemaal veranderen. Ik zweer het je. Ik zal heel hard werken, maar het werk zal altijd op de tweede plaats komen, na onze liefde en ons huwelijk en ons gezin.' Hij tikte zachtjes op mijn buik. 'Ons groeiende gezin,' voegde hij er glimlachend aan toe. 'We zullen altijd bij elkaar zijn. Geen scheidingen meer, Heaven. Ik zal je gelukkig maken, schat. Ik beloof het.'

'En je moet altijd van Drake blijven houden en lief voor hem zijn,' ging ik verder, een beetje angstig omdat Logan hem niet genoemd had. 'Hij mag niet lijden onder de zonden van zijn vader en de zonden van andere volwassenen.'

'Ik zal hem als mijn eigen zoon beschouwen. Dat beloof ik je.' Hij stak zijn hand op of hij een eed aflegde.

'O, Logan.' Ik drukte me dicht tegen hem aan en legde mijn wang tegen zijn schouder. Hij kuste me steeds opnieuw en streek zachtjes over mijn haar. Mijn tranen voelden aan als warme regendruppels. Hij tilde me op en bracht me naar bed, waar hij me kuste en troostte tot we allebei moe genoeg waren om in slaap te vallen. Ik sliep in zijn armen, veilig en beschermd, zonder bang te zijn voor de volgende ochtend en ons nieuwe leven.

De dagen die volgden waren echt het begin van een nieuw leven. Ik was elk moment van de dag bezig, opgelucht dat de tijd zo snel verstreek, dat er elk uur iets belangrijks te doen viel en niet alleen maar onbeduidende dingen om de tijd te verdrijven. Twee dagen na onze komst bracht ik Drake naar school. Officieel was hij nog anderhalve week te jong, maar Meeks, de directeur, wilde graag een uitzondering maken. Hoe anders was hij dan de directeur die ik had gekend als leerlinge en onderwijzeres. Het leek haast of hij me nooit eerder gezien had.

Tien minuten later was Drake ingeschreven voor de eerste klas.

'Geen probleem. Helemaal geen probleem, mevrouw Stonewall,' herhaalde Meeks, toen ik hem vertelde waarom ik kwam. 'Als een kind vroeg ontwikkeld is, maken we een uitzondering; en ik hoef maar naar Drake te kijken om te zien dat het eén intelligent kind is. Ik zal ervoor zorgen.'

Ik moest heimelijk lachen om de verandering in Meeks. Het was waar dat er uitzonderingen werden gemaakt, maar dat gebeurde op grond van een test, en niet van het oordeel van de directeur die alleen maar naar het kind had gekeken. Meeks riep zijn secretaresse voor de administratieve beslommeringen. Daarna leidde hij me rond in de school, zodat ik een paar vroegere collega's kon begroeten. Tenslotte bracht hij me naar de parkeerplaats en hield het portier van de auto voor me open.

'En zegt u tegen meneer Stonewall,' zei hij, 'dat mevrouw Meeks en ik heel graag het openingsfeest van de fabriek zullen bijwonen.'

'Dank u,' zei ik, terwijl ik verbaasd bedacht dat Logan een goede manipulator was geworden.

Ik ging terug naar Hasbrouck House, om mevrouw Avery te begroeten, de vijftigjarige vrouw, die meer dan twintig jaar Anthony Hasbroucks huishoudster was geweest. Ik vond dat ze een vriendelijk gezicht had en wilde haar graag in dienst houden. Het bemiddelingsbureau had een butler gestuurd, Gerald Wilson. Hij was een lange, grijzende man van achter in de vijftig, een beetje stijf en formeel. Hij deed me denken aan Curtis, maar ik zag geen reden om hem niet aan te nemen. De volgende dag kwam de kok. Ik dacht bij mezelf dat Logan voor al onze bedienden Tony's personeel als voorbeeld nam, want de kok was een zwarte man, en ik wist zeker dat hij ouder was dan hij voorgaf te zijn. Hij heette Roland Star en had tanden zo wit als pianotoetsen en een muzikale lach.

Toen we voldoende personeel hadden ging ik naar een binnenhuisarchitect en begon de veranderingen te plannen voor de eetkamer, zitkamer, logeerkamer en voor onze slaapkamer. De kinderkamer was bijna klaar en ik wilde niets veranderen in de keuken. Alles wat ik in Boston had gekocht arriveerde, en twee weken later was mijn nieuwe huis, mijn eerste echte thuis, klaar.

Ik liep van de ene kamer naar de andere, overzag alles wat ik had gecreëerd, alles wat ik vond dat ik had verdiend door mijn verdriet. Ik besefte dat er nog één overblijfsel uit mijn verleden was dat veranderd moest worden. Ik bracht Drake die dag naar school en ging naar de schoonheids- en kapsalon, die notabene werd beheerd door Maisie Setterton. Ze keek even geschokt toen ze me daar zag, maar veranderde haar houding snel in een kruiperige aandacht.

'O, Heaven,' kirde ze. 'Ik voel me zo gevleid dat je bij mij komt nu je zo rijk bent geworden. Wil je je haar werkelijk laten doen door een plattelandsmeisje als ik?'

'Ik wil mijn natuurlijke kleur haar weer terug, Maisie,' zei ik, haar in de rede vallend. 'En dit is de enige kapsalon in het dorp.' Dat legde haar het zwijgen op, en ze zei niets meer terwijl ze bezig was de verf klaar te maken voor mijn haar. Twee uur later ging ik weg – ik leek weer op de oude Heaven Leigh Casteel, nu Heaven Leigh Stonewall. Ja, als de mensen van Winnerow me nu zagen zouden ze zich het arme meisje uit de bergen moeten herinneren, waarop ze zo hadden neergekeken, en beseffen dat zij degene was die het dorp nieuw leven zou inblazen. Ik wilde er niet meer uitzien als een Tatterton. Als Lukes Angel. Als Tony's Leigh. De verkeerde man had haar in mij gezien. Want ik had niet pa's liefde gewekt door mijn haar te verven en op haar te lijken, maar Tony's begeerte. Nu zou ook dat voorbij zijn. Ik zou zijn wie ik was en me daar nooit voor schamen. Trots deed ik mijn boodschappen in Winnerow, en ik voelde de ogen die me volgden.

Ik ging die dag naar het fabrieksterrein, waar de laatste hand aan de fabriek werd gelegd. Logan was geschokt toen hij me zag.

'Heaven,' zei hij ademloos. 'Je hebt je eigen kleur haar weer.'

'Ja, Logan.' Ik glimlachte. 'Nu zijn alle sporen van de Tattertons verdwenen en ben ik voor altijd een honderd procent Stonewall.'

'En mooier dan ooit.' Hij kuste me hartstochtelijk op de lippen. 'Dit is de vrouw die ik altijd heb liefgehad. Dank je, Heaven.'

Hij leidde me rond in de fabriek, liet me alles zien en gaf uitvoerig commentaar. Hij gaf me het gevoel dat ik een koningin was die een van haar koloniën bezocht. Als we door de gangen en kamers en werkruimten liepen, hielden de arbeiders op met hun werk om me te begroeten. Logan toonde me zelfs het mannentoilet. Zijn enthousiasme werkte aanstekelijk, en ik voelde me alleen een beetje melancholiek toen hij me voorstelde aan de tien handwerkslieden die hij had aangenomen om het Willies-speelgoed te maken. Twee van hen waren minstens zo oud als opa toen hij stierf.

Tegen het eind van de maand begonnen er documenten en informatie over Lukes nalatenschap binnen te komen van J. Arthur Steine. Hij had blijkbaar overleg gepleegd met Tony, en Tony had hem het groene licht gegeven. Het circus en het huis werden snel verkocht, waar J. Arthur Steine danig trots op was.

De eerste avond dat Roland Star in Hasbrouck House was om een maaltijd klaar te maken, nodigde Logan zijn ouders uit. Ik moest inwendig lachen omdat Loretta Stonewall zo veranderd was ten opzichte van mij. Ze had zich op deze avond voorbereid alsof ze een diner bijwoonde in het huis van de gouverneur. Ze had haar grijze haar laten permanenten en een dure jurk gekocht. Ze droeg haar bontjas en haar kostbaarste diamanten ketting en oorbellen. Logans vader keek een beetje verlegen bij al die overdaad. Ik kon hun twistgesprek bijna horen – ze gingen toch alleen maar naar het huis van hun zoon voor een dinertje... Ja, maar wat een huis en wat een diner!

Ik was in vergelijking met Logans moeder heel eenvoudig gekleed, maar ze scheen het niet te merken. Ze was te veel onder de indruk om iets over mijn haarkleur te zeggen, maar ze was overdreven met haar complimentjes over alles wat ik in het huis had veranderd. Plotseling, bijna van de ene dag op de andere, was ze meer dan alleen in naam mijn schoonmoeder geworden.

'Je hoeft nooit bang te zijn om me te bellen als je iets wilt weten over je zwangerschap, Heaven... al is het nog zo'n kleinigheid. Toen ik vier maanden zwanger was, was ik zo dik als een olifant. Maar jij bent nog even slank en mooi als altijd. Hoe doe je dat in vredesnaam! Voel je je moe? Ik wil je met alle liefde helpen met de kleine Drake. Hij is zo'n schat van een jongen.' Ze stak haar hand uit om hem een klopje op zijn hoofd te geven, maar Drake wilde er niets van weten. Hij schoof buiten haar bereik. 'En ik sta erop dat jullie bij ons komen eten op de avond na het fabrieksfeest. Ik weet dat jullie dan doodmoe zullen zijn.'

'Dank je, Loretta,' zei ik.

'O, alsjeblieft, Heaven,' zei ze, terwijl ze haar hand op de mijne legde, 'noem me moeder.'

Ik staarde haar even aan. Hoeveel vrouwen had ik al moeder genoemd in mijn leven? Eén die ik nooit gekend had, één die een overwerkte sloof was, één die een hekel aan me had gehad, en nu één die zo verliefd was op haar nieuwe positie in de gemeenschap dat ze me beschouwde als een soort kostbaar juweel dat ze wilde hebben. Ze wilde indruk maken op haar vriendinnen met mij. Maar ik was te moe om het haar kwalijk te nemen. Ik kon haar opwinding zelfs wel begrijpen, en waarom zou ik haar haten omdat geld en macht me eindelijk welkom hadden gemaakt in haar huis en haar leven? Mijn man was gelukkig; mijn kinderen zouden liefde krijgen, en ik zou eindelijk een echte familie hebben.

De avond verliep goed, maar toen ze weg waren werd ik weer bestormd door herinneringen aan mijn eigen familie. In gedachten beleefde ik steeds weer de scène met Tony. Ik wist nog steeds niet of Tony op het fabrieksfeest zou komen, en ik voelde me als een vogel die gevangen zat in een kooi, terwijl de kat naar binnen loert.

Ik besloot me te concentreren op de voorbereidingen voor het feest en zo druk bezig te blijven dat ik geen tijd had om stil te staan bij onaangename herinneringen. Ik hielp een echt Willies-feest in elkaar te zetten. Het menu zou bestaan uit gebraden kip, rollade, maisbrood en bonen. Ik nam vrouwen uit de Willies aan, die beroemd waren om hun oude familierecepten. Ik kocht kersen- en rabarbertaarten, en appels en bataten om te bakken in oude ovens. Ik huurde de Longchamps, het fiedelorkest dat op mijn huwelijk had gespeeld, en een paar jongens en meisjes van de middelbare school om als kelners en serveersters dienst te doen. De enige vakmensen die ik aannam waren barkeepers uit de plaatselijke taveernes; ze hadden me beloofd een ouderwetse "moonshine-punch" te maken, de punch die vroeger gemaakt werd van de illegaal gestookte drank, die, zoals een van de ouderen me verzekerde, 'zelfs het houten speelgoed aan het dansen zou krijgen'. Het feest zou gehouden worden op het grote grasveld voor de fabriek. Ik belde de bloemist en zei dat we alleen bloemstukken wilden hebben van de bloemen die hier in het wild groeiden. Elke avond lagen Logan en ik tot in de ochtend te praten over de fabriek, het personeel en de voorbereidingen voor het feest. Nu en dan sprong ik mijn bed uit en schreef iets op dat we vergeten waren. We waren net twee kinderen die hun eerste feestje geven.

De dag van het feest was een prachtige herfstdag. De hemel was strakblauw en het was praktisch windstil. Ik had bij een naaister een traditionele katoenen Willies-jurk besteld, compleet met kant en boordjes. Ze moest het model een beetje aanpassen in verband met de toenemende omvang van mijn buik. Ik droeg mijn zwarte haar in vlechten, opgebonden met linten, zoals vroeger toen ik nog een kind uit de bergen was. Dit was de feestdag voor de Willies. De dag waarop de bergbewoners de belangrijke mensen in het dorp zouden zijn. Mijn zwangerschap begon al zichtbaar te worden; als ik in de spiegel keek dacht ik dat zelfs mijn gezicht voller leek. Ik herinnerde me hoe opgeblazen Sara, pa's tweede vrouw, eruit had gezien als ze zwanger was. Elke dag leek haar lichaam, en vooral haar gezicht, iets meer op te zwellen. Ik had zelfs het malle idee dat de baby bezig was lucht uit te blazen en haar oppompte als een fietsband. Ik herinnerde me hoe Tom had gelachen toen ik hem dat vertelde.

Ik deed wat rouge en lippenstift op.

'Hoe zie ik eruit?' vroeg ik aan Logan. Logan droeg een conservatief zakenkostuum, maar had een landelijke vlinderdas om zijn hals gebonden. Hij keek me glimlachend aan.

'Mooier dan ooit. De baby in je doet je opbloeien als een glanzende roos.'

'O, Logan, je wordt een superverkoper,' zei ik om hem te plagen.

Hij keek beledigd. 'Ik lieg niet, Heaven. Ik zal nooit tegen je liegen. Je bént mooi!' Hij kwam naar me toe en kuste me. Hij drukte me stevig tegen zich aan en ik voelde me veilig en behaaglijk in zijn armen. 'O, Heaven,' zei hij. 'Herinner je je nog toen Tony ons die Rolls gaf op de huwelijksreceptie en ik zei dat ik nooit gelukkiger zou kunnen worden? Nou, ik voel me nu gelukkiger.'

'We hebben geen Farthy; we hebben geen kasteel en een leger bedienden en we gaan niet om met de adel, maar we hebben dit prachtige huis en de kans om iets op te bouwen met onze eigen energie en fantasie, en ik denk dat we daardoor rijker zijn dan ooit.'

'Vooral,' zei hij, terwijl hij me op een armlengte afstand hield, 'omdat we elkaar hebben en de zegen van een baby die op komst is. Laten we een streep zetten onder al het ongeluk. Er liggen alleen maar goede dingen vóór ons.'

'O, Logan, ik hoop dat je gelijk hebt,' zei ik. Ik moest bijna huilen toen ik zag hoe gelukkig en tevreden hij keek. We kusten elkaar weer, en werden onderbroken door Drakes binnenkomst.

'Ik ben klaar,' zei hij. Ik had hem in zijn badkamer achtergelaten om zijn haar te borstelen. Hij stond op de drempel naar ons te kijken. Hij droeg een lichtgrijze lange broek, een donkergrijs hemd met een donkerblauwe vlinderdas en een donkerblauw sportjasje. Ik had nooit gedacht dat een kleine jongen van zijn leeftijd zo trots kon zijn op zijn kleren.

Drake had zijn haar netjes achterovergekamd en van voren een golf erin gelegd.

'Dat ben je zeker,' zei Logan. 'Wie is die knappe man, Heaven?'

'Ik weet het niet,' zei ik. 'Zojuist liep hier een schooljongen rond, die zich vuil had gemaakt op de speelplaats. Ik geloof dat hij zand in zijn haar had en plukjes gras in zijn oren. Zou dat dezelfde jongen kunnen zijn?' Ik glimlachte, maar Drake kneep zijn ogen halfdicht en zei heel serieus: 'Ik ben Drake.' Ik zag zijn mondhoeken vertrekken van boosheid.

'Natuurlijk, schat.' zei ik. 'Logan en ik plaagden je maar. Kom, we gaan naar beneden. We mogen niet te laat komen.'

Logan hield me zijn arm voor. 'Gereed voor je feest, Heaven?' Zijn glimlach wenkte me als een fonkelende diamant. De kleine Drake holde achter ons aan.

Drake had ons geholpen bij het organiseren van speciale spelletjes voor de kinderen – driebeens-wedlopen*, balspelletjes en koekhappen. Hij kon zijn opwinding nauwelijks bedwingen toen we naar het fabrieksterrein reden.

We hadden twee bars geïnstalleerd aan beide kanten van het grasveld en daartussenin een enorme tent met tafels en stoelen. Toen Drake hem voor het eerst had gezien, dacht hij dat pa's circus in Winnerow was gearriveerd. Het orkestpodium was versierd met rode, witte en blauwe banieren.

Boven de ingang van de fabriek hadden we een groot gouden spandoek bevestigd om de mensen welkom te heten in de WILLIES TOY FACTORY. Het was mijn idee om dc naam Tatterton weg te laten.

De mensen dansten, dronken, lachten en praatten. Plotseling reed een glanzende, zwarte limousine de parkeerplaats op, waarvan de donkere, rookkleurige ramen omhoog waren gedraaid. Ik hield mijn adem in. Dat kon maar één man zijn. Het portier ging open en een glanzende lakleren schoen kwam naar buiten, gevolgd door een elegante Tony Tatterton in smoking. Ik keek wanhopig om me heen naar Logan, maar die was nergens te vinden. Ik haalde diep adem en vermande me. Met opgeheven hoofd ging ik naar voren om Tony Tatterton te begroeten.

'Meneer Tatterton,' zei ik stijfjes, terwijl ik naar hem toeliep. 'We dachten niet dat u het feest zou kunnen bijwonen.'

Zijn ogen verslonden me.

'Heaven!' riep hij. 'Je haar!'

* Hardloopwedstrijd waarbij de deelnemers met één been aan dat van de ander zijn gebonden.

'Vind je het mooi? Ik heb het zelf gevlochten. De hoge mode in de Willies.'

'De kleur,' stotterde hij.

'Mijn echte kleur, zoals je weet.'

Hij kon zijn ogen niet van mijn haar afhouden, alsof hij niet staarde naar een zwarte bos haar, maar naar een zwarte afgrond van herinneringen. Ik merkte dat hij de symboliek van mijn gebaar begreep. Ik wilde niet langer geassocieerd zijn met de Tattertons. Alles wat hij nu in me zag was zuiver Winnerow Casteel. Toen beheerste hij zich en keek afkeurend om zich heen. 'Een aardig feestje hebben jij en je boeren- echtgenoot in elkaar gezet.' Heel even voelde het onzekere kleine meisje in me zich gekasteid door de veroordeling en minachting die ik in zijn ogen las. Maar ik zette dat gevoel snel van me af en richtte me trots op. Ik keek hem woedend aan en glimlachte alsof de hele wereld me toebehoorde.

'Ik heb gezien dat je de fabriek een andere naam hebt gegeven,' zei hij na een pijnlijke stilte, die uren leek te duren.

'Logan en ik vonden dat de naam Tatterton niet geschikt was voor deze speciale fabriek. Kan ik iets te drinken voor u halen, meneer Tatterton?'

'Nee, ik denk niet dat ik lang zal blijven. Ik voel me hier niet zo erg thuis,' zei hij, terwijl hij met zijn hand over zijn zijden das streek. 'Tenzij je man een overall heeft die ik kan lenen.' Hij glimlachte, en ik zag dat hij probeerde een grapje te maken, maar ik verhardde me.

'Liever niet, Tony. Ondanks alles wat er tussen ons gebeurd is, heeft Logan je eens heel erg bewonderd en van je gehouden. Toon hem een beetje respect!'

Tony hield zijn blik afgewend en schudde nu en dan triest het hoofd. Toen keek hij me weer aan. Ik zag de tranen in zijn ogen glinsteren.

'Heaven, alsjeblieft, kunnen we niet een paar minuten alleen zijn? Ik wil zo graag met je praten.'

'Ik zal nooit, nooit meer met jou alleen zijn,' zei ik koel.

'Je begrijpt het niet, Heaven. Ik was dronken. Ik was gek van verdriet over Jillians dood. Ik was – '

'Je verdriet nam een merkwaardige vorm van rouw aan.'

'Heaven, kom terug naar Farthy. Logan en jij en ik kunnen opnieuw beginnen,' zei hij, plotseling smekend als een kleine jongen. 'Ik weet dat het kan! Ik weet het!'

Ik voelde een zweem van medelijden met hem. Hij zag er plotseling zo oud en grijs en hulpeloos uit.

'Ik weet dat we daar weer gelukkig kunnen zijn,' ging hij verder. 'Bovendien geloof ik dat je mijn gedrag die nacht overdreef, Heaven. Ik probeerde alleen maar je te omhelzen. Ik wilde je liefhebben als een vader.'

'Ga weg,' zei ik kalm, maar met ijs in mijn stem. 'Ga onmiddellijk weg.'

Tony keek verslagen. 'Je hebt zeker alles aan Logan verteld?'

'Hij is mijn man. Natuurlijk heb ik hem alles verteld,' antwoordde ik koel. Hij knikte en keek toen naar het spandoek boven de ingang.

'Ik zal je niet vragen me te vergeven. Dat is iets dat je uit jezelf moet doen. Ik vraag alleen dat je mijn beweegredenen overdenkt,' zei hij. 'In ieder geval,' ging hij verder, voor ik kon antwoorden, 'kom ik voorlopig hier niet meer terug. Ik heb nu veel te doen in Boston, dus je zult alle tijd hebben de dingen in hun juiste perspectief te zien. En –' hij keek naar me en voor het eerst sinds zijn komst kwam er een zachte blik in zijn blauwe ogen, 'de tijd is magisch. Hij heelt al onze wonden.'

'Maar laat littekens achter,' zei ik. Hij knikte duidelijk teleurgesteld.

'Dag, Heaven. Ik weet zeker dat jij en Logan hier succes zullen hebben met de fabriek,' zei hij. Toen draaide hij zich snel om en liep naar zijn limousine, waar Miles als een schildwacht stond te wachten. Miles deed het portier dicht, keek heel even naar mij, stapte toen in en reed weg. Ik zag de wagen in de verte verdwijnen, als een herinnering die vager en vager werd tot hij volledig was verdwenen.

Ik draaide me om en het levendige geluid van de violen, het geroezemoes van stemmen en gelach omringden me.

Ik besloot dat de beste afleiding was me in de feestelijkheden te storten. Logan en zijn voorman organiseerden rondleidingen door de fabriek. Voorbeelden van Willies-speelgoed waren uitgestald, poppen en dieren die we van plan waren te gaan fabriceren. Maar hun houten gezichten begonnen om me heen te draaien, de houten dieren leken tot leven te komen. Ik voelde me zo duizelig en vreemd temidden van al dat speelgoed, speelgoed dat was gemaakt naar alles waarmee ik was opgegroeid. Ik leunde tegen een van de vitrines.

Logans moeder kwam me halen om me voor te stellen aan de vrouwen van invloedrijke zakenlieden en intellectuelen die in Winnerow of omgeving woonden. Ik kon hun gezichten nauwelijks herkennen, ze leken allemaal poppen.

'Moeder,' zei ik. 'Ik voel me een beetje duizelig.'

'Je ziet bleek,' zei ze. 'Ga even liggen. In Logans kantoor staat een veldbed. Dan kun je uitrusten.'

'Maar Drake. Waar is hij?' vroeg ik. Mijn knieën begonnen te knikken. 'Ik heb beloofd hem mee te nemen naar de koekhapwedstrijd. Ik heb beloofd – '

'Heaven, kijk,' zei ze, naar het grasveld wijzend.

Ik zag dat Drake al vriendschap had gesloten met een paar kinderen van zijn leeftijd en zich opperbest amuseerde.

'Er zijn daar hopen kinderen, en je kent de bergbewoners. Ze zorgen allemaal voor elkaar. Vooruit, ga jij nu even liggen. Drake is niet je enige kind, weet je wel?'

Toen ik wakker werd, begon het al donker te worden. Ik was verbijsterd dat ik tijdens het hele feest had geslapen. De menigte was aanzienlijk gedund. Alleen Logan, zijn ouders en een paar doorgewinterde borrelaars waren er nog.

'Hé, kijk eens wie in het land der levenden terugkeert,' riep Logan glimlachend.

'Ik had geen idee dat ik zo lang had geslapen,' zei ik, terwijl hij beschermend zijn arm om me heensloeg.

'Zwangere vrouwen hebben veel rust nodig,' merkte Loretta Stonewall op.

'En is alles goed gegaan?' vroeg ik, terwijl ik naar de overblijfselen van het feest keek. De tafels met voedsel waren leeg, het orkest was bezig in te pakken. Alle auto's, behalve die van ons en de Stonewalls, waren weg. Plotseling besefte ik dat Drake er niet was. 'Waar is Drake?' vroeg ik ongerust.

'Drake? Ik dacht dat hij bij jou lag te slapen.' Logan keek geschrokken op.

'Hij zei een uur geleden ongeveer dat hij jou ging zoeken,' zei Loretta angstig. 'Ik nam aan dat hij bij jou was.'

'*Drake!*' riep ik.

'Maak je niet ongerust, Heaven,' zei Logan, maar ik hoorde de angst in zijn stem. 'Waarschijnlijk is hij binnen aan het spelen en is hij volkomen verdiept in zijn eigen wereld.'

'Waar?' vroeg ik. 'We moeten hem vinden.'

'Dat doen we, wees maar niet bang,' zei Logan.

We gingen uiteen en liepen door de fabriek en over het terrein, Drakes naam roepend.

'*Drake! Drake!*' schreeuwde ik.

Het gele licht boven het fabriekshek brandde en wierp een geheimzinnige gloed over het parkeerterrein. Op een klein stukje van het grasveld hadden we een paar schommels opgesteld voor de kinderen. Ik liep erheen. Drake was nergens te bekennen, maar een van de schommels bewoog nog heen en weer, alsof er een geest op zat. Ik tuurde even in het duister.

Achter de fabriek lagen uitgestrekte bossen.

'*Drake!*' riep ik luidkeels. 'Drake, waar ben je?'

Het enige geluid was het metaalachtige geknars van een trein in de verte. Ik wachtte even en riep toen weer.

Paniek maakte zich van me meester. Ik had het gevoel dat mijn benen het zouden begeven van angst.

'*Drake!*'

Iets in de stilte vertelde me dat hij niet gewoon maar was weggeslenterd om op onderzoek uit te gaan, zoals jongens van zijn leeftijd gewend zijn. Mijn geschreeuw bracht Logan aan mijn zij.

'Je hebt hem niet gevonden? *Je hebt hem niet gevonden?*' riep ik.

'Nee, nee,' zei hij. 'Mijn ouders zijn nog aan het zoeken. Ik zal de politie bellen. Maar het is niet meer dan een voorzorgsmaatregel, Heaven. Ik weet zeker dat hij elk moment kan komen opdagen.'

Ik wist aan de klank van Logans stem dat hij even ongerust was als ik.

'Bel ze,' riep ik. 'Ik blijf zoeken.'

'*Drake!*' schreeuwde ik weer.

'Heaven, je vat kou op die manier. Ik zal een paar van de mannen laten zoeken. Kom mee naar mijn kantoor, dan wachten we daar op de politie.'

'Ik blijf hier! Ik ga Drake zoeken.'

'Heaven, het is te donker. Je kunt niets zien. Alsjeblieft.'

'Ik ga onder het licht van het hek staan, zodat Drake me kan vinden. Schiet op en bel de politie,' zei ik.

Logan holde terug naar het kantoor. Ik staarde in het duister, naar de zwarte rij bomen en het smalle streepje maan. Ergens in de verte kraste een uil. En toen, alsof de hand van het noodlot me op de schouder had getikt, wist ik waar mijn Drake was. Er was maar één plaats waar hij kon zijn. Er was maar één mens die zou weten waar hij was. Ik was er zo zeker van als van mijn eigen naam. Fanny!

15. LIEFDE GEGIJZELD

Ik was wanhopig. Zwijgend wachtte ik samen met Logan, terwijl de patrouillewagen van de Winnerow Politie een snelle inspectietocht maakte in de omgeving van de fabriek. We hadden Logans ouders gevraagd in Hasbrouck House te wachten, voor het geval Drake daarheen zou komen of iemand die hem had gevonden zou bellen.

'Misschien is hij naar iemands huis gegaan,' zei Jimmy Otis, een van de agenten, toen de politieauto voor de fabriek stopte.

Ik keek naar Logan, die peinzend knikte.

'Misschien heb je gelijk, Jimmy,' zei Logan.

'Als hij over een uur of zo nog niet is gevonden, zal ik de inspecteur thuis bellen. Dan willen we graag de gastenlijst hebben van het feest, om te zien of iemand hem ergens heen heeft zien gaan.'

'Oké,' zei Logan. Zodra de politie wegreed om weer te gaan zoeken vertelde ik Logan waar ik bang voor was.

'Fanny kan hier achter zitten,' zei hij. 'We hebben haar niet uitgenodigd voor het feest.'

Noch Logan, noch ik had Fanny's naam genoemd toen we de lijst van gasten opstelden. Zijn reden was duidelijk, en ik wilde haar gewoon niet meer zien.

'Geloof je dat werkelijk?' vroeg hij sceptisch.

'Ze hoefde alleen maar langs te rijden en hem te zien. Ze kon stoppen om even met hem te praten en hem over te halen in te stappen, met de belofte dat ze hem meteen terug zou brengen. Ik weet dat hij slim is voor zijn leeftijd, maar hij is nog maar een kleine jongen, Logan, en hij weet dat Fanny zijn zusje is.'

'Dat is natuurlijk mogelijk,' zei Logan peinzend. Ik keek omhoog naar de maan, die gedeeltelijk verborgen was achter donkere wolken, een slecht voorteken, dacht ik.

'Ik ga naar haar huis,' zei ik en liep snel naar de auto.

‘Zal ik meegaan?’ vroeg hij zachtjes.

‘Nee. Jij kunt beter hier blijven voor het geval Jimmy Otis gelijk heeft en Drake naar iemands huis is gegaan. Ik kom zo terug,’ zei ik. Logan bleef in de fabriek en ik stapte in de auto en reed naar Fanny.

Zodra ik stopte kwamen die scharminkels van waakhonden naar buiten gestormd, omringden de auto en blaften hysterisch, als jachthonden die een vos in zijn hol belegeren. Fanny’s huis was helder verlicht en ik kon zien dat ze bezoek had. Er stond nog een auto. Mijn woede en bezorgdheid voor Drake waren sterker dan mijn angst voor de honden.

Ik sloeg het portier van de auto dicht en bleef rechtop staan toen de honden me omringden en naar me hapten. Ik week geen duimbreed en ze bleven op een afstand, blaften alleen nog wat hysterischer toen ik naar de voordeur van Fanny’s huis liep. Toen ik op de bel drukte blaften de honden nog luider, maar ze bleven op een meter afstand. Ik moest nog een keer bellen voor Fanny opendeed. Ze bleef staan met haar armen over haar borst gevouwen, net als oma altijd deed, met een strak gezicht, op elkaar geknepen lippen en glinsterende blauwe ogen.

‘Wat wil je, hoogheid?’ vroeg ze zonder een stap achteruit te doen om me binnen te laten. De honden bleven blaffen.

Zelfs al trok Fanny zo’n woedend gezicht, toch kon ik door haar masker heenkijken, en ik wist dat ik gelijk had. ‘Laat me binnen, Fanny,’ zei ik. ‘Ik ben niet van plan hier te blijven staan om met je te praten, terwijl die honden als gekken staan te blaffen.’

‘O, dus mijn huis is goed genoeg voor jou, maar ik ben niet goed genoeg om op je feest uit te nodigen, hè?’

‘Laat me binnen, Fanny,’ herhaalde ik streng. Ze staarde me even aan en ging toen achteruit, zodat ik binnen kon komen en de deur achter me dicht doen. Ik ging onmiddellijk naar links en zag Randall in de deuropening staan van de zitkamer. Hij keek zo verontrust als een man die wordt gekweld door een schuldig geweten. Zijn wenkbrauwen waren gefronst, zijn hoofd was gebogen en zijn schouders zakten omlaag.

‘Wat wil je?’ snauwde Fanny. Aan de manier waarop ze snel naar Randall keek zag ik dat ze een toneelspel voor hem opvoerde.

‘Fanny, Drake wordt vermist,’ zei ik zo beheerst mogelijk. Ik wist hoe belangrijk het was geen zwakte te tonen, want ze zou erop afspringen als een kat op een hulpeloze muis. ‘Is hij hier?’

Fanny gaf niet onmiddellijk antwoord. Ze glimlachte stralend, waarbij haar flonkerende witte tanden te zien kwamen. Het was een gemene glimlach, maar heel zelfverzekerd. En iets in Randalls gezicht zei me dat ze hem had weten over te halen haar te helpen. Ze wist dat ik hier zou komen.

‘En wat dan nog? Hij is ook mijn broertje. Ik heb het recht hem in mijn huis te hebben. Hij hoort hier meer dan bij jou en die brave Hendrik van je.’

‘Fanny, heb jij hem meegenomen?’ vroeg ik. Ik liet alle zelfbeheersing varen en in mijn stem lag een hysterische klank.

‘Hij is waar hij thuishoort,’ gaf ze toe.

Ik liep op haar af. Mijn woede, angst en haat rolden ineen als een bol prikkeldraad. Ze opende verbaasd haar ogen toen ik naar voren stormde en haar bij de kraag pakte van haar dunne katoenen blouse en haar ruw naar me toetrok.

'*Waar is hij? Hoe heb je zoiets kunnen doen? Verdomme, kreng!*'

Fanny verzamelde haar moed en greep een pluk van mijn haar. Haar nagels drongen diep in mijn schedel. We vochten maar heel even, toen kwam Randall tussenbeide en trok ons uit elkaar.

'Hou op! Stop! Hou op!' schreeuwde hij. 'Heaven, alsjeblieft. Fanny! Stop!'

We stonden tegenover elkaar en staarden elkaar hijgend en woedend aan.

'Hou je handen thuis, Heaven. We zijn niet in de hut in de Willies en je kan me niet commanderen,' zei ze, haar blouse rechttrekkend.

Ik haalde diep adem en richtte me tot Randall.

'Waar is Drake?' vroeg ik.

'Je hoeft het bij hem evenmin te proberen. Hij weet ook wat je bent.'

'*Randall!*'

'Jullie zullen het samen moeten uitvechten,' zei hij somber. 'Ze heeft evenveel rechten als jij,' voegde hij eraan toe. Hij keerde me de rug toe en liep terug naar de zitkamer.

'Dat is zo, Heaven, dat heb ik. Ik heb zelfs meer rechten. Pa hield meer van mij dan van jou en hij zou willen dat ik een moeder was voor Drake, en niet jij. Je haatte hem en dat weet Drake nu.'

'Wat?'

'Ik heb hem alles verteld,' zei ze, met haar handen op haar heupen. 'Hoe je die dag naar het circus bent gegaan, verkleed als je moeder, om hem te straffen, en hoe je dat ongeluk hebt veroorzaakt waarbij die arme Tom is gedood en Luke bijna. Drake weet wat je bent. Hij weet het.' Ze glimlachte weer. 'Hij denkt dat jij zijn vader en moeder naar de hemel hebt gestuurd.'

'Waar is hij?' vroeg ik met nog meer paniek in zijn stem. 'Je kunt hem niet bij me vandaan houden!' Ik wilde naar binnen gaan, maar Fanny versperde me de weg.

'Dit is mijn huis, Heaven Leigh, en ik wil je hier niet, begrepen?'

'Je kunt Drake niet vasthouden,' zei ik. 'Ik heb de politie gewaarschuwd en die zal ik hier naar toe sturen. Je kunt me niet beletten Drake te halen.'

'O, nee? Nou, ik ben bij een advocaat geweest, Wendell Burton, en die zegt dat ik net zoveel recht heb op Drake als jij. Vooral,' ging ze verder, terwijl ze zich omdraaide naar Randall, 'omdat Randall en ik gaan trouwen en we Drake een thuis kunnen geven.'

'Wat?' Deze keer keek Randall me recht in de ogen, en ik besefte dat hij zo verliefd was op Fanny dat hij alles zou doen wat ze wilde. Fanny leek erg zeker van hem.

'Ze heeft gelijk, Heaven. Je had het recht niet om zonder meer aan te nemen dat je Drake in huis kon nemen. Fanny heeft ook rechten. Zij is ook familie.'

Ik staarde hem even aan en keek toen naar Fanny, die zich weer beheerst had en nog voldaner keek dan een wilde kat met een vis tussen zijn poten.

'Je kunt dit niet zo maar doen... Drake ontvoeren en hem allerlei verhalen vertellen om hem tegen me op te zetten. Dat kun je niet.'

'Dat kan ik best. Ik heb rechten. Je hebt Randall gehoord en we hebben met een advocaat gesproken,' herhaalde ze, alsof ze een litanie opzegde.

'Fanny, dit kun je niet willen,' zei ik, op zachtere en redelijke toon. 'Je wilt toch niet echt een proces en alles aan de grote klok hangen, zodat iedereen ons uitlacht? Zou je dat leuk vinden?'

'En jij? Jij bent degene die zo graag duur en deftig wil zijn hier. Hoe zou je nieuwe Stonewall-familie dat vinden? Denk je dat Logans ma er blij mee zou zijn? Denk je dat Logan al die dingen openbaar wil maken?'

'Je probeert me te chanteren om Drake op te geven,' zei ik. Ik keek naar Randall, maar de uitdrukking op zijn gezicht bleef onveranderd. 'Nou, daar trap ik niet in. Ik zal me met hand en tand verzetten, en jij zult degene zijn die het berouwt, dat verzeker ik je.'

Ze glimlachte alleen maar.

'Ik vervloek je,' zei ik. Haar glimlach verdween, haar gezicht werd vuurrood en haar ogen schoten vuur.

'Verdwijn uit mijn huis,' beval ze. 'Drake wil je niet eens meer zien sinds ik hem de waarheid heb verteld.'

'Mijn God, wat heb je met hem gedaan?'

'Ik heb hem thuisgebracht bij zijn eigen familie,' zei ze trots. 'En daar zal hij blijven.'

Ik keek weer naar Randall. Mijn hele lichaam beefde. Fanny had het nooit zo tegen me kunnen opnemen als Randall er niet bij was geweest, dacht ik. Ze speelde toneel voor hem, zowel als voor mij. Het was een kwestie geworden van haar ego en trots, en als ego en trots op het spel staan, konden lafaards en bedelaars helden en koningen worden.

'Ik voel me erg teleurgesteld in je, Randall,' zei ik zachtjes. 'Je leek me zo'n gevoelige en intelligente jongen. Je weet niet waar je in betrokken raakt.'

'O, ja, dat weet hij wel. Hij studeert aan de universiteit, weet je. Je bent niet de enige met hersens, Heaven.'

Ik voelde mijn keel dichtknijpen en mijn ogen vochtig worden, maar ik wist dat ik geen zwakte mocht tonen. Ik beet op mijn onderlip, keek woedend van Randall naar Fanny en zei dreigend: 'Ik zal tegen je vechten met alle middelen en macht die voor geld te koop zijn, en als dit voorbij is zul je pas begrijpen wat wraak betekent.'

Ze moest haar blik afwenden. Ik wierp nog een laatste nijdige blik op Randall, maakte toen de deur open en ging naar buiten. Ik smeet de deur achter me dicht, waarop die ellendige honden weer begonnen te blaffen. Maar ik hoorde het nauwelijks toen ik naar de auto liep.

Ik kon me later niet meer herinneren dat ik ben weggereden. Ik herinnerde me alle bochten en stoplichten niet meer, en hoe ik bij de fabriek ben teruggekomen, maar plotseling was ik er.

Logan die me hoorde stilhouden, kwam snel naar buiten.

'En?' vroeg hij. Ik bleef als versuft achter het stuur zitten en staarde voor me uit. 'Heaven?'

'Ze heeft hem,' fluisterde ik als in trance. 'En ze wil hem houden.'

'Wat? Dat meen je niet!'

'Jawel. We moeten het voor de rechter brengen als we het voogdijschap willen hebben.'

'Nou, dat is niet zo moeilijk. We zullen – '

'Het zal verschrikkelijk zijn, Logan,' zei ik snel. 'Alles zal aan het licht komen. Alles,' voegde ik er nadrukkelijk aan toe. Hij begreep het en keek instinctief achterom naar zijn nieuwe imperium.

'Ik begrijp het,' zei hij.

'Maar het kan me niet schelen,' ging ik vastberaden verder. Hij knikte, maar ik voelde zijn angst en tegenzin. 'Ik vind niets belangrijker dan Drake terug te krijgen, Logan. Begrijp je dat?' Mijn stem schoot hysterisch uit.

'Ja, ja, natuurlijk, maar laten we nu naar huis gaan en de politie waarschuwen dat we Drake gevonden hebben, en mam en paps vertellen wat er gebeurd is. Daarna zullen we ons beraden over onze volgende stap.'

Toen we terugreden naar Hasbrouck House, maalden de afgelopen weken door mijn hoofd – hoe ik langzamerhand Drakes liefde en vertrouwen had gewonnen en door het pantser was heengedrongen dat hij om zich heen had opgetrokken na de dood van zijn ouders. Hij was langzaam maar zeker vooruitgegaan, en nu was Fanny bezig dat teniet te doen.

Zou ik dan eeuwig door het leven moeten gaan met de Dood en het Verdriet aan mijn zij, tweelingzusters die zich op hun gemak voelden in mijn huis? Of misschien was het geluk, dat ik eindelijk in mijn hand meende te hebben, als een mooie vogel. Als je hem te stevig vasthield brak je zijn vleugels en verpletterde je hem, zodat hij doodging; en als je hem te losjes vasthield vloog hij weg.

Was hij weggevlogen?

Het ging goed, tot ik naar boven ging en langs Drakes kamer kwam. Toen barstte ik weer in tranen uit en holde mijn slaapkamer binnen, waar ik me op bed liet vallen. Even later kwam Logan binnen en deed de deur zachtjes achter zich dicht. Ik kon mijn tranen niet bedwingen en bleef snikken. Ik voelde zijn hand op mijn schouder en keek naar hem op.

'Kom,' zei hij. 'Je moet je niet zo van streek maken. Je weet hoe Fanny is.'

'Hoe bedoel je, Logan?'

'Ze houdt ervan om valse dingen te doen, en later, als ze tevreden is, of denkt dat ze tevreden is, houdt ze ermee op. Hoe lang denk je dat ze een kleine jongen tot last wil hebben?' Hij lachte. 'Fanny? Ik kan het me niet voorstellen.'

'Randall Wilcox gaat met haar trouwen, Logan.'

'Randall Wilcox? Dat geloof ik niet. Zijn vader zal hem onterven. Dat is maar een verhaaltje dat ze heeft verzonnen om het erger te maken voor jou.'

'Nee, het is waar. Hij was bij haar thuis. Ze heeft hem onder de duim. Ze heeft zelfs gemaakt dat hij een hekel aan me heeft. Maar het belangrijkste is dat Fanny een echtgenoot zal hebben en kan beweren dat ze een goed tehuis heeft voor Drake.'

'Ik kan me nog steeds niet voorstellen dat ze de zorg wil hebben voor –'

'Logan, wat verwacht je van me? Dat ik rustig blijf zitten en wachten tot ze genoeg heeft van Drake? Ze heeft hem nu al allerlei afschuwelijke verhalen over mij verteld en hem tegen me opgezet. Elke dag die voorbijgaat maakt de ramp groter.'

Hij knikte peinzend.

'Goed, ik zal mijn advocaat aan het werk zetten en met een proces laten dreigen. Ze heeft geen idee wat ze moet doen en – '

'Ze heeft al een advocaat,' viel ik hem in de rede. 'Wendell Burton.'

'Wendell Burton?'

Ik knikte. 'Hij heeft haar al juridisch advies gegeven.'

'Wendell Burton. Een ambulancejager van het ergste soort, een parasiet. Als iemand bij een ongeluk om het leven is gekomen, staat hij in de rouwkamer en deelt zijn kaartje uit, in de hoop dat ze hem zullen aannemen om iemand een proces aan te doen.'

'Het kan me niet schelen wat voor soort advocaat hij is en hoe goed hij is. Waar het om gaat is dat ze die stap heeft genomen. Het is minder eenvoudig als je denkt. We zullen haar voor de rechter moeten dagen.' Hij staarde me even aan.

'Ik kan het niet geloven... net nu we klaar zijn met de fabriek en we iets gaan betekenen in de gemeenschap, krijgen we een familietwist die in het openbaar moet worden uitgevochten.'

'Het is meer dan een familieruzie, Logan. Veel meer. Het leven van een kleine jongen staat op het spel.'

'Dat weet ik, dat weet ik,' zei hij. Hij stond op en liep heen en weer. 'Misschien kunnen we nog een oplossing vinden achter gesloten deuren.'

'Dat kunnen we niet. Dat zul je je goed moeten realiseren.'

'Lieve God, Heaven, kan ik niet in ieder geval proberen een gemakkelijkere uitweg te vinden? Ik zal een paar mensen bellen, zien wat ik kan doen.'

Ik schudde mijn hoofd.

'Je bent net als Tony. Je denkt dat je alles kunt oplossen met een telefoontje of een conferentie van advocaten achter gesloten deuren.'

'Ik wil het alleen maar proberen.'

'Probeer maar,' zei ik. 'Maar ik wacht niet langer dan een dag.'

'Ze zullen hem niet mishandelen,' zei hij, in een poging het wat minder ernstig te maken.

'Logan.' Ik keek hem recht in de ogen. 'Je hebt me beloofd dat je Drake zou beschouwen als je eigen kind.'

'Dat weet ik en dat doe ik ook.'

'Zou je iemand dit met je eigen kind laten doen? Hem laten weghalen en hem allerlei verschrikkelijke dingen over je laten vertellen?' Hij gaf geen antwoord. 'Zou je dat goedvinden?'

'Natuurlijk niet.'
'Goed dan... Morgen bel ik J. Arthur Steine en vraag zijn advies en de naam van een advocaat in Virginia. Ik haal de beste juristen erbij die ik kan krijgen en besteed al mijn tijd eraan.'
'Natuurlijk, dat begrijp ik,' zei hij zacht.
'En als het betekent dat ik al onze vuile en gescheurde was buiten moet hangen, dan zal ik het doen om Drake terug te krijgen. Het kan me niet schelen wat de mensen van ons denken.'
'Je hebt het magische woord gezegd, Heaven,' zei Logan. 'Ons. We moeten aan andere mensen denken... mijn ouders bijvoorbeeld.' Ik voelde me zo heet worden van binnen, dat het leek of ik in brand stond. De warmte steeg naar mijn gezicht en mijn wangen begonnen te gloeien.
'Je dacht ook niet aan ze toen je met Fanny vrijde, hè, Logan?' vroeg ik. Hij verbleekte. 'Nou?'
'Ik heb je verteld hoe dat gebeurd is. Moet ik dan mijn leven lang daarvoor boeten?' klaagde hij.
'Ik weet het niet,' zei ik. Ik veegde de tranen van mijn wangen. 'Misschien wordt het tijd dat we allemaal ons verleden en onze daden opbiechten. Misschien is dit wel gebeurd zodat we eindelijk schoon schip kunnen maken,' zei ik. 'Wat de reden ook is... ik ben vastbesloten te doen wat noodzakelijk is, met of zonder je steun.'
Logan staarde even voor zich uit en knikte toen.
'Het spijt me. Ik wilde niet egoïstisch klinken. Natuurlijk heb je mijn steun, en natuurlijk sta ik naast je. Ik hou te veel van je om je ooit iets alleen te laten doormaken,' zei hij. 'Ik zal morgenochtend doen wat ik kan om hier een eind aan te maken, en als dat niet kan, zal ik alles doen wat je wilt om Drake terug te brengen waar hij thuishoort.'
'Dank je, Logan.' De tranen sprongen weer in mijn ogen.
'Je hoeft me niet te bedanken omdat ik zoveel van je hou, Heaven. Het is wat ons leven de moeite waard maakt.'
Hij strekte zijn armen naar me uit en we omhelsden elkaar.
'Het komt allemaal in orde,' fluisterde hij en kuste mijn voorhoofd. 'Je zult het zien.'
'Ik hoop het,' antwoordde ik.
De volgende ochtend ging Logan meteen na het ontbijt naar zijn advocaat en hield een paar telefoongesprekken. Ik kwam niet beneden om te ontbijten. Mevrouw Avery bracht me een blad met koffie en toast; meer kon ik niet naar binnen krijgen. Ze zei niets, maar ik kon merken dat ze wist dat er iets ergs was gebeurd. Waarschijnlijk had ze naar Drake geïnformeerd en had Logan haar een en ander verteld. Ze was te discreet om iets te vragen, maar even verlangde ik naar iemand van haar leeftijd om mee te kunnen praten, een echte moeder aan wie ik mijn angst en problemen kon toevertrouwen. Wat gelukkig waren die meisjes die een moeder hadden en zusters van wie ze hielden en die ze konden vertrouwen, dacht ik.
Toen ik mijn koffie op had, nam ik mezelf stevig in de hand en deed wat ik tegen Logan had gezegd dat ik zou doen – ik belde J. Arthur Steine. Hij

kwam onmiddellijk aan de telefoon en onderbrak een bespreking die hij met zijn partners had. Hij luisterde vol medeleven.

'Kan ze dat zo maar doen?' vroeg ik, nadat ik hem in het kort had verteld wat er gebeurd was.

'Tja, naar wat u me vertelt is ze een volwassen vrouw en een zuster van het kind. Toen we die bespreking hadden in mijn kantoor is het niet bij me opgekomen om te informeren naar uw broers of zusters. U regelde alles.'

'Maar Fanny heeft niet de achtergrond, de stabiliteit, het verantwoordelijkheidsgevoel,' zei ik, en vertelde hem iets over haar leven.

'Ik begrijp het,' zei hij. 'En u zegt dat ze nu gaat trouwen?'

'Ja.'

'Tja, ik denk dat er een hoorzitting over het voogdijschap zal moeten komen, mevrouw Stonewall. En alles zal voor de rechter naar voren moeten worden gebracht, zodat hij zich een oordeel kan vormen. Maar met het soort thuis dat u hem kunt geven en uw eigen achtergrond, denk ik dat de beslissing in uw voordeel zal uitvallen.'

'Ik wil er zeker van zijn,' zei ik. 'Beveelt u alstublieft een advocaat in Virginia aan die een deskundige is op dit gebied. Ik heb veel achting voor uw opinie en alle vertrouwen in u,' voegde ik eraan toe.

'Dank u. Ja, ik weet wel iemand. Hij heet Camden Lakewood. Als u even geduld hebt, zal ik hem zo spoedig mogelijk bellen.'

'Dank u, meneer Steine,' zei ik.

'Geen probleem, mevrouw Stonewall. U kunt me altijd bellen als ik u ergens mee kan helpen. Nogmaals, het spijt me dat u zoveel moeilijkheden hebt, en ik zal Camden vragen zich onmiddellijk met u in verbinding te stellen. Doe mijn groeten aan meneer Tatterton.'

Ik bedankte hem nogmaals. Even later belde Logan, die hetzelfde juridische advies had gekregen – Fanny had rechten en er zou een hoorzitting moeten volgen over het voogdijschap. Hij wilde dat ik zijn advocaat zou nemen.

'Dat is al geregeld, Logan,' zei ik. 'Ik heb met Mr. Steine gesproken en hij weet een advocaat die gespecialiseerd is op dit gebied. Hij zal hem vragen mij te bellen.'

'O, als je vindt dat we dat moeten doen...'

'Ik zal je bellen zodra ik hem gesproken heb,' zei ik. Ik wist dat Logan de touwtjes in handen wilde nemen, dat hij het waarschijnlijk een taak voor de man vond, maar de enige manier waarop ik kon voorkomen dat ik de hele dag huilend rondhing was me ermee bezig te houden.

Even later belde Camden Lakewood. Ik verspilde geen tijd aan de telefoon.

'Mr. Steine heeft u aanbevolen, meneer Lakewood,' zei ik. 'Kosten zijn geen overweging. Hoe gauw kunt u bij mij thuis zijn?'

'Mevrouw Stonewall,' zei hij, met een duidelijk Harvard-accent. 'Ik heb net met Mr. Steine gesproken en hij heeft me een en ander verteld over uw familie en het probleem. Ik ben er binnen twee uur.'

Dit was de eerste keer sinds ik in de schoot van mijn moeders familie met al hun rijkdom en macht was teruggekeerd, dat ik pas echt waardeerde wat die allemaal konden doen. Het verhoogde mijn zelfvertrouwen en doorzettingsvermogen. De woorden die ik Fanny voor de voeten had gegooid zouden waarheid worden, dacht ik. Alles wat ze had gedaan toen we kinderen waren, alle egoïstische dingen en uitspraken, en alles wat ze daarna had gedaan, zelfs haar verleiding van Logan, vielen in het niet bij haar ontvoering van Drake en het feit dat ze hem tegen mij opzette. Vroeger had ze op een of andere manier altijd weer mijn sympathie weten te wekken, maar dat zou nu niet gebeuren. Voor de eerste keer wilde ik terugslaan, haar pijn doen. Ik wilde wraak.

En zo intens dat ik mijn bloed voelde koken. Ik bekeek mezelf in de spiegel en zag hoe rood mijn wangen waren geworden. Woede en verdriet, haat en wanhoop waren de ingrediënten die ik in gedachten mengde tot een heksenbrouwsel. Ik kon het bijna proeven op mijn lippen.

Ik slikte, om me voor te bereiden op de beproeving die ons te wachten stond.

Zoals Logan al had voorspeld verspreidde het nieuws van het proces zich als een lopend vuurtje door Winnerow en omgeving. Dank zij de fabriek en het openingsfeest was alles wat we deden voorpaginanieuws. Ik sloot me op in Hasbrouck House en kwam alleen tot leven als Camden Lakewood me bezocht om het proces voor te bereiden. Hij had een secretaresse bij zich om aantekeningen te maken. We zaten in Logans kantoor en ik somde alles op wat ik dacht dat in het nadeel van Fanny kon werken. Er werd een lijst van getuigen opgesteld en Camden stuurde een detective erop uit om bewijzen te verzamelen.

Net als J. Artur Steine was Camden Lakewood een man die succes uitstraalde. Hij was een lange man van in de vijftig, mager en fit, met intelligente, helderblauwe ogen, die je zo scherp aankeken als je met hem zat te praten dat je zijn hersens bijna kon zien werken – onderzoeken, feiten en gegevens tegen elkaar afwegen, conclusies trekken.

Hij had wat reclamemensen een gedistingeerd uiterlijk noemen, de man in een advertentie voor dure auto's of kleding. Hij had een kaarsrechte, gezaghebbende houding. Ik had alle vertrouwen in hem.

Al waren sommige dingen die ik hem vertelde lelijk en onaangenaam, hij liet nooit iets van afkeer blijken. Het was of hij het allemaal al eerder had gehoord. Zijn houding hielp me te ontspannen, en eindelijk was ik in staat hem het moeilijkste van alles te bekennen.

'Fanny is zwanger,' zei ik. 'En het lijkt vrijwel zeker dat mijn man de vader van haar kind is.' Mijn keel werd dichtgeknepen zodra de woorden eruit waren en de tranen sprongen in mijn ogen. Ik moest mijn blik afwenden om te kunnen ademhalen. Mr. Lakewoods secretaresse keek even op van haar stenoblok en sloeg toen snel haar ogen weer neer. Camden stond op en ging mevrouw Avery halen en vroeg haar me een glas water te brengen, wat ze ogenblikkelijk deed.

'Hoe nadelig is dit?' vroeg ik.

'Als u zegt "vrijwel zeker", hoe bedoelt u dat dan?' vroeg hij, om me bewuster te maken van mijn woordkeuze.

'Logan heeft toegegeven dat hij met haar naar bed is geweest.' Ik beschreef het incident zoals Logan het had beschreven. Mr. Lakewood vertrok geen spier van zijn gezicht.

'In het slechtste scenario,' zei hij, 'is het een inruil. Ze kwam naar hem toe in de hut, en naar wat we over haar gehoord hebben, gaat Fanny met Jan en alleman naar bed. Om te beginnen moet u alle betalingen aan haar stopzetten. We geven niet langer zomaar toe dat Logan verantwoordelijk is voor de zwangerschap. We zullen staan op een bloedproef als de baby is geboren. Wat ik van u gehoord heb, zult u er financieel niet veel op achteruitgaan, ook al blijkt uit de bloedproef dat Logan verantwoordelijk is.

'Omdat ze nu met Randall Wilcox trouwt, en het algemeen bekend is dat ze al een tijdlang met hem samen is, al is het aan en uit, zullen we de mogelijkheid naar voren brengen dat het kind van hem is. In ieder geval zullen we Fanny afschilderen als een lichtzinnige vrouw, en dat pleit dan natuurlijk weer tegen haar.

'Logans indiscretie is niet bepaald bevorderlijk voor onze zaak, maar mannen wijken wel vaker van het rechte pad af. De rechter, Bryon McKensie, is een man en zal geen vonnis in ons nadeel uitspreken op grond van Logans ene nacht met Fanny. Helaas komt overspel tegenwoordig heel wat vaker voor, of laten we zeggen, komt vaker aan het licht.

'Afgezien van dat incident lijkt het me duidelijk dat in uw gezin een veel morelere sfeer heerst. Maar, mevrouw Stonewall, ik zou mijn plicht verzaken als ik u niet erop zou wijzen dat dit niet bepaald een prettige zaak zal worden. Ik heb laten informeren naar die andere advocaat, Wendell Burton, en zijn methoden en stijl lijken me... zal ik zeggen van twijfelachtige aard? Als u in de getuigenbank zit zal hij alle gelegenheid hebben u te ondervragen. Ik zal er natuurlijk zijn om te protesteren, maar u moet zich voorbereiden op de ergste soort capriolen en behandeling die in een rechtszaal mogelijk zijn.'

'Ik zal erop voorbereid zijn,' zei ik.

'En uw man?' vroeg hij, zijn ogen half dichtknijpend. Hij had Logan ontmoet en zijn angst aangevoeld.

'Hij zal er ook op voorbereid zijn,' antwoordde ik vastberaden.

Ik weet dat ik het alleen maar hoopte, want toen de datum van de hoorzitting naderde, werd hij steeds zenuwachtiger, en al had ik sinds Fanny Drake had meegenomen maar een paar korte telefoongesprekken gehad met zijn moeder, ik wist dat Logan en zijn moeder veel over het proces hadden gesproken. De middag vóór de zitting kwam Loretta Stonewall naar Hasbrouck House. Ik ging mijn herinnering aan de gebeurtenissen na zoals ik die aan Camden Lakewood had verteld, zodat mijn getuigenverklaring consequent zou zijn.

Mevrouw Avery verscheen in de deuropening van het kantoor om Loretta's komst te melden.

'Laat haar maar binnenkomen, mevrouw Avery. En wilt u wat thee voor ons zetten?'

Het was nogal koud die dag. In de afgelopen nacht was de temperatuur enorm gedaald, en het was een van die dagen die, zoals oma altijd zei, "zelfs te koud waren voor sneeuw". Loretta droeg de lange bontjas van zilvervos die Logan voor haar verjaardag had gekocht. Ze kwam met een rood gezicht en opgewonden de kamer binnen, alsof ze de hele weg hier naar toe had gehold.

'Wat is het koud!' zei ze. 'Hoe gaat het, lieverd? Hou je het een beetje vol?' Ze ging in een van de fauteuils voor het bureau zitten.

'Ik maak het best,' zei ik. 'Mevrouw Avery komt direct met de thee.'

'Wat attent van je. Je bent altijd zo attent en slim. Dat was een van de eerste dingen die ik tegen Logan zei toen hij me vertelde dat hij jou zo aardig vond. Ze is een heel slim meisje, zei ik, om zichzelf zo snel te hebben opgewerkt.'

'Dank u, moeder Stonewall.'

'O, alsjeblieft, zeg alleen moeder. Moeder Stonewall klinkt als iemands overgrootmoeder,' voegde ze eraan toe en liet een kort, schril lachje horen.

Gewoonlijk zou ik hebben gelachen om haar woorden, maar het deed me denken aan Jillian toen ik haar voor het eerst had ontmoet en ze me had gevraagd haar geen grootmoeder te noemen, omdat ze haar ware leeftijd zo goed verborgen had weten te houden voor haar vrienden. Zou ik net zo ijdel zijn als ik zo oud was? vroeg ik me af. Ik hoopte van niet. IJdelheid is een zware last en ketent je aan een wereld vol valsheid en bedrog. Ik leunde achterover zonder antwoord te geven.

'Het proces begint morgen dus?' vroeg ze.

'Ja. Ik was net bezig me erop voor te bereiden.'

'O, mijn God, wat een afschuwelijke situatie voor jou en Logan. Is er echt geen manier om dit te vermijden?' vroeg ze, zich naar voren buigend.

'Alleen als Fanny Drake terugbrengt en afstand doet van alle rechten op hem. Maar aangezien ze dat niet heeft gedaan, kunnen we er zeker van zijn dat ze doorzet. Ze denkt dat zij minder te verliezen heeft en ze wil me op die manier een hak zetten.'

Loretta wachtte tot mevrouw Avery de thee had binnengebracht voor ze verder ging.

'Het is het enige waar de mensen op het ogenblik over praten,' zei ze, toen mevrouw Avery weg was.

'Dat weet ik.'

'Heaven,' zei ze na een lang stilzwijgen. 'Logan heeft me alles verteld, omdat het bij het proces toch aan het licht zal komen. Ik weet dat het verkeerd is wat hij heeft gedaan, heel erg verkeerd, en ik vind het geweldig van je dat je zo vergevensgezind bent, maar om dit bekend te maken in de gemeenschap, vooral deze gemeenschap, zou een grote fout zijn. Winnerow is altijd de gesp van de bijbelriem geweest. Het zal hierna zo moeilijk zijn voor jullie beiden, hoeveel succes de fabriek ook mag hebben. De mensen zullen gnuiven en roddelen en –'

'Dat kan me niet schelen,' zei ik snel. 'Drake is belangrijker dan de zorg over roddels of godsdienstige huichelaars.'

'Maar, lieverd, je moet ook aan je eigen kind denken. Hij of zij zal hier school gaan en met de andere kinderen omgaan, die alle verhalen zullen horen van hun ouders. Het zal zo moeilijk worden.'

'Wat wil je voorstellen, moeder?' vroeg ik. Ik kreeg genoeg van die klaaglijke stem van haar.

'Kun je geen manier vinden om dit op discrete wijze op te lossen? Als je Fanny eens toestond de jongen een deel van het jaar te houden en jij krijgt hem het andere deel?' vroeg ze met een glimlach, of ze een prachtige oplossing had gevonden.

'Om te beginnen zou ze het niet eens zijn met zo'n regeling. Ze is vastbesloten me te treffen, en dit is haar methode. Ik heb je al gezegd... ze is altijd jaloers op me geweest. Verder zou ik niet met mezelf kunnen leven als ik wist dat Drake zes maanden van het jaar onder haar invloed stond. Ik zou de volgende zes maanden nodig hebben om alle schade die ze had aangericht weer goed te maken. Ze heeft zijn brein nu al vergiftigd.'

'Maar zoals Logan zegt, ze zal er waarschijnlijk genoeg van krijgen om voor hem te zorgen, vooral nu ze zelf een kind verwacht. En als ze niet een hoop geld te verwachten heeft...'

'Er is geen sprake van, Loretta.' Iemand die me een dergelijk voorstel kon doen wilde ik geen "moeder" noemen. De glimlach verdween van haar gezicht of ik haar een klap in haar gezicht had gegeven.

'Je denkt niet aan je eigen familie, aan Logan en je eigen kind,' zei ze streng.

'Drake is mijn eigen familie,' zei ik.

'Maar, kindlief,' zei ze, achteroverleunend, 'jij en ik weten allebei dat hij dat niet is.'

Ik staarde haar aan. Blijkbaar had Logan niets voor haar verzwegen. Ik vroeg me af of hij haar ook had verteld wat er tussen Tony en mij was gebeurd.

'Drake is ook mijn familie,' zei ik langzaam. Ik kneep mijn ogen samen en richtte ze op haar als een paar vlijmscherpe messen. 'Ik neem het je kwalijk als je iets anders zegt.'

'Ik probeer alleen maar te helpen,' zei ze. 'Ik denk alleen maar aan je welzijn.'

'Dank je, moeder,' zei ik glimlachend. Mijn gezicht droop van dezelfde valse hartelijkheid. 'Het was erg lief van je om hier naar toe te komen in die kou.'

De valse vriendelijkheid verdween snel uit haar ogen. Haar hand trilde en ze liet haar kopje bijna vallen.

'Nou, ik vind het een grote fout als je dit doorzet, maar als je vastbesloten bent het te doen, kan ik er verder ook niets aan doen.' Ze zette haar kopje zo hard neer dat het bijna brak. Toen stond ze op en zei: 'Zeg alsjeblieft niet tegen Logan dat ik hier ben geweest. Hij heeft me gevraagd het niet te doen.'

'Waarom deed je het dan?' vroeg ik snel.

'Soms weet een moeder wat goed is voor haar kind... instinctief.'

'Dat is precies zoals ik erover denk, moeder,' zei ik. 'Ook al ben ik niet Drakes moeder, ik weet instinctief wat goed voor hem is, en net als zijn moeder doe ik wat zij juist zou achten. Ik ben van plan hem terug te krijgen. Ik hoop dat je er morgen zult zijn om ons in die moeilijke periode bij te staan.'

'Natuurlijk kom ik,' zei ze snel. 'Arme kinderen. Natuurlijk.' Ze liep om het bureau heen en gaf me een zoen. Haar lippen voelden koud op mijn wang. 'Bel me wanneer je maar wilt. Wij staan achter je,' zei ze.

Ze schudde haar hoofd en zuchtte en ging weg.

Ik leunde achterover en keek uit het raam. Het moest wat warmer zijn geworden, dacht ik, want het was gaan sneeuwen. Maar ik had nog steeds het gevoel of een koude hand zich om mijn hart had gesloten. Natuurlijk was ik bang voor morgen. Natuurlijk maakte ik me bezorgd over de toekomst van mijn eigen kind, maar ik kon de gedachte niet verdragen dat Drake zou opgroeien en op een dag naar me zou kijken met Lukes verwijtende ogen. Ik wilde zo graag dat hij van me zou gaan houden als zijn zuster. Fanny voelde dat, en daarom was ze vastbesloten hem van me af te nemen.

Ik kreeg er genoeg van alle mensen van wie ik hield te verliezen.

'Nee, Loretta,' fluisterde ik. 'Er is geen andere manier. Deze reis vol verdriet en leed is geëindigd waar het allemaal is begonnen... in de Willies. En zo hoort het ook. Zo hoort het.'

Ik richtte mijn aandacht weer op de papieren op mijn bureau en bereidde me voor op het proces.

16. HET PROCES

De rechtszaal was gevuld als een kerstkalkoen. Er waren zoveel mensen dat de zaal bijna uit elkaar barstte. Verontrust vertelde Logans moeder me dat sommige mensen in Winnerow zelfs hun winkel hadden gesloten of een vrije dag genomen om het proces te kunnen bijwonen.

Deze dag in het begin van november bracht het eerste echte winterweer. Het had de hele ochtend gesneeuwd en een scherpe, felle wind joeg de sneeuwvlokken op. Ik had niet gedacht dat veel mensen zich in dit afschuwelijke weer buiten zouden wagen, maar het scheen dat het grootste deel van het dorp het schouwspel kwam bijwonen. Toen Logan en ik met Camden Lakewood de zaal binnenkwamen, staarden de mensen ons aan en er ontstond een druk gefluister. Hun stemmen klonken als dorre bladeren in de wind. Alles aan ons was voer voor hun malende kaken – de kleren die we droegen, de uitdrukking op ons gezicht en onze houding terwijl we over het middenpad naar de stoelen liepen die voor de tafel van de rechter stonden.

Camden Lakewoods opzet was van meet af aan een duidelijk contrast te bewerkstelligen tussen onszelf en Fanny en Randall, dus droeg Logan een van zijn dure donkerblauwe pakken en zijn overjas van lamswol. Ikzelf droeg een donkerblauwe wollen jurk, mijn diamanten set van armband, ketting en oorbellen, en mijn jas van zilvervos. Ik had mijn haar losgekamd, maar aan de zijkanten vastgestoken.

Logans ouders zaten vlak achter ons. Het gezicht van zijn moeder zag nu al rood, en ze keek of ze zich hevig zat op te winden. Zijn vader glimlachte warm en knikte bemoedigend.

Het geroezemoes van het publiek werd luider toen Fanny, Randall en hun advocaat, Wendell Burton, binnenkwamen. Ze waren twee weken geleden getrouwd in een snelle burgerlijke plechtigheid. Fanny liep een paar passen voor de beide mannen uit. Ze had haar zwarte haar in een wrong gekamd en droeg lange, zilveren oorbellen die als ijspegels aan haar oren bungelden. Het verbaasde me hoe chic ze eruitzag in haar donkergroene wollen jasje, waaraan een afneembare cape was bevestigd, die ze losmaakte zodra ze binnen was. Onder haar jas droeg ze een zwartwollen jurk met een hoge kraag en driekwart mouwen. Haar enige sieraden waren haar oorbellen.

Randall droeg een lichte overjas. Zijn haar was glanzend en nat van de sneeuw, en al keek hij angstig en gespannen, hij zag er keurig en gedistingeerd uit in zijn donkerbruine pak. Fanny glimlachte en zwaaide naar de mensen in de zaal. Enkelen zwaaiden terug, maar de meesten staarden haar vol ontzag aan. Randall hielp Fanny te gaan zitten. Ze zaten aan de andere kant van de rechtszaal. Ik voelde Fanny's blik op me gericht, maar keek niet op. Ik wilde dat ze weg was, dat ze niet meer bestond. Zou dit haar manier zijn om me eindelijk omlaag te halen naar haar niveau, onze schande openbaar maken? O, Fanny was zo jaloers op me, nog steeds even jaloers en wraakzuchtig, en nu kon ze zich laten gelden, en ik wist dat ze geen genade zou hebben. En ik had haar niets gedaan! Niets! Ze wilde Drake niet, ze wilde alleen maar mij vernederen.

Toen de rechter, Bryon MacKensie, de rechtszaal betrad, stond iedereen op en was stil, de mannen uit de Willies hielden hun pet in de hand. De rechter spreidde elegant zijn zwarte toga uit toen hij ging zitten en staarde naar het veelkoppige publiek. Hij leek een beetje onthutst over de enorme belangstelling. Hij was een zeer gerespecteerde rechter in deze streek, die veel zaken van de society behandelde en senatoren en staatslieden frequenteerde. Hij was een lange, slungelige man met donkerbruin haar en donkerbruine ogen.

Hij rommelde even in de papieren die vóór hem lagen, pakte toen zijn hamer en sloeg er hard mee op tafel. 'De zitting is geopend,' dreunde hij.

Een paar mensen kuchten zenuwachtig, maar behalve dat was het zo stil in de zaal als in een rouwkamer.

'Ik verwacht dat deze hoorzitting op ordentelijke wijze zal verlopen,' begon hij. 'Het publiek mag op geen enkele manier, ik herhaal, op geen enkele manier commentaar geven, applaudisseren of op andere wijze de feitelijke presentatie en verhoren van de getuigen storen. Wie dat toch doet zal uit de zaal worden verwijderd en zal in hechtenis worden genomen wegens *contempt of court.*'

Hij keek weer naar zijn papieren.

'Deze hoorzitting heeft ten doel het voogdijschap te bepalen over Drake Casteel. De heer en mevrouw Logan Stonewall hebben een verzoek ingediend om het volledige voogdijschap te verkrijgen over Drake Casteel, die zich, voor zover wij hebben kunnen vaststellen, momenteel onder hoede en toezicht bevindt van de heer en mevrouw Randall Wilcox.

'Mr. Lakewood, daar uw cliënten dit proces hebben aangespannen, wil ik u verzoeken als eerste te beginnen.'

'Dank u, edelachtbare,' zei Camden, opstaande. 'Het is onze overtuiging, edelachtbare, dat niet alleen mijn cliënten, de heer en mevrouw Stonewall, in de beste positie verkeren om Drake Casteel een goede huiselijke omgeving te verschaffen, maar dat in het geval van de heer en mevrouw Randall Wilcox het tegenovergestelde het geval is. Wij zullen met onze argumenten bewijzen dat de omgeving van het gezin Randall moreel gesproken ongezond is, en dat de motivatie van mevrouw Wilcox om voogdijschap over het kind te verkrijgen niet in het belang is van Drake Casteel.

Met het oog hierop, edelachtbare, zou ik enkele getuigen willen oproepen die niet alleen onze beweringen ondersteunen, maar de rechtbank kunnen overtuigen van de betere bedoelingen en huiselijke omgeving van mijn cliënten.'

'Heel goed, Mr. Lakewood,' zei de rechter automatisch. 'U kunt uw eerste getuige oproepen.'

'Wij verzoeken de heer Peter Meeks, directeur van de Winnerow Scholen, naar voren te komen.'

Als getrainde zeehonden keerden alle hoofden van de inwoners van Winnerow zich naar Meeks, die snel opstond en naar de getuigenbank liep, waar hij de eed aflegde. Hij had een dossier in de hand. Camden Lakewood leunde met één elleboog op de getuigenbank, terwijl Meeks plaats nam.

'Wilt u alstublieft uw naam en positie opgeven?'

'Mijn naam is Peter Meeks. Ik ben directeur van de Winnerow Scholen.'

'En hoe lang hebt u deze positie bekleed, meneer Meeks?'

'Bijna achtentwintig jaar,' zei hij met kennelijke trots.

'Dus u was al directeur toen Fanny en Heaven Casteel de school bezochten?'

'Ja.'

'Meneer Meeks, ik verzoek uw gedachten terug te laten gaan naar die jaren en de rechtbank uw oordeel te geven over deze twee meisjes.'

'Nou,' begon Meeks, die het zich wat gemakkelijker maakte op de harde houten stoel, 'ik herinner me ze nog heel goed, omdat hun gezin tot de

* Minachting voor de rechtbank. In Angelsaksich recht, strafbare weigering de instructies van de rechter op te volgen.

armste families uit de bergen behoorde, en helaas,' ging hij verder, terwijl hij zijn stem liet dalen alsof hij de rechter een geheim toevertrouwde, 'geven de kinderen uit die gezinnen vaak disciplinaire problemen. Ze komen ondervoed en slechtgekleed op school, en zijn weinig gemotiveerd als het op leren aankomt.'

'Komt u terzake alstublieft, Mr. Lakewood,' zei de rechter.

'Ja, edelachtbare. Meneer Meeks, hoe zou u Fanny Casteel willen karakteriseren in verhouding tot het soort leerling dat u zojuist hebt beschreven?'

'O, typerend. Een constant disciplinair probleem. Slechte cijfers.'

'U zegt "typerend", maar waren haar disciplinaire problemen zo typerend?' vroeg Camden snel.

'Feitelijk niet, nee. Ze was wat wij noemen een promiscueuze jongedame.'

'Gaat u verder alstublieft.'

'Ze werd vaak... berispt omdat haar gedrag onbetamelijk was voor een fatsoenlijk meisje, vooral een meisje dat pas twaalf, dertien of veertien jaar oud is.'

'Meneer Meeks, wilt u de rechtbank een voorbeeld geven van dit gedrag?'

'Edelachtbare,' zei Wendell Burton, die opstond. 'Ik protesteer tegen deze manier van ondervragen. Hoe mevrouw Wilcox was als jong meisje hoort geen invloed te hebben op de uitspraak. Bijna iedereen in deze rechtszaal heeft wel eens wat uitgevlooid in zijn jonge jaren. Maar we worden allemaal ouder; we veranderen en worden volwassen, en we zijn vandaag hier om te praten over de volwassen mevrouw Wilcox en de volwassen mevrouw Stonewall.'

'Mr. Lakewood?'

'Edelachtbare, wij willen aantonen dat Fanny Wilcox niet is opgegroeid, niet volwassen is geworden, zoals Mr. Burton het omschrijft, maar dat in feite haar hele geschiedenis er een is van promiscuïteit.'

'Ik zal de getuige verder laten spreken,' zei de rechter, maar ik moet u erop wijzen, Mr. Lakewood, dat ik uitsluitend feiten wens te horen, en geen insinuaties.'

'Ik begrijp het, edelachtbare. Meneer Meeks, kunt u ons een voorbeeld geven?'

'Wel...' Hij sloeg zijn dossier open. 'Op een dag in maart tijdens haar tweede jaar op junior high school, werd Fanny Casteel in de jongenskleedkamer betrapt met twee jongens. Ze was slechts halfgekleed. Ze kreeg een berisping en werd de rest van de dag naar huis gestuurd. Een andere keer, tegen het eind van diezelfde maand, werd ze met een oudere leerling aangetroffen in de ruimte onder het toneel. De lerares die hen betrapte schreef in haar rapport dat ze elkaar op laakbare wijze omhelsden. Ze werd weer naar huis gestuurd.'

'Hoe oud was ze toen?'

'Dertien.'

'Aha. Hebt u nog andere voorbeelden?'

'O, ja, nog een stuk of zes.'

'Edelachtbare, ik wil de tijd van de rechtbank niet verspillen met het opsommen van verdere voorbeelden, maar ik verzoek Fanny Casteels schooldossier als bewijs op te nemen, zodat het in overweging kan worden genomen bij het vormen van uw oordeel.'

'Toegestaan.'

'Ik heb geen verdere vragen aan meneer Meeks.'

'Mr. Burton?' vroeg de rechter. Wendell Burton glimlachte. Hij had een pafferig gezicht met grote blauwe ogen en lippen die zich bewogen als twee repen rode drop. Boven zijn rechterwenkbrauw had hij een grote dikke moedervlek. Zijn haar was glad naar achteren gekamd met een scheiding vijf centimeter naast het midden. Hij was ongeveer 1.75 meter en zijn schouders waren enigszins gebogen. Ik zag dat hij de gewoonte had zijn handen tegen elkaar te wrijven voor hij sprak.

'Meneer Meeks,' zei hij, zonder van zijn tafel op te staan, 'ik neem aan dat u het dossier van Heaven Casteel ook hebt meegebracht?'

'Nee.'

'O, en waarom niet?'

'Er is me alleen gevraagd Fanny Casteels dossier mee te nemen.'

'Zo. Maar u wist wat het doel van deze hoorzitting was, dus ik veronderstel dat u ook het dossier van Heaven Casteel hebt nagekeken?'

Meeks draaide onrustig heen en weer op zijn stoel, keek naar mij en toen weer naar Wendell Burton.

'Ik heb er een snelle blik in geslagen, voor het geval mij een vraag zou worden gesteld met betrekking tot dat dossier.'

'Aha, mooi. Mooi,' zei Burton, naar hem toelopend. 'Wilt u de rechtbank vertellen wat u ontdekte toen u Heaven Casteels absentielijst controleerde?'

'Ik begrijp het niet,' zei Meeks, met een blik op de rechter.

'Vooral in haar laatste jaar in Winnerow. Hoe stond het met haar presentie?'

'Presentie?'

'Was ze niet vaak absent?'

'Absent?'

'Meneer Meeks,' zei de rechter, 'beantwoordt u de vraag alstublieft.'

'Ja. Ik geloof dat je dat wel kunt zeggen, ja.'

'O, zou u dat wel kunnen zeggen?' Wendell keek met een brede glimlach naar het publiek en toen weer naar Meeks. 'Is dat het gedrag van een goede leerlinge?'

'Nee, maar –'

'Is een grote mate van absentie niet een serieus disciplinair probleem?'

'Natuurlijk.'

'Ondanks haar onvolwassen gedrag op school heeft Fanny Casteel dat jaar de lessen in ieder geval vaker bijgewoond dan haar zuster, als we de absentielijsten bekijken, nietwaar?'

'Oppervlakkig gezien wel, ja.'

'Meneer Meeks,' zei Wendell medelevend. 'Ik begrijp hoe u zich voelt. Beoordelen of de ene volwassen vrouw een betere moeder zal zijn dan een andere volwassen vrouw op grond van de middelbare-schooltijd is ongeveer of je in de kristallen bol van een waarzegster kijkt, nietwaar?'

'Ik protesteer, edelachtbare,' zei Camden. 'Hij vraagt de getuige een oordeel te geven over de waarde van zijn eigen getuigenis.'

'Maar, edelachtbare, Mr. Lakewood heeft niet anders gedaan dan waarde te hechten aan meneer Meeks oordeel.'

'Dat ben ik niet met u eens, Mr. Burton,' zei de rechter. 'Mr. Lakewood heeft feitelijke gegevens naar voren gebracht. U kunt gerust zijn, *ik* ben degene die de waarde van de informatie zal beoordelen. Protest toegestaan. Hebt u nog meer vragen voor deze getuige, Mr. Burton?'

'Nee, edelachtbare. O, ja... nog één,' zei hij, zich plotseling omdraaiend. 'Meneer Meeks, onlangs is mevrouw Stonewall bij u geweest met Drake Casteel om hem als leerling te laten inschrijven, nietwaar?'

'Ja.' Meeks leunde achterover en drukte zijn handen tegen elkaar als in een gebed.

'En u hebt de jongen geaccepteerd, al heeft hij nog niet helemaal de juiste leeftijd, nietwaar?'

'Ja, maar –'

'Met andere woorden, u hebt een uitzondering gemaakt om de heer en mevrouw Stonewall terwille te zijn.'

'Niet alleen om hen terwille te zijn. We kunnen een uitzondering maken voor een veelbelovende leerling.'

'Ik begrijp het. Dus de positie van de heer en mevrouw Stonewall in de gemeenschap had geen invloed op uw beslissing?'

'Protest, edelachtbare!'

'Of op uw getuigenverklaring hier vandaag?' voegde Wendell Burton er snel aan toe.

'Edelachtbare!' drong Camden aan. Ik was blij te merken dat hij even agressief kon zijn als Wendell Burton.

'Edelachtbare, ik probeer aan te tonen dat deze getuige bevooroordeeld is.'

'Mr. Burton, ik heb u al gezegd, dat ik uitsluitend belangstelling heb voor de feitelijke gegevens die meneer Meeks in de rechtszaal ten gehore heeft gebracht, niet met subjectieve beoordelingen. Het is derhalve onnodig enig vooroordeel in deze kwestie te bewijzen. Hebt u nog verdere vragen?'

'Nee, edelachtbare.'

'Ik heb nog één vraag, edelachtbare,' zei Camden.

'Gaat uw gang.'

'Meneer Meeks, enige tijd geleden is mevrouw Stonewall teruggekeerd naar de Winnerow Scholen om daar les te geven. Zuiver objectief beoordeeld, hoe waardeerde u als directeur haar werk?'

'Ze deed het heel goed. De leerlingen vonden haar aardig, ze beheerste haar onderwerp en de staf accepteerde haar.'

'Dus ze had een goede omgang met de kinderen?'

'O, zeker. Ze misten haar toen ze wegging en ik was teleurgesteld toen ze besloot niet meer terug te komen,' zei Meeks. De tranen sprongen in mijn ogen toen hij dat zei, en het herinnerde me eraan hoe bedroefd ik me had gevoeld toen ik het lesgeven opgaf om in Farthy te gaan wonen. Logan voelde het en drukte mijn hand onder de tafel.

'Dank u. Geen verdere vragen, edelachtbare.'

'U kunt naar uw plaats terugkeren, meneer Meeks.'

'Edelachtbare,' zei Camden, 'wij zouden nu dominee Wayland Wise als getuige willen oproepen.'

Deze keer ging er een zacht geluid door de zaal, alsof iedereen tegelijk zijn adem inhield. Dominee Wise, die achterin de zaal stond, liep langzaam maar weloverwogen naar de getuigenbank. Hij had er nooit feller en gedistingeerder uitgezien. De mensen aan het middenpad bogen opzij, alsof hij tijdens het lopen de lucht voor zich scheidde, zoals Mozes de Rode Zee scheidde. Zelfs de rechter leek onder de indruk. Met luide, krachtige stem legde de dominee de eed af. Hij legde niet alleen zijn hand op de bijbel. Hij omklemde die. Zijn gezicht stond ernstig, zijn ogen waren scherp en doordringend, zoals in de kerk wanneer hij recht in het gezicht van de duivel leek te kijken en hem met zijn bijbelse woorden uitdaagde.

In afwachting van zijn getuigenis begon mijn hart hevig te bonzen, maar toen ik naar Fanny keek maakte ze een ontspannen en zelfverzekerde indruk. Ze fluisterde iets in het oor van haar advocaat en hij glimlachte en knikte en klopte haar op haar hand. Randall staarde recht voor zich uit. Hij keek als een man die in de val zat en niet goed wist wat hij hier deed of waarom hij zich hier bevond. Hij keek alsof hij zich tegenover mij wilde verontschuldigen. Maar Fanny gaf hem een por en hij wendde snel zijn blik af.

'Dominee Wise, wilt u de rechtbank vertellen onder welke omstandigheden u Fanny Casteel in uw huis hebt opgenomen en haar hebt behandeld als uw eigen dochter?'

'De Heer stelt ons in staat onze medemensen op vele manieren te helpen als ons hart ons dat ingeeft,' begon dominee Wise. 'Ik hoorde over de nooddruftige omstandigheden van het gezin Casteel, en dat de kinderen zonder moeder en voor een groot deel zonder vader leefden in een hut in de Willies, hongerig, koud en onverzorgd. Mijn vrouw en ik bespraken de situatie en besloten dat we althans een van die arme kinderen in ons huis zouden opnemen en ervoor zorgen zoals de Heer voor ons heeft gezorgd.' Sommigen van zijn parochianen knikten en glimlachten zelfingenomen.

'En dus hebt u Fanny Casteel in uw huis opgenomen als uw dochter. U hebt haar zelfs uw naam gegeven en haar voornaam vervangen, nietwaar?'

'Dat hebben we gedaan. Met genoegen.'

'Beschrijft u alstublieft hoe Fanny was toen u haar voor het eerst mee naar huis nam.'

'Ze was dankbaar en blij dat ze bij ons was. Natuurlijk begon ik haar te onderwijzen in de rechtschapen leer. Ik kende de omstandigheden waaronder ze had geleefd en hoe die haar morele opvoeding hadden beïnvloed.'

'En had u succes met Fanny?' vroeg Camden. Dominee Wises kraalachtige zwarte ogen gingen van Fanny naar het publiek in de zaal.

'Ze was een moeilijk kind, vaak promiscueus, zoals beschreven. Ik voelde dat de duivel haar in zijn macht had.'

'Ik begrijp het. Dus het gedrag dat meneer Meeks heeft genoemd bleef voortduren, ook al bevond ze zich nu in een goede omgeving, en was ze geliefd en verzorgd? Is dat correct?'

'De duivel is een sluwe vijand.'

'Dominee, beantwoord u de vragen alstublieft met ja of nee.'

'Ja.'

'En in die tijd werd Fanny een rijpe vrouw,' zei Camden. Hij zweeg dramatisch. Je kon een speld horen vallen, zo gretig spitsten zich alle oren om de schandalige waarheid te vernemen. Even liet Camden zijn blik over de zaal gaan, toen draaide hij zich plotseling om en keek de dominee aan. 'Dominee Wise, is Fanny zwanger geworden terwijl ze in uw huis verbleef?'

Lange tijd gaf de dominee geen antwoord. Hij boog zijn hoofd als in een stil gebed. Toen sloeg hij heel langzaam zijn ogen op en keek strak naar Camden Lakewood.

'Ja.'

'En wat hebt u aangeboden?'

'Mijn vrouw en ik, die in die tijd kinderloos waren, besloten de baby op te nemen zoals we Fanny hadden opgenomen, en als ons eigen kind groot te brengen. We besloten dat de Heer ons weer een nieuwe kans had gegeven en we voelden ons gezegend.' Er klonk een gemompel in de zaal, maar toen de rechter met zijn hamer sloeg werd het plotseling weer stil. Niemand wilde uit de zaal gezet worden en het drama missen. 'We deden het voorkomen of het kind van mijn vrouw was, maar het was een bedrog met goede bedoelingen, bestemd om het leven van de onschuldige baby gemakkelijker te maken. We wilden dat ze in de gemeenschap zou worden geaccepteerd. Zo had de Heer het bedoeld.'

'Ik wil uw motieven niet in twijfel trekken, dominee, maar hebt u Fanny Casteel niet tienduizend dollar geboden als ze afstand deed van alle rechten op haar kind?'

'Dat heb ik gedaan, maar het was niet mijn bedoeling haar kind te kopen. Mijn vrouw en ik vonden dat ze het geld nodig had om voor zichzelf te kunnen zorgen als ze ons huis verliet en de wereld introk om haar eigen weg te vinden.'

'Maar in de documenten staat dat het geheim van de afkomst van het kind voor eeuwig zal worden bewaard voor een bedrag van tienduizend dollar, is dat juist?'

'Ja.'

'En heeft Fanny Casteel bereidwillig haar eigen kind aan u verkocht?'

De dominee knikte slechts.

'In de stukken zal worden aangetoond dat het antwoord van de getuige bevestigend is,' instrueerde Camden. 'Geen verdere vragen, edelachtbare.'

Camden had me verteld dat hij zou vermijden de dominee in verlegenheid te brengen, in de hoop dat zijn bezwarende getuigenis zou impliceren dat Fanny met diverse mannen naar bed ging, zwanger werd en haar kind verkocht. Hij hoopte dat Fanny en haar advocaat niet de werkelijke omstandigheden zouden willen uitbazuinen omdat haar moreel in het geding was. Maar ze waren bereid het risico te nemen.

'Dominee Wise,' begon Wendell Burton, die als een kanonskogel omhoogschoot uit zijn stoel, 'was de zorg voor Fanny Casteels welzijn uw enige overweging om haar tienduizend dollar te geven?'

'Ik weet niet zeker, ik – '

'Bent u niet de vader van Fanny Casteels eerste kind?'

Het was zo doodstil in de zaal of alle lucht eruit was gezogen en een vacuüm had geschapen. Niemand durfde zelfs te hoesten.

'Dat ben ik,' bekende hij. Zijn stem haperde niet. Er ging een zacht gemompel op in de zaal, maar deze keer hoefde de rechter niet te hameren. Niemand gaf meer een kik. Iedereen boog zich gespannen naar voren om geen woord te missen.

'U maakte een tienermeisje zwanger in uw eigen huis, een onschuldig, vertrouwend kind, dat aan u was toevertrouwd om haar moreel te bewaken?' ging Burton verder.

'Mr. Burton, ik heb nooit beweerd iets meer te zijn dan een gewoon mens, die door de Here God is uitverkozen om Zijn woord uit te dragen naar andere gewone mensen. Ik heb mijn best gedaan Fanny Casteel te hervormen, maar het heeft niet mogen baten.'

'Dus u verleidde een veertienjarig meisje?' snauwde Burton.

'Geloof me, geen man hoeft ooit de moeite te nemen dat promiscueuze jonge meisje te verleiden. Dat slechte, zondige meisje,' zei hij, naar Fanny wijzend, zijn arm uitgestrekt als de arm van een profeet die op het punt staat Gods eigen woorden uit te spreken, 'kroop in mijn bed en verleidde mij door haar wellustige, naakte lichaam tegen het mijne te drukken, want zoals ik al heb gezegd, ik ben maar een man, een mens van vlees en bloed.' Hij liet zijn arm zakken, boog zijn hoofd en schudde het langzaam. 'Jammerlijk, beschamend menselijk.'

'Maar het feit blijft dat u de volwassene was en u haar niet hebt weggestuurd?' vervolgde Burton.

'Nee, dat heb ik niet gedaan,' zei dc dominee, en keek weer scherp op. 'Maar ik heb geen seconde eraan getwijfeld dat de duivel in haar huisde en via haar een manier had gevonden om het pantser van mijn geloof te doorboren, want mijn geloof bracht de duivel in Winnerow een fatale klap toe, zoals mijn gemeente kan getuigen. Ik was blij toen ze mijn huis verliet,' zei hij. 'En ik begrijp waarom de Heer me opdracht heeft gegeven haar baby te kopen. Hij wilde niet dat het kind zou worden grootgebracht in het huis van een dergelijke vrouw, een vrouw die in de greep van de duivel was.'

'Dus met tienduizend dollar bracht u een jong meisje ertoe haar kind te verkopen. Wat had ze anders moeten doen? Ze was pas veertien,' zei Burton.

'Protest, edelachtbare. Mijn confrère stelt en beantwoordt zijn eigen vraag.'

'Protest toegewezen. Mr. Burton, stelt u dominee Wise de vraag?'

'Nee,' zei Burton snel. 'Geen verdere vragen.'

'Dominee Wise, mag ik u de vraag stellen,' zei Camden toen er nauwelijks een seconde verstreken was. 'Had Fanny Casteel een andere keus dan haar kind aan u te verkopen?'

'Natuurlijk. Ze had het kunnen houden. Er bestaat een gezinszorg, er bestaat zoiets als bijstand.' Hij keek naar het publiek in de zaal. 'Ze had erop kunnen aandringen dat ik voor haar en het kind zorgde.'

'Het feit is dat ze haar kind niet wilde?'

'Ja. Ze wilde alleen het genot, het zondige genot, en niet de verantwoordelijkheid.'

'Geen verdere vragen, edelachtbare.'

De dominee verliet de getuigenbank. Toen hij terugliep over het middenpad hield hij het hoofd hoog geheven en zijn blik was even intens als toen hij naar de getuigenbank liep, maar ik zag opluchting in zijn gezicht, het begin van een vage glimlach. Hij had gedaan wat hij al die jaren waarschijnlijk al had willen doen, zijn zonde bekennen en op zo'n manier dat zijn gemeente hem zonder aarzelen zou vergeven. Ik wist zeker dat zijn volgende preek zou worden opgebouwd op de verklaring "ik heb de duivel gezien en ik ken zijn macht, maar ik heb de vergiffenis van de Heer gezien en ik weet dat Hij machtiger is."

Toen ik naar Fanny keek zag ik dat ze niet meer zo glimlachte als toen de dominee plaatsnam in de getuigenbank. Haar advocaat boog zich naar haar toe en fluisterde haar weer iets in het oor, maar wat hij haar vertelde maakte haar niet blij. Randall hield zijn hoofd gebogen en tekende figuurtjes met een potlood. Ondanks alles had ik medelijden met hen. Ze wisten het niet, maar we waren pas begonnen. Fanny had nooit moeten twijfelen aan de macht van geld en invloed, dacht ik.

'Edelachtbare,' zei Camden, 'wij willen nu mevrouw Peggy Sue Martin als getuige horen.'

Fanny's hoofd ging met een schok omhoog en haar advocaat keek verward. Ik zag een bezorgde blik verschijnen in Fanny's ogen. Randall en Wendell Burton vroegen haar wie Peggy Sue Martin was, zols de meeste mensen in de zaal zich dat afvroegen. De rechter sloeg met zijn hamer en het werd weer stil toen Peggy Sue Martin, een vrouw van achterin de vijftig, begin zestig, in de getuigenbank plaatsnam.

Ze droeg een goedkope stola van imitatievossebont en haar gezicht was zwaar opgemaakt, bijna even zwaar als dat van Jillian in haar waanzin... rouge op haar wangen, dik uitgesmeerde lippenstift, haar wimpers zwaar onder de lichtblauwe mascara. Haar haar, dat lichtgeel geverfd was, zag eruit als stro. Ze had het naar voren geborsteld en gekruld, maar je kon zien dat het bezig was uit te vallen. Haar dunne, lavendelkleurige jurk plakte aan haar brede heupen en haar rok eindigde ergens halverwege haar knieën en enkels. We hadden haar tweeduizend dollar plus onkosten betaald om haar uit Nashville hier naar toe te krijgen.

Ze legde snel de eed af en leunde achterover, sloeg haar benen over elkaar en glimlachte naar Camden toen hij naar haar toekwam.

'Mevrouw Martin,' begon hij, 'vertelt u de rechtbank alstublieft waar u woont en wat u doet.'

'Ik woon in Nashville, waar ik zes huizen bezit en beheer.'

'Mevrouw Martin, kent u Fanny Casteel?'

'Ja. Fanny kwam een paar jaar geleden in een van mijn huizen wonen. Ze was naar Nashville gekomen om te proberen zangeres te worden, net als honderden andere meisjes.' Ze glimlachte naar de rechter, maar zijn gezicht bleef uitdrukkingsloos.

'Als u zegt dat ze in een van uw huizen kwam wonen bedoelt u dat ze een kamer huurde?'

'Jawel.'

'Had ze geld voor de huur?'

'In het begin wel. Toen had ze soms geen geld meer. Ik ben niet harteloos, maar er is een grens aan de tijd die ik iemand onderdak kan geven. Ik moet geld verdienen. Ik moet ook leven.'

'Verdiende Fanny Casteel geen geld als zangeres?' vroeg Camden.

'O, hemel, nee.' Ze begon te lachen. 'Ze kon net zo min zingen als ik.'

'Dus u hebt haar op straat gezet?'

'Nee.'

'Wat,' vroeg Camden, zich langzaam omdraaiend naar Fanny en toen weer naar Peggy Sue Martin, 'wat deed ze dan om het geld voor de huur bij elkaar te krijgen?'

Peggy Sue Martin schoof heen en weer op haar stoel en trok haar imitatiebontstola om zich heen.

'Nou, ik wil niet vergoelijken wat er in mijn huizen gebeurt. Het gaat me niks aan zolang de huurders maar niks breken en op tijd de huur betalen.'

'Ja?'

'Nou, sommige vrouwen ontvangen van tijd tot tijd mannen.'

'En worden ervoor betaald?' zei Camden.

'Ja, ik moedig het niet aan,' zei ze snel, naar de rechter kijkend, maar hij bleef als een houten klaas voor zich uitstaren.

'Mevrouw Martin, spreken we over prostitutie?'

'Ja,' zei ze zachtjes.

'Mevrouw Martin, luider alstublieft,' zei de rechter.

'Ja,' herhaalde ze veel luider.

'En u weet zeker dat Fanny Casteel nu en dan haar geld op die manier verdiende?'

'Ja,' zei Peggy Sue Martin.

Ik herinnerde me de reis die ik had gemaakt naar dat vervallen huis met de afbladderende verf en scheefhangende luiken in Nashville. Hoe naïef was ik geweest om niet door te hebben wat daar gebeurde. Ik had moeten weten wat zich daar afspeelde toen ik dat knappe blonde meisje in een short en haltertop zag, met een sigaret tussen haar lippen.

Fanny was pas zeventien en helemaal alleen; ze had nauwelijks geld genoeg om iets te eten te kopen. Ik was zo bezorgd over de reactie van Jillian en Tony als Fanny zich ooit in Farthy liet zien, dat ik niet had gemerkt in welke deplorabele toestand ze verkeerde. Ik nam haar mee uit eten en beloofde haar geld te sturen, maar het was niet tot me doorgedrongen wat er met haar gebeurd was.

En nu kwam het allemaal aan het licht, het werd op tafel gegooid als de inhoud van een geheime la, en het was haar eigen schuld. Ik had haar gewaarschuwd, dacht ik, me weer verhardend. Ze had Drake niet mee moeten nemen.

'Geen verdere vragen, edelachtbare,' zei Camden. Ik keek naar Fanny. Ze keek naar me met ogen vol haat. Ik wendde me af.

'Mr. Burton?' zei de rechter. Wendell Burton sprak even met Fanny en wendde zich toen tot de rechter.

'Ik heb geen vragen aan deze getuige, edelachtbare.'

'Zo, de eerste ronde is voorbij,' zei Camden Lakewood, terwijl hij naast me ging zitten. 'Het is een makkie.'

'Er volgt nu een onderbreking tot na de lunch,' verklaarde de rechter, en sloeg drie keer met zijn hamer op de tafel.

17. HET KWAAD AAN DE VOET VAN DE HEUVEL

De opzienbarendste informatie – het feit dat Fanny zwanger was van Logan – moest nog komen. Camden Lakewood was van mening dat hij er niet over moest beginnen als hij Fanny opriep, alweer in de hoop dat zij en haar advocaat tot de conclusie waren gekomen dat het niet in hun voordeel was het in de openbaarheid te brengen.

Het verbaasde me hoe fris Fanny eruitzag toen we terugkwamen. Het moest allemaal erg vernederend en onaangenaam zijn geweest voor haar, maar ze leek zo ontspannen en zelfverzekerd als een kat die op de loer ligt voor een muizengat. Randall was nog steeds erg stil en niet op zijn gemak, maar Fanny ging naar mensen toe, lachte luid, schudde handen en zwaaide. Natuurlijk begreep ik wel dat ze toneel speelde voor Logan en mij, en zich zo nu en dan naar ons omdraaide om te zien of we wel keken. Wat was ze nog een kind, dacht ik. Ze had gewoon niet beseft wat ze zich op de hals had gehaald toen ze Drake meenam.

Logans moeder keek wat opgewekter. Haar vriendinnen hadden zich tijdens de pauze om haar heen verzameld, klokkend als hennen. Alle informatie tot dusver had Fanny in een kwaad daglicht gesteld en onze positie versterkt. Ook Loretta hoopte nu dat Fanny het incident met Logan niet zou oprakelen. Als het zo slecht voor haar ging, waarom zou ze dan nog meer onplezierige dingen willen onthullen?

En dan moest ze natuurlijk aan Randall denken. Camden Lakewood merkte op dat als ze hem had overgehaald met haar te trouwen door hem in de waan te brengen dat ze zijn kind verwachtte, ze het risico liep hem te verliezen als ze vertelde dat het van Logan was. Maar wat ik in mijn hart vreesde was dat Randall minder belangrijk voor haar was dan mij te kwetsen en Drake te krijgen.

In de pauze kwamen de ouders van veel van mijn vroegere leerlingen en veel zakenrelaties in Winnerow bij ons om ons succes te wensen. Zoals ik al verwacht had, vonden de meeste mensen het erg moedig van dominee Wise om zijn zonden in het openbaar te bekennen. Hij had de duivel uitgedaagd en de duivel had een stapje achteruitgedaan. Tijdens het reces had hij in een hoek gestaan, omringd door zijn toegewijde parochianen, die naar hem luisterden terwijl hij passages uit de bijbel citeerde die volgens hem bij de gelegenheid pasten.

Toen we weer naar binnen gingen, zag ik dat hij met een zelfvoldaan gezicht naar me staarde. Toen ik hem jaren geleden had opgezocht om erop aan te dringen dat hij het kind aan Fanny zou teruggeven, had ik gedreigd dat ik hem in zijn eigen kerk aan de kaak zou stellen. Hij had me gewaarschuwd dat zijn volgelingen zich nooit tegen hem zouden keren.

Toen de zitting weer begon bracht Camden Lakewood een paar financiële paperassen in het geding, waarin stond dat Logan en ik executeurs van Drakes nalatenschap waren. Toen riep hij Fanny op.

Ze stond op en schikte haar haar recht, glimlachte naar Randall en slenterde door de rechtszaal naar de getuigenbank, of ze het toneel opkwam. Ze glimlachte zo star of ze een masker droeg. Toen bleef ze voor onze tafel staan en staarde op me neer.

'Je bent nou tevreden, hè, Heaven?' zei ze. 'Maar dat zal niet lang duren.'

Ik schudde mijn hoofd en wendde mijn blik af.

Toen haar gevraagd werd of ze de waarheid en niets dan de waarheid zou zeggen, antwoordde ze: 'Natuurlijk.' Er werd gegrinnikt in de zaal.

'Mevrouw Wilcox,' begon Camden. 'Ik heb begrepen dat u kort geleden mevrouw Wilcox bent geworden. Hoe kort geleden was dat?'

'Randall en ik hebben twee dagen geleden ons boterbriefje gehaald. We zijn in Hadleyville getrouwd, keurig netjes, zoals het hoort.'

'Aha. Hoe lang kent u meneer Wilcox?'

'Ik ken hem al een tijdje,' zei ze, glimlachend naar mij.

'Mevrouw Wilcox, dit was toch geen verstandshuwelijk, wel?' vroeg Camden.

'Hè?'

'U bent toch niet getrouwd om Drakes voogdes te kunnen worden?'

'Protest, edelachtbare,' zei Wendell. 'Ik maak bezwaar tegen die insinuatie. Er is geen bewijs – '

'We zijn hier om dat vast te stellen, edelachtbare,' zei Camden zacht. De rechter dacht even na en knikte toen.

'Protest afgewezen. Ik vind dat de vraag terecht is en ik wil graag het antwoord van mevrouw Wilcox horen. Mevrouw Wilcox?'

'Ja, edelachtbare?'

'U kunt de vraag beantwoorden.'
'Welke vraag?'
'Ik zal mijn vraag herhalen,' zei Camden. 'Bent u alleen met Randall Wilcox getrouwd om te kunnen aantonen dat u Drake een goed thuis kon geven?'
'Eh...' Ze keek naar Wendell, die snel het hoofd schudde. Camden Lakewood ving de blik en de beweging op en ging tussen Fanny en Wendell in staan, zodat haar advocaat aan haar blik werd onttrokken. 'U vraagt me of dit een schijnhuwelijk is zodat ik de rechter kan overtuigen Drake aan mij te geven,' zei ze, zich blijkbaar herinnerend dat Wendell Burton had gezegd dat iets dergelijks haar gevraagd kon worden. 'Nou, dat is het niet. Randall houdt van me en ik hou van hem, dus vonden we het allebei tijd worden om het officieel te maken. En we hebben een goed thuis. Je kan toch zeker wel een goed thuis hebben zonder zo rijk te zijn als Heaven, hè?'
Een paar mensen in de zaal knikten instemmend.'U bent al eerder getrouwd geweest, nietwaar, mevrouw Wilcox?' zei Camden, haar uitbarsting koel negerend.
'Eh-eh. Ik was met de Ouwe Mallory getrouwd.'
'De Ouwe Mallory. Ik neem aan dat uw eerste echtgenoot aanzienlijk ouder was dan u?'
'O, ja. Een jaar of veertig.'
'Veertig jaar ouder dan u?'
'Eh-eh.'
'Hield u ook van hem?'
'Hij hield van me en hij wilde voor me zorgen, dus ben ik met hem getrouwd. Ik was nog niet zo oud als nu en niet zo verstandig, en ik had niet een hoop experts die me vertelden wat ik wel en niet moest doen, zoals sommige mensen,' voegde ze eraan toe, naar mij kijkend.
'Waarom bent u van hem gescheiden?'
Weer keek ze naar haar advocaat, maar Camden week niet van zijn plaats.
'We konden niet met elkaar overweg,' zei ze.
'Is het niet zo dat u van hem gescheiden bent, omdat hij kinderen wilde en u niet?' vroeg Camden snel. Ze kromp even ineen.
'Nee.'
'Hebt u dat niet aan mensen verteld, mensen die we zo nodig vandaag als getuigen kunnen oproepen?'
Ze sloeg haar ogen neer en toen weer op, en keek me met een woedende blik aan. Ik verroerde geen vin. Ik had haar gewaarschuwd dat ik haar alles wat ik wist voor de voeten zou gooien.
'Ik wilde geen kinderen van hem omdat hij te oud was. Ik bedoel, wat gebeurt er als hij doodgaat, hè?' vroeg ze. Ze draaide zich om naar de rechter. 'Dan zit ik met de kinderen, en zonder man, en wie wil dan nog met me trouwen? Dus zei ik nee en we kregen ruzie. Toen gingen we scheiden en toen is hij gestorven en hij heeft me geen cent nagelaten. Dus had ik gelijk.'

'Maar in uw hele verleden hebt u geen kinderen willen hebben, mevrouw Wilcox. Is dat niet waar?'
'Nee, dat is het niet,' zei ze. 'Kijk maar, ik heb er nu toch een?' vroeg ze, op haar buik wijzend.
'En u bent pas twee dagen geleden getrouwd?' vroeg Camden zachtjes, met een blik op de rechter.
'Dat heb ik al verteld,' zei Fanny. 'Weet u niet meer?' vroeg ze, en de mensen in de zaal lachten. De rechter sloeg met zijn hamer.
'Mevrouw Wilcox, wilt u de rechtbank vertellen hoe u Drake Casteel bij u thuis hebt gekregen?'
'Wat bedoelt u, hoe ik hem heb gekregen? Ik heb hem opgepakt en daar gebracht.'
'Opgepakt? Waar?'
'Bij de Willies fabriek op het feest. Ik zag dat hij alleen was terwijl Heaven en Logan aan het feestvieren waren en opschepten met hun nieuwe fabriek. Dus ben ik erheen gereden en heb gezegd dat hij met mij mee moest. Hij stapte in de auto en ik heb hem gebracht waar hij hoort.'
'Zomaar van de straat opgepakt zonder het iemand te vertellen?'
'Dat hoefde ik niet. Hij is mijn broertje.'
'Maar dacht u niet dat iemand, speciaal de heer en mevrouw Stonewall, zich ongerust zou maken over de verdwijning van de kleine jongen?'
'Nou, ze maakten zich ook niet ongerust over wat ík dacht.' Ze keek weer naar Logan en mij. Haar zwarte ogen schoten vuur. 'Ze hebben nooit mijn toestemming gevraagd, ze hebben hem gewoon meegenomen naar dat kasteel bij Boston en toen naar hun grote huis hier in Winnerow. Maar pa zou hebben gewild dat ik zijn moeder zou zijn, en niet Heaven. Hij hield niet zoveel van Heaven als van mij, en dat weet ze. Ze weet dat hij zou willen dat Drake bij mij was. Je weet dat ik de waarheid vertel, Heaven,' zei ze met een woedende blik op mij.
Ik had altijd geloofd dat hij meer van haar hield, dacht ik, maar op de een of andere manier had ik altijd geweten dat hij meer vertrouwen had in mij. Hij wist dat ik verantwoordelijkheidsgevoel had en hij wist dat Fanny verwend en egoïstisch was. Nee, dacht ik, als Luke hier kon zijn, teruggebracht uit het graf om te getuigen, denk ik dat hij zou zeggen dat hij Drake bij mij wilde. Per slot had hij mij tot executeur-testamentair benoemd. Ik wist zeker dat hij mij als voogdes van Drake zou willen zien.
'Maar u wist in ieder geval waar hij was, mevrouw Wilcox. Was wat u deed niet erg onverantwoordelijk? Een kind meenemen zonder iemand iets te zeggen? Ze hebben de politie gewaarschuwd, die de jongen gezocht heeft. En toen u de jongen eenmaal bij u thuis had, waarom hebt u hen toen niet gebeld om het te vertellen?'
'Dat zei ik al,' zei ze. 'Ze hebben mij nooit gebeld en me niks verteld. Ze hebben me niet eens verteld dat ze in Winnerow waren.'
'Maar, mevrouw Wilcox – '
'Het was goed wat ik deed,' hield ze vol, met haar hoofd knikkend. 'Heaven denkt dat ze kan doen wat ze wil omdat ze zo rijk is. Nou, het kan me niet schelen hoe rijk ze is. Drake is van mij.'

Fanny's wrok tegen mij was overduidelijk. Ik voelde me pijnlijk getroffen.

'Geen verdere vragen, edelachtbare,' zei Camden.

Wendell Burton stond op, maar deze keer hield hij zijn handen op zijn rug toen hij naar de getuigenbank liep. Hij bleef halverwege Fanny en onze tafel staan en draaide zich om, zodat hij naar ons kon kijken. Toen wiegde hij op zijn hielen en ik wist wat er zou komen. Mijn hart stond even stil en begon toen luid te bonzen.

'Mevrouw Wilcox, die baby die u verwacht. Wiens baby is dat?'

'Van hem,' zei ze, naar Logan wijzend. 'Hij heeft me zwanger gemaakt.'

Ik hoorde Logans moeder een kreet slaken. Er ontstond een hevige opwinding in de zaal. Ik keek naar Randall en zag de verbaasde blik op zijn gezicht. Wat ik vermoed had was juist. Hij wilde overeind komen, maar Wendell Burton, die snel naar de tafel was teruggekeerd, pakte hem bij de arm en zei iets tegen hem, waarna hij weer ging zitten. Misschien vertelde hij hem dat Fanny loog om Drake te kunnen krijgen. De rechter sloeg steeds opnieuw met zijn hamer. Zijn gezicht zag rood van woede.

'Ik heb het publiek gewaarschuwd,' zei hij. 'Als er nog een keer een dergelijk rumoer ontstaat laat ik de zaal ontruimen. Gaat u door, Mr. Burton,' zei hij. Wendell zei nog iets tegen Randall en liep toen terug naar Fanny.

'Mevrouw Wilcox, u wees op meneer Stonewall, de echtgenoot van uw zuster?'

'Ja. En je kan het niet ontkennen, Logan Stonewall!' riep ze uit. 'Je hebt betaald om er voor te zorgen en je laatste betaling is al over tijd.'

Logan keek naar mij, maar ik vertrok geen spier, al kromp mijn hart ineen. Ik had het gevoel of Fanny haar vinger in mijn hart stak toen ze naar Logan wees. Ik draaide me niet om en sloeg mijn blik niet neer. Ik wist dat iedereen in de zaal naar me keek om mijn reactie te zien. Ze dachten natuurlijk allemaal dat ik het nu pas voor het eerst hoorde. Zoals Camden Lakewood had gevreesd, vond Wendell Burton Fanny's morele geloofwaardigheid zo ernstig geschaad, dat hij iets moest doen om ook ons te schaden.

'Mevrouw Wilcox, er is naar voren gebracht dat u twee dagen geleden getrouwd bent. Wist uw echtgenoot, Randall Wilcox, dat Logan Stonewall u zwanger heeft gemaakt en u geld stuurde om de kosten te betalen? Wist Randall dat voordat hij met u trouwde?'

'Ja. Randall is een echte heer. Hij houdt van me en ik heb er genoeg van om te worden misbruikt door rijke en machtige mensen,' zei ze. Ze zei het zo automatisch, dat het duidelijk was dat haar advocaat haar die regel uit het hoofd had laten leren. Ze keek zo trots als een schoolmeisje in een toneelstuk van school.

Maar het was ook duidelijk dat ze de onschuldige en naïeve Randall buiten hun spelletje hadden gehouden. Hij keek volslagen verbijsterd.

'En dus wilde hij dat uw baby een vader had en u beiden een goed thuis?' vroeg Wendell, die de vraag deed klinken als een conclusie.

'Ja.'

Camden Lakewood boog zich naar ons toe. 'Ik zal Logan nu als getuige moeten oproepen,' fluisterde hij, 'om zijn kant van het verhaal naar voren te brengen.'

'Dat begrijp ik,' zei Logan. 'Het spijt me, Heaven, heus.'

'Ik weet het. We zullen doen wat er gedaan moet worden en het zo gauw mogelijk achter de rug hebben,' zei ik snel.

'Wel, mevrouw Wilcox,' vervolgde Wendell Burton, wiens weeë glimlach breder werd. 'U hebt vandaag een paar lelijke beschuldigingen gehoord over uw morele karakter. Ik vind het alleen maar eerlijk om uw kant van het verhaal te horen. Hoe bent u in het huis van dominee Wise gekomen?'

'Mijn pa heeft ons verkocht voor vijfhonderd dollar per stuk. Dominee Wise heeft mij gekocht.'

'De dominee heeft u als een soort slavin gekocht voor vijfhonderd dollar?' vroeg Wendell Burton. Hij sperde zijn ogen open en keek naar de zaal. 'De man die u ervan beschuldigde een duivelskind te zijn?'

'Ja, meneer, dat heeft-ie.'

'En wilt u de rechtbank in het kort vertellen hoe het was om in het huis van de dominee te wonen?'

'In het begin erg prettig. Ze kochten dingen voor me en de dominee praatte over de bijbel en zo, maar toen ging hij gek doen.'

'Gek doen? Hoe bedoelt u, mevrouw Wilcox?'

'Hij kwam in mijn kamer als zijn vrouw sliep en ging op mijn bed zitten en praatte tegen me en streelde mijn haar, en toen begon hij andere dingen te strelen.'

'Ik begrijp het. En hoe oud was u toen?'

'Een jaar of veertien.'

'Een jaar of veertien. En toen, zonder in de onsmakelijke details te treden, bent u zwanger geworden van zijn kind, nietwaar?'

'Ja, meneer, maar ik ben niet naar zijn kamer gegaan en naakt naast hem gekropen, zoals hij zegt. Hij kwam naar mij toe. Ik wilde geen kind. Ik was te jong en te bang, maar ik had geen familie, niemand om me te helpen. Niemand om mee te praten. Dus toen hij zei dat hij me tienduizend dollar wilde geven om de baby te houden, stemde ik toe. Maar toen wilde ik mijn baby terug.'

'O? U zegt dat u uw kind terug wilde? Vertel ons dat eens,' zei Wendell Burton, wiegend op zijn hielen en met zijn blik op de zaal gericht.

'Mijn rijke zuster kwam me opzoeken in Nashville, en ik smeekte haar mijn baby terug te kopen, de dominee het dubbele bedrag te bieden. Dat betekende niets voor haar. U had eens moeten zien hoeveel ze in haar portemonnee had.'

'Heeft ze dat gedaan?'

'Nee. Ze wilde niet dat ik een moeder was en een kind had. Ze wilde niks met me te maken hebben. Ze stuurde me soms geld, maar ik mocht haar niet opzoeken, omdat haar rijke familie niet goed zou worden als ze zo'n arm en achterlijk schepsel zagen als ik,' zei Fanny. Ze haalde haar zakdoek uit haar mouw en veegde haar ogen af.

'Ik begrijp het. Toen bent u getrouwd met meneer Mallory, maar u zag geen toekomst in dat huwelijk?'
'Nee, meneer, hij was te oud, zoals ik al zei.'
'Dus bent u gescheiden en u bent hier komen wonen waar u zich hebt gevestigd en getrouwd bent?'
'Ja.'
'Dank u, mevrouw Wilcox. Dat klinkt wel een beetje anders dan de versie die we eerder hebben gehoord. Geen verdere vragen, edelachtbare.'
'U kunt gaan, mevrouw Wilcox,' zei de rechter, toen Fanny zich niet bewoog.
Ze keek op. De tranen stroomden over haar wangen en ze zag eruit als het slachtoffer. Heel even dacht ik dat ze dat misschien ook was. Net als alle Casteel-kinderen had ze de vernedering ondergaan om te worden verkocht. Fanny deed indertijd of ze er blij om was, maar dat was waarschijnlijk omdat ze verwachtte te worden bemind en gekoesterd zoals ze altijd gehoopt had. En toen verkrachtte de dominee haar. Daar had ik nooit aan getwijfeld. Ze had daarna inderdaad een moeilijk leven gehad. Ik kon begrijpen waarom ze die dingen in Nashville had gedaan en waarom ze met Mallory getrouwd was en later van hem gescheiden. Misschien was ik te egoïstisch geweest, dacht ik. Misschien had ik haar kind terug moeten halen van de dominee. Misschien zou de verantwoordelijkheid voor een kind haar hebben veranderd.
Maar ze had op de pijnlijkste manier teruggeslagen. Ze had mijn man verleid en nu probeerde ze Drake van me af te nemen, niet omdat ze hem wilde hebben – maar om mij te straffen. Ik moest mijn schuldgevoelens van me af zetten en me verharden. Drakes toekomst hing ervan af.
'Ik wil Logan Stonewall oproepen,' zei Camden. Logan stond op. Er ging een zucht door de zaal, maar de blik van rechter McKensie was voldoende om de rust te handhaven. Logans moeder snikte achter ons, maar we negeerden haar allebei. Ik kneep hem even in de hand en toen ging hij naar de getuigenbank.
Logan was zo zenuwachtig als een klein jongetje. Ik zag zijn hand trillen toen hij hem op de bijbel legde. Zijn stem sloeg over toen hij de eed aflegde. Hij keek weer naar mij toen hij ging zitten en ik glimlachte om hem aan te moedigen.
'Meneer Stonewall,' begon Camden Lakewood, 'u hebt zojuist de getuigenis gehoord van mevrouw Wilcox, waarin ze u ervan beschuldigt het kind te hebben verwekt dat ze nu verwacht. Bent u de vader van dit kind?'
'Ik weet het niet. Misschien,' antwoordde Logan.
'Dus u geeft toe dat u een intieme relatie hebt gehad met mevrouw Wilcox?'
'Ja,' zei Logan.
Opnieuw brak er een geroezemoes uit in de zaal, maar de hamer van de rechter maakte er snel een einde aan.
'Kunt u de omstandigheden beschrijven waaronder zich dit heeft afgespeeld?'
'Ja, dat kan ik.' Logan ging rechtop zitten. Zijn stem werd dieper en hij

sprak luider en met meer gezag. 'Mijn schoonzuster hing vaak rond op het fabrieksterrein in Winnerow. Ze scheen niets anders te doen te hebben en niemand anders te hebben om mee te praten. Als ze kwam bracht ze iets te eten voor me mee of praatte met me en vertelde hoe moeilijk ze het had, helemaal alleen, zonder familie. Ik woonde in onze hut in de Willies, en ik begon medelijden met haar te krijgen. Op een avond kwam ze met wijn en eten. Ze maakte een maaltijd voor me klaar. We dronken veel wijn en ze huilde veel. Voor ik wist wat er gebeurde had ze zich uitgekleed en klampte ze zich aan me vast. We... eindigden in bed. Ik was dronken en ik had er onmiddellijk spijt van.'

'Hebt u sindsdien nog een intieme relatie met haar gehad?'

'Nee, nooit.'

'Alleen die ene keer?'

'Ja.'

'En toen hoorden u en uw vrouw dat ze zwanger was van uw kind?'

'Ja. Ik heb mijn vrouw alles uitgelegd,' zei Logan, naar mij kijkend. 'Ze begreep het en heeft me vergeven, en ik hou meer van haar dan ooit,' voegde hij eraan toe. De tranen sprongen in mijn ogen, maar ik veegde ze niet weg. Ik zou niemand in de zaal de voldoening geven me te zien huilen. Ik ging nog rechter zitten.

Fanny staarde naar me. De glimlach om haar lippen verdween en een uitdrukking van verbazing kwam ervoor in de plaats. Wat wilde ze me graag gebroken zien, dacht ik. Dit hele proces, alles wat ze had gedaan, was alleen om dat te bereiken. De jaloezie leefde al die jaren in haar als een parasiet, voedde zich met haar en werd groter en lelijker en sterker, tot hij haar volledig vulde. Zou Fanny op een dag wakker worden en spijt hebben van de dingen die ze had gedaan? vroeg ik me af.

'Dus, meneer Stonewall, u hebt er nooit aan getwijfeld dat u de vader van Fanny's kind was,' ging Camden verder, 'ook al wist u dat ze andere vriendjes had?'

'Protest, edelachtbare. Mr. Lakewood maakt een duidelijke insinuatie ten aanzien van het karakter van mevrouw Wilcox.'

'Het protest is erkend, Mr. Lakewood. Er is niet vastgesteld dat mevrouw Wilcox andere vrienden had in die tijd.'

'Heel goed, edelachtbare. Ik zal mijn vraag anders inkleden. Meneer Stonewall, wist u met zekerheid dat mevrouw Wilcox nog andere mannen ontmoette in de tijd waarin ze u op het fabrieksterrein bezocht?'

'Ik wist dat ze meneer Wilcox vaak zag.'

'Aha. En ondanks het feit dat u dat wist, begon u toch haar geld te sturen voor haar doktersrekeningen en voor de geboorte van het kind?'

'Ja, dat hebben we gedaan.'

'En zonder zeker te zijn van uw verantwoordelijkheid hebt u gedaan wat u het beste achtte voor het nog ongeboren kind?'

'Ja.'

'Geen verdere vragen, edelachtbare.'

'Mr. Burton?'

'Meneer Stonewall,' begon deze, nog voordat hij van zijn stoel was opgestaan. 'U zei dat u zeker wist dat mevrouw Wilcox meneer Wilcox ontmoette in de tijd dat u vleselijke gemeenschap met haar had?'

'Ja.'

'Weet u zeker dat mevrouw Wilcox vleselijke gemeenschap had met meneer Wilcox in die tijd?'

'Dat weet ik zeker.'

'U bent toch niet gaan spioneren bij mevrouw Wilcox? Of wel soms?'

'Nee, natuurlijk niet.'

'Heeft mevrouw Wilcox u verteld dat ze vleselijke gemeenschap had met meneer Wilcox?'

'Nee.'

'Dus u hebt geen feitelijke informatie waardoor u kunt aannemen dat de baby die mevrouw Wilcox verwacht niet van u is?'

'Eh, nee.'

'Derhalve stuurt u mevrouw Wilcox ook geen geld voor de baby uit pure liefdadigheid of burgerzin, meneer Stonewall?'

'Ik protesteer, edelachtbare,' zei Camden. 'Meneer Stonewall heeft al verklaard waarom hij en mevrouw Stonewall mevrouw Wilcox geld hebben gestuurd.'

'Ik geloof niet dat de volledige zin van de misstap naar voren is gebracht, edelachtbare,' zei Wendell.

'Ik geloof dat we het wel begrijpen, Mr. Burton,' zei de rechter. 'Gaat u door met uw vragen. Het protest is erkend.'

'Verdere vragen zijn overbodig, edelachtbare,' zei Burton met een brede glimlach.

Logan keek om zich heen als iemand die een harde klap op zijn hoofd heeft gehad. Toen keek hij naar mij en ik glimlachte en knikte. Hij stond op en liep naar me toe. Ik stak mijn handen naar hem uit en hij gaf me een zoen op mijn wang. Ik keek niet naar Fanny, maar ik wist dat ze van binnen verteerd werd door woede.

'Edelachtbare, we roepen Randall Wilcox op,' zei Camden snel.

Randall keek scherp op, keek naar mij en stond toen langzaam op. Fanny zei iets tegen hem, maar hij scheen het niet te horen. Hij keek ongerust en was nauwelijks te verstaan toen hij de eed aflegde.

'Meneer Wilcox,' begon Camden. 'Wanneer hoorde u voor het eerst dat uw vrouw zwanger was?'

'Een paar maanden geleden,' zei Randall zacht. De rechter vroeg hem het te herhalen en zijn stem klonk luider.

'Hebt u haar toen ten huwelijk gevraagd?' Randall gaf geen antwoord. Hij keek even naar Fanny en sloeg zijn ogen neer. 'Meneer Wilcox?'

'Geeft u alstublieft antwoord op de vraag,' beval de rechter.

'Ja.'

'Niet voordat u hoorde dat ze zwanger was?' beklemtoonde Camden. Randall knikte. 'Wilde u met haar trouwen omdat u dacht dat ze uw kind verwachtte?' Randall bewoog zich nerveus. 'U vond dat u correct moest handelen ten opzichte van haar, nietwaar, meneer Wilcox?' vroeg Camden op een toon alsof hij zich dat nu pas realiseerde.

'Ik –'

'U bent voorgelogen, nietwaar?' ging Camden verder. 'En u zou anders niet met haar getrouwd zijn, is dat niet juist?'

'Nee. Fanny heeft een hoop moeilijkheden ondervonden in haar leven.' Hij keek naar haar en ik zag aan de uitdrukking op zijn gezicht dat hij meende wat hij zei, dat hij echt medelijden met haar had. 'Veel van wat ze heeft gedaan is begrijpelijk.'

'Maar ze heeft u verteld dat u de vader van haar kind was, niet?'

'Ja.'

'En nu zegt ze dat meneer Stonewall de vader is. Liegt ze nu of heeft ze tegen u gelogen?'

Randall gaf geen antwoord.

'Ik weet dat u daarop geen antwoord kunt geven, meneer Wilcox. Meneer Wilcox, waarom bent u niet met haar getrouwd voordat ze u vertelde dat ze zwanger was?'

'Ik was nog niet rijp voor het huwelijk.'

'En twee weken geleden wel?'

'Ja.'

'Maar hoe zijn de omstandigheden veranderd, meneer Wilcox?'

'Ik heb mijn studie opgegeven en een baan gezocht in Winnerow.'

'Als kok in een snelbuffet?'

'Ja.'

'Uw ouders zijn erg van streek, nietwaar?'

'Ik protesteer, edelachtbare. Meneer Wilcox staat niet terecht. De verhouding met zijn familie is – '

'Edelachtbare, ik probeer het klimaat in het gezin Wilcox vast te stellen, een klimaat waarin Drake Casteel misschien kan komen te leven.'

'Protest afgewezen.'

'U hebt een dure universitaire opleiding met een veelbelovende carrière in het verschiet opgegeven om te trouwen, nietwaar meneer Wilcox?'

Er sprongen tranen in Randalls ogen. Hij keek de zaal in, in de richting van zijn ouders.

'Ja.'

'Meneer Wilcox, ik vraag u of het niet mogelijk is dat Fanny Casteel u heeft gebruikt, tegen u heeft gelogen over haar zwangerschap, alleen om u zover te krijgen dat u met haar trouwde en ze als een getrouwde vrouw op deze hoorzitting kon verschijnen?' Randall staarde voor zich uit. 'Beantwoord u de vraag alstublieft, meneer Wilcox.' Hij schudde zijn hoofd. 'Meneer Wilcox?'

'Misschien,' zei hij, en er brak weer een luid geroezemoes uit in de zaal. De rechter sloeg driftig met zijn hamer.

'Geen verdere vragen, edelachtbare,' zei Camden en kwam met een brede glimlach naar onze tafel.

'Mr. Burton?' zei de rechter. Wendell Burton glimlachte zelfgenoegzaam.

'Geen vragen, edelachtbare,' zei hij.

Randall stond op en liep in de richting van Fanny's tafel, maar draaide zich toen om en liep de rechtszaal uit.

'De zitting wordt verdaagd tot morgenochtend half tien,' zei rechter McKensie. Hij sloeg met zijn hamer en stond op. Er brak een hevig rumoer uit in de zaal. De dorpsroddelaars hadden heel wat nieuws te vertellen over de telefoon en in elkaars huizen. Ze konden hun geluk niet op.

'Morgen om deze tijd is Drake weer bij u terug,' zei Camden Lakewood. Ik keek naar de andere kant van de zaal, en zag dat Fanny en Wendell Burton haastig door een zijdeur naar buiten liepen. Toen ik naar de mensenmenigte keek, zag ik veel mensen naar ons glimlachen. Zelfs Loretta Stonewall scheen over haar crisis heen te zijn en accepteerde stralend het medeleven van haar vriendinnen.

'Ik zal u later in de middag bellen, dan kunnen we een tijd afspreken om uw getuigenverklaring door te nemen,' zei Camden. 'Daarmee hoort alles in kannen en kruiken te zijn,' voegde hij eraan toe.

'U hebt fantastisch werk gedaan,' zei Logan, en ze gaven elkaar een hand voor we naar buiten liepen.

Het sneeuwde niet meer; de zon kwam zelfs even achter de wolken te voorschijn en zorgde voor een verblindende, glinsterende wereld. Logan sloeg zijn arm om me heen toen we naar de auto liepen.

'Wel,' zei hij. 'het ergste is achter de rug.'

'Ik hoop het,' zei ik. 'Meer voor Drake dan voor mezelf.'

'Je had gelijk om Lakewood te nemen. Vakmanschap en ervaring zijn belangrijk.' We stapten in de auto en reden weg. Ik keek achterom en zag Fanny praten met Randall. Ze maakte wilde gebaren en haar adem kwam in wolkjes uit haar mond, als de rook uit de schoorsteen van Old Smokey, de kachel in de Willies hut.

'Als een kwaad eenmaal aan het rollen is, is het moeilijk meer tegen te houden,' placht oma te zeggen. Een kwaad is als een steen die van een berg rolt, hij krijgt steeds meer vaart en kracht. Als je hem niet meteen aan het begin tegenhoudt, kun je alleen nog maar afwachten tot hij uitgerold is. Was de steen van het kwaad voor de Casteel-kinderen uitgerold? Ik kon alleen maar hopen dat de gebeurtenissen in de rechtszaal ertoe zouden bijdragen de vaart ervan te vertragen.

Toen Logan en ik die avond naar bed gingen nam hij me in zijn armen en kuste me.

'Ik was zo ongerust over je vandaag,' zei hij.

Hij streelde zacht over mijn haar en kuste me opnieuw. 'We zullen hier sterker dan ooit uit te voorschijn komen. Dat zul je zien. Zenuwachtig over morgen?'

'Ik zou liegen als ik zei dat ik het niet was.'

'Ik sta achter je, net als jij achter mij hebt gestaan. Kijk maar naar mij als je van streek raakt.'

'O, Logan, je houdt echt nog van me zoals vroeger, hè?' De glimlach verdween van zijn gezicht en hij keek heel ernstig.

'Meer nog, omdat ik heb geleerd hoe kostbaar en belangrijk je voor me bent. Toen was het de verliefdheid van een schooljongen. Nu is het de rijpe liefde van een man. Ik heb je nodig, Heaven. Ik ben niets zonder jou.'

'O, Logan,' zei ik. Hij kuste de eerste traan die over mijn wang rolde, en toen omhelsde hij me en kuste me nog hartstochtelijker tot we intens naar elkaar begonnen te verlangen. Omdat ik zwanger was, vrijde hij heel teder en voorzichtig met me, maar desondanks heel vurig. Seksuele extase liet ons even alle verdriet en narigheid vergeten. Met zijn lippen op mijn borsten, zijn mond tegen de mijne en zijn lichaam dicht tegen het mijne vervlogen alle ongelukkige herinneringen. Ik gaf me gretig aan hem over.

'Heaven, mijn Heaven,' fluisterde hij. 'Er zullen heel veel momenten zijn als deze. Ik zal er altijd voor je zijn, altijd.'

Mijn tranen waren nu tranen van geluk en hoop. We waren als twee schoolkinderen die elkaars lichaam ontdekten en leerden hoe prachtig de liefde tussen een man en een vrouw kon zijn. Daarna vielen we in elkaars armen in slaap.

Toen de telefoon rinkelde werd ik met een schok uit mijn slaap gerukt. Ik wilde niet meteen wakker worden, maar de telefoon bleef doorbellen en tenslotte werd ook Logan wakker. Hij pakte de hoorn op en bracht hem aan zijn oor.

'Hallo,' zei hij schorre stem. Lange tijd luisterde hij alleen maar. Toen zei hij: 'Ik begrijp het. Kom meteen,' en hing op.

'Wat is er? Wie was het?' vroeg ik snel. Ik zag aan de uitdrukking op zijn gezicht dat het slecht nieuws was.

'Het was Lakewood,' zei hij. 'Hij komt hier naar toe om met ons te praten. Hij zei dat hij informatie had die – ' Hij slikte even, alsof de woorden in zijn keel bleven steken.

'Die wat? Wat, Logan?'

Hij draaide zich langzaam om en keek me geschokt en wanhopig aan.

'Die Fanny zonder meer het volledige voogdijschap zal geven over Drake,' zei hij.

18. WAT MET GELD TE KOOP IS

Onze butler Gerald kondigde Camden Lakewood aan. Logan en ik waren naar de grote zitkamer gegaan om zijn komst af te wachten. Zelfs al straalden de drie brandende kristallen kroonluchters als fonkelende diamanten in de middagzon, toch had ik het gevoel dat we omgeven werden door een sombere duisternis. De ramen van deze kamer waren aan de noordkant, zodat hij overdag niet zoveel licht kreeg als ik eigenlijk gewild had. Nu was ik in mijn eigen duisternis gehuld, wachtend op het nieuws dat Drake uit mijn leven zou rukken en een afgrijselijke leegte achterlaten.

Camden Lakewood bleef even in de deuropening staan, met zijn aktenkoffer in de hand. Logan die een gin-tonic voor zichzelf had klaargemaakt aan de bar, liep hem tegemoet om hem te begroeten. Ik bleef op de bank zitten, te gespannen en te bang om me te verroeren. 'Mr. Lakewood,' zei Logan. 'Komt u binnen alstublieft. Wilt u iets drinken?'

'Nee, dank u,' zei Camden en ging op de bank tegenover me zitten. 'Het spijt me dat ik om zo'n vroege bespreking moet vragen na een vermoeiende dag, maar – '

'Meneer Lakewood, alstublieft.' Ik kon me niet langer bedwingen. 'Vertelt u ons wat u gehoord hebt, dat u plotseling zo pessimistisch bent over de afloop van het proces.' Ik kon zelf niet geloven hoe overspannen mijn stem klonk.

Logan kwam naast me staan. Hij pakte mijn hand vast en sloot zijn vingers geruststellend om de mijne.

'Tja, dit is iets van een schok voor me geweest, mevrouw Stonewall. Ik moet zeggen dat dit verhaal met de dag gecompliceerder wordt,' begon Camden Lakewood.

'Ga door alstublieft,' smeekte ik.

'Ik ontving een telefoontje van Wendell Burton, kort nadat we vandaag de rechtszaal verlieten, en op grond van hetgeen hij me vertelde heb ik diverse telefoongesprekken gevoerd en wat onderzoek gedaan. Zoals u weet heeft de advocaat van Anthony Tatterton, J. Arthur Steine, enig belang bij deze zaak en hij was degene die –'

'Vertelt u ons wat het is, meneer Lakewood,' viel ik hem in de rede, niet in staat mijn ongeduld te bedwingen.

'Ja, mevrouw Stonewall. Ik zal het u vertellen.' Hij haalde diep adem en leunde achterover. 'Het schijnt dat Mr. Burton vlak na de hoorzitting een bespreking had met mevrouw Wilcox, voornamelijk om haar uit te leggen waarom hij dacht dat ze het voogdijschap over Drake zou verliezen. In de loop van dit gesprek onthulde mevrouw Wilcox, op een wijze die bewees dat ze de betekenis van die informatie niet besefte, dat Luke Casteel in feite niet uw vader was. Ze vertelde hem dat uw echte vader Anthony Tatterton was,' besloot Camden Lakewood hoofdschuddend.

Ik liet Logans vingers los en hij ging op de leuning van de bank zitten. Ik voelde het bloed naar mijn wangen stijgen.

'En dat betekent?' vroeg ik nauwelijks hoorbaar.

'Dat betekent, mevrouw Stonewall, dat u geen bloedverwant bent van Drake Casteel, en mevrouw Wilcox wel. Dat verandert de zaak.'

'We kunnen het bestrijden,' bulderde Logan. 'Het is Fanny's woord tegen –'

'Ik vrees van niet, meneer Stonewall. Mr. Burton heeft Anthony Tatterton al gedagvaard. Onnodig te zeggen dat dit een enorme complicatie betekent,' zei hij hoofdschuddend. Hij transpireerde en moest zijn voorhoofd afvegen met zijn zakdoek. Ik zag aan zijn gezicht dat Mr. Steine hem onder druk had gezet.

'Dus Tony heeft toegegeven...' mompelde Logan.

'Ja, hij heeft het toegegeven aan Mr. Steine, en de implicatie was duidelijk dat als hij onder ede een verklaring moest afleggen in de rechtszaal...

tja, volgens Mr. Steine lijdt meneer Tatterton momenteel onder emotionele spanningen en –'

'En hij zou het toegeven?' vroeg Logan ongelovig.

'Het is zijn manier om wraak te nemen op me,' zei ik zachtjes. 'Maar wat ik niet begrijp,' besefte ik plotseling, 'is hoe Fanny daar achter is gekomen. Ik heb haar nooit iets over mijn relatie met Tony verteld en –'

Camden Lakewood schraapte zijn keel. Ze beweert dat ze een brief heeft, die aan haar is geschreven door haar broer Tom –'

'Tom?' herhaalde ik verbijsterd.

'Blijkbaar. Luke Casteel had Tom de waarheid verteld over uw afkomst en omdat hij het zich heel erg aantrok dat u niet zijn zuster was, maakte hij Fanny deelgenote van zijn bedroefdheid.' Hij keek me met trieste blik aan. 'Het spijt me heel erg, mevrouw Stonewall.'

'O, o, o, Tom. Mijn Tom had de waarheid gekend. En hij had hem aan Fanny verteld. Wat moest hij van streek zijn geweest! En nu had mijn trouwe supporter Tom ervoor gezorgd dat ik Drake kwijtraakte. Tom, die nooit iets zou hebben gedaan om mij te kwetsen. Tom, die de enige was die me hielp in mezelf te geloven. Wat moest hij teleurgesteld zijn geweest. Dat verklaarde waarom hij onze dromen had opgegeven, waarom hij pa was gevolgd, niet geloofde dat hij genoeg intelligentie of talent had om naar de universiteit te gaan en aan zijn droom te werken om president van de Verenigde Staten te worden. We hadden elkaar zo vaak geholpen met onze onmogelijke idealen. En wat hadden we elkaar veel verdriet gedaan! O, Tom, Tom, waarom moet het leven zo wreed zijn?

'Kan een dergelijke brief als bewijsstuk worden aangevoerd?' vroeg Logan.

'Ik vrees van wel,' antwoordde Camden. Toen wendde hij zich tot mij. 'En u weet nu dat Anthony Tatterton zal bevestigen wat in de brief staat,' waarschuwde hij.

'Maar...' stotterde Logan, 'maar na alles wat vandaag aan het licht is gekomen, zal de rechter toch...'

'Fanny is Drakes bloedverwante, zijn halfzuster, en we zijn ervan uitgegaan dat mevrouw Stonewall ook zijn halfzuster was. We hebben enkele belangrijke punten naar voren gebracht, maar die zijn alleen van belang als mevrouw Stonewall en mevrouw Wilcox op gelijke voet staan, om het zo maar uit te drukken. Afgezien van Fanny's verleden, meneer Stonewall, waarom zou de rechtbank het voogdijschap toewijzen aan mevrouw Stonewall, die geen bloedverwante is, in plaats aan mevrouw Wilcox die zijn halfzuster is? Ze is geen misdadigster, ze is nooit voor iets gearresteerd.'

'Maar Randall Wilcox zei – ' mompelde Logan.

'Dat is allemaal niet belangrijk meer.'

Mr. Lakewood leunde naar voren en sprak op zachte toon verder, alsof hij op het punt stond ons een vertrouwelijke mededeling te doen.

'Burton heeft me al laten weten welke lijn hij zal volgen, zodra hij heeft vastgesteld dat Luke Casteel niet de echte vader is van mevrouw Stonewall. In zijn woorden hebben we een situatie waarin iemand met een hoop geld probeert haar macht te gebruiken om Fanny Wilcox haar familierechten te ontnemen.

'Ik moet u eerlijk zeggen dat het er niet goed uitziet, en op grond daarvan heeft Mr. Steine me gevraagd, als een collegiale dienst, alles te doen wat in mijn vermogen ligt om te voorkomen dat meneer Tatterton wordt gedagvaard. Mijn advies is om uw eis in te trekken.'

'We denken er niet aan!' riep Logan. 'Als Tony gek genoeg is zich ten overstaan van iedereen door die smerige advocaat te laten ondervragen en te bekennen – '

'Het punt waar het om gaat is dat hij dat zal doen, meneer Stonewall,' viel Camden hem koel en realistisch in de rede. 'Anthony Tatterton heeft vrijwillig aangeboden te getuigen. Het is duidelijk dat zijn advocaten erop aandringen dat hij dat niet zal doen.'

'Ik zie nog steeds niet in waarom een rechter...'

Ik kon Tony niet laten getuigen. Dit alles zou uiteindelijk alleen maar schadelijk zijn voor Drake. 'Logan,' zei ik dof.

'Nou, ik snap het niet, en we zijn bereid – '

'Logan!' Ik stond op. Hij keek me even aan en wendde toen zijn blik af. 'Bedankt voor wat u voor ons gedaan hebt, meneer Lakewood,' zei ik vastberaden. Mijn bedoeling was duidelijk.

'Het spijt me, mevrouw Stonewall. Als ik alle feiten had geweten voor we hieraan begonnen...'

'Ik begrijp het. Excuseert u ons alstublieft,' ging ik verder en holde de kamer uit. Ik rende de trap op en bleef pas staan toen ik in mijn slaapkamer was. Ik haalde diep adem.

Het was niet het feit dat Fanny me had verslagen of dat de echo van Logans ontrouw bleef doorklinken of zelfs dat Tony bereid was zijn seksuele relatie met mijn moeder te onthullen, dat me zo wanhopig maakte. Het was dat ik Drake verloor en door dat verlies ook Luke opnieuw verloor.

Ik dacht aan al die keren dat ik heimelijk gewenst had dat Luke me zijn wang zou laten aanraken of zijn armen om me heen zou slaan of over mijn haar zou strijken. Ik herinnerde me hoe het was als ik hem verloren en eenzaam voor zich uit zag staren in de ruimte, alsof het leven hem had bedrogen. Ik had altijd zo'n intense behoefte om van hem te houden en door hem gekoesterd te worden. Als hij maar eens had gedaan of hij zich van mijn bestaan bewust was of me had aangemoedigd te geloven dat hij van me hield, al was het maar een heel klein beetje.

Maar hij deed het nooit en alle hoop dat het ooit zou gebeuren was me ontnomen toen die dronken chauffeur hem en Stacie doodde. Ik had gehoopt dat ik hem via Drake zou vinden, de liefde zou vinden die ik had verloren. Ik had een heel leven gepland waarin ik Drake liefde zou geven en zijn liefde zou ontvangen. Ik had zelfs gedroomd dat hij zou opgroeien tot een krachtige jongeman, die me vol liefde en genegenheid zou aankijken.

Het was ironisch dat Tony me door zijn bekentenis Lukes liefde een tweede keer kon ontnemen. Wie weet wat er in hem omging sinds ik uit Farthy was gevlucht en ik geweigerd had hem onder vier ogen te spreken op het feest. Op een vreemde manier was hij nu waarschijnlijk jaloers op mijn liefde voor Drake.

Ik voelde me verslagen, omgeven door jaloezie en haat. Aan de ene kant Fanny, aan de andere kant Tony, die allebei aan me trokken. Twee mensen die van me hadden moeten houden en van wie ik had moeten houden en die me nog ellendiger maakten dan toen ik in de Willies woonde.

Haast had ik gewenst dat ik weer in die armoede leefde, waar ik in ieder geval werd omringd door mensen die van me hielden. Ik wenste dat Tom en ik ergens in de Willies waren en over onze dromen praatten, geloofden dat we broer en zuster waren.

Ik ging op bed zitten, te moe en te gedeprimeerd om te huilen. Even later stond Logan op de drempel. We zeiden geen van beiden iets.

'Ik had toen diezelfde avond naar Farthy moeten vliegen en Tony Tatterton zijn nek omdraaien,' begon Logan. 'Ik had je moeten geloven toen je me waarschuwde. Ik had een eind moeten maken aan zijn ijzeren greep op ons leven. Wat ben ik voor man, Heaven, dat ik je zo in de steek heb gelaten?'

'Je bent een goede man. De enige man die ik me wens,' troostte ik hem. 'En praat alsjeblieft niet meer over wraak en haat. Ik kan het niet meer verdragen.' Een plan vormde zich in mijn achterhoofd, een plan dat ik zelf in praktijk zou moeten brengen. Ik had er genoeg van om mensen te haten, zelfs Fanny. 'Ik ga met Fanny praten,' zei ik.

'Je gaat haar niet smeken. Die gedachte zou ik niet kunnen verdragen. Laat mij gaan, als je dat wilt. Ik hoor iets van de verantwoordelijkheid te nemen.'

'Nee, dat is niet wat Fanny wil. Ze zou jou zien als een van mijn bedienden die komt om te doen wat ik zeg.' Hij besefte dat ik gelijk had.

'Maar wat wil je tegen haar zeggen? Wat wil je doen?'

'Dat weet ik nog niet,' antwoordde ik, al begon het plan in mijn gedachten vorm aan te nemen. Ik wilde het alleen nog niet vertellen. Logan scheen het te begrijpen. Hij knikte.

'Wat je ook doet, ik sta achter je.'

'Dank je, Logan.' We staarden elkaar lange tijd aan en toen knielde hij aan mijn voeten, verborg zijn hoofd in mijn schoot en begon te snikken. Ik streek hem liefdevol over zijn haar.

'O, Heaven, Heaven, wat moet ik zwaar boeten voor het feit dat ik niet sterker ben, dat ik verblind werd door Tony. Het spijt me zo en ik hou zoveel van je. Vergeef me alsjeblieft.'

'Ik heb je niets te vergeven, Logan. Alsjeblieft,' fluisterde ik. Ik tilde zijn hoofd op, zodat we elkaar in de ogen konden kijken. 'Ik was net zo verblind door alles wat hij ons aanbood als jij. Ik ben ook niet volmaakt.'

'O, ja, dat ben je wel. Jij bent volmaakt. Het is geen toeval dat je naam Heaven is. Je bent een stukje hemel op aarde en ik zegen de dag waarop we wisten dat we van elkaar hielden.'

Ik kuste hem en we hielden elkaar stevig vast. Toen stond ik op en trok mijn ochtendjas uit. Logan keek naar me terwijl ik me aankleedde, mijn haar borstelde en me opmaakte. Ik zou er niet verslagen uitzien als ik Fanny onder ogen kwam.

'Ik ga, Logan,' zei ik, toen ik klaar was.
'Zal ik niet met je meegaan?'
'Nee. Dit is iets tussen Fanny en mijzelf. Het is meer dan alleen Drake en jij.'
'Maar ik voel me zo hulpeloos hier,' zei hij smekend. 'Ik rij met je mee en wacht buiten in de auto.'
'Dat is niet nodig, en ik wil niet dat ze uit het raam kijkt en jou ziet.'
'Heaven,' riep hij, toen ik naar buiten liep. Ik draaide me in de gang om. 'Ik hou van je,' riep hij.
'Ik hou ook van jou,' antwoordde ik. Ik liep de trap af, het huis uit, en deed de deur zachtjes achter me dicht. Ik keek omhoog naar de Willies. De lucht was helder geworden en de sterren fonkelden als kleine juwelen in de fluwelige duisternis. Appleberry, die een van onze paden aan het vegen was, hield even op toen ik naar de auto liep.
'Gaat u uit, mevrouw Stonewall?'
'Ja, Appleberry.'
'Het is een koude avond, maar de lucht is zo fris als een nieuwe grashalm. Hij doet je huid tintelen.'
'Ja.' Ik glimlachte.
Ik bleef even bij de auto staan toen ik het portier had geopend en keek omhoog naar de bergen van de Willies, die stil en somber voor me opdoemden.

Fanny's huis was zo donker dat ik bang was dat ze niet thuis zou zijn. Het leek of er alleen in de zitkamer licht brandde. Voor het eerst had ze haar honden vastgelegd. Ze blaften wild toen ik stopte en uitstapte. Toen zag ik nog een lamp aangaan in de zitkamer. Mijn hart bonsde. Ik haalde diep adem en liep naar de voordeur. Ze deed open voor ik er was.
'Wat wil je, Heaven?' vroeg ze, staande op de drempel, met over elkaar geslagen armen. Haar haar hing los om haar gezicht en ze keek naar me alsof ze gehuild had. Haar ogen waren met bloed doorlopen, haar mascara was uitgelopen, en ik zag sporen van tranen op haar wangen.
'Ik wil met je praten, Fanny.'
'Mijn advocaat wil niet dat ik met je praat zonder dat hij erbij is.'
'Fanny, ik denk dat jij en ik met elkaar kunnen praten zonder advocaten. Ik heb Logan zelfs niet meegebracht.' Ik maakte een gebaar achter me.
Ze keek langs me heen naar de auto, maar verroerde zich niet.
'Het is koud hier buiten, Fanny.'
'Goed dan. Je kan binnenkomen, maar ik zeg niks tegen je dat je morgen in de rechtbank tegen me kan gebruiken. Reken daar maar op.'
'Je komt morgen niet in de rechtszaal, Fanny. Het heeft geen zin.'
Ze glimlachte breed en deed een stap achteruit.
'O, nou, dan kan je binnenkomen, Heaven Leigh.'
'Waar is Drake?' vroeg ik, toen ik binnenkwam.
'Hij is in zijn kamer. Hij heeft hier ook zijn eigen kamer, weet je.' Haar ogen fonkelden trots. Ofschoon we niet verwant waren, leken we in dat opzicht veel op elkaar.

'Gaat het hem goed?'
'Alleen maar moe,' antwoordde ze, maar ik dacht dat ze loog.
'Is Randall hier?' vroeg ik, om me heen kijkend en me afvragend waarom het zo donker was in huis.
'O, dus dat is het, je komt hem vragen om je nog wat meer te helpen, hè?' Ze knikte, alsof ze de reden van mijn bezoek had ontdekt.
'Nee, Fanny, dat kom ik niet.'
'Nou, het doet er niet toe. Hij is hier niet. Hij is weg.'
'Weg!'
'Om alles te overdenken. Ik heb hem gezegd dat hij moet besluiten of hij van me houdt of niet, en niet terug te komen als hij dat niet doet.'
'Ik begrijp het.' Ik besefte dat ze die ruzie net met hem gehad moest hebben en dat de kleine Drake er misschien getuige van was geweest.
'Maar denk maar niet dat dat je zal helpen voor de rechter. Mijn advocaat zegt dat het niet belangrijk meer is of ik getrouwd ben of niet, omdat je niet Drakes zuster bent.
'Hij heeft waarschijnlijk gelijk, Fanny.'
Ze keek me verbaasd aan toen ze mijn redelijke toon hoorde.
'Wat wil je nu, Heaven? Je wilt wat, anders zou je hier niet zijn. Dus voor de dag ermee.'
'Kunnen we niet gaan zitten?'
'Ga zitten als je wilt. Ik blijf staan.' Ze trok nadrukkelijk haar schouders naar achteren.
Ik liep de zitkamer in en ging in een stoel bij de hoektafel zitten. Fanny volgde me, hield haar armen over elkaar geslagen en keek naar me als een nerveuze eekhoorn.
'Dus, Fanny,' begon ik, 'jij krijgt het voogdijschap over Drake, wat betekent dat je voor twee kinderen zult moeten zorgen.'
'Nou en?' Haar zwarte ogen fonkelden. 'Geloof je niet dat ik goed voor ze kan zorgen?'
'Dat heb ik niet gezegd, maar als Randall je in de steek laat, zal het moeilijk voor je worden. Hoe staat het met je financiën? Dat zal niet best zijn.'
'Mijn advocaat zegt dat je me geld moet blijven sturen voor de baby die op komst is. Hij zegt dat wat voor dure advocaat je ook neemt, je daar niet onderuit kan.'
'Misschien. Maar dan is het toch niet erg veel geld hè, Fanny?' Ze gaf geen antwoord; ze keek me alleen maar woedend en met samengeknepen ogen aan.
'Wat kom je me vertellen, Heaven? Dit niet. Wat dan wel?'
'Ik kom je een aanbod doen, Fanny.'
'Wat voor aanbod?'
'Ik bied je een miljoen dollar als je me het voogdijschap geeft over Drake.'
Ik zag dat het even duurde voor het goed tot Fanny doordrong. Ze knipperde even met haar ogen en leunde tegen de bank. Toen glimlachte ze, maar het was een andere glimlach dan gewoonlijk. Het was een berekenende glimlach, die een koude rilling door me heen liet gaan. Ze ging zitten zonder haar blik van me af te wenden.

'Wel, heb je ooit. Stel je voor. Je komt hier om Drake van me te kopen, zoals de dominee mij kwam kopen. Zoals Cal en Kitty jou kwamen kopen. Je wilt dat ik hetzelfde doe als pa: een kind verkopen. Je bent geen haar beter dan al die mensen die de Casteels kwamen kopen, en dat haatte je, zei je. Je haatte pa omdat hij het deed en je maakte dat hij zich schuldig voelde tot aan de dag van zijn dood. Hè? Waar of niet?' schreeuwde ze.

Ik sloeg mijn ogen neer. Ik kon niet voorkomen dat de tranen over mijn wangen stroomden.

'Dus eindelijk is er iets dat je zo graag wilt hebben dat je zelfs iets wilt doen dat je zo erg vond dat je wraak nam en Toms dood veroorzaakte.'

'Fanny...' Mijn hart bonsde fel en ik snakte naar adem.

'Zeg maar niks,' zei ze, zich omdraaiend. Ze begon te huilen, en ik wist zeker dat het echte tranen waren. Zonder me aan te kijken zei ze: 'Natuurlijk wil ik een miljoen dollar zodat ik net zo deftig kan leven als jij.' Ze keek me aan met ogen vol verdriet en woede. 'Maar dacht je niet dat ik nog liever iets anders wil dat jij altijd gehad hebt en nu nog steeds hebt? Dacht je niet dat ik naar liefde verlang?' Ze schudde haar hoofd. 'Die heb ik nooit gehad zoals jij, Heaven. Jij was degene die het aardige vriendje had toen we nog kinderen waren.'

'Maar, Fanny, je was zo lichtzinnig dat geen enkele fatsoenlijke jongen je wilde,' protesteerde ik.

'Ik probeerde alleen maar iemand van me te laten houden. Ik dacht dat dat de manier was. En toen ging ik bij de dominee wonen en dacht ik dat ik eindelijk iemand had die van me hield, dus klaagde ik niet toen hij in mijn kamer begon te komen en me aanraakte. Ik dacht zelfs dat hij van me zou houden omdat ik zijn kind kreeg, maar hij wilde me alleen maar betalen en zijn huis uitzetten.

'En toen ging ik naar Nashville, maar het was altijd hetzelfde liedje. De mannen wilden niet van me houden, niet zoals ze van jou houden, Heaven. Mijn broers en zusters wilden niets met me te maken hebben. Jij ook niet. Zeg maar niet dat het wél zo was, omdat je me een keer bent komen opzoeken en me wat geld stuurde. Ik heb zelfs Luke een paar keer gebeld, maar weet je wat hij deed?' zei ze, terwijl de tranen over haar wangen rolden. 'Hij informeerde alleen naar jou. Ja, alleen naar jou. Ik hoopte dat hij zou vragen of ik bij hem en zijn nieuwe vrouw kwam wonen, maar hij zei er geen woord over.

'Dus trouwde ik met de Ouwe Mallory, maar die was te oud om van me te houden zoals een man van een vrouw hoort te houden. Later waren er een hoop mannen, maar ik had nooit een vast vriendje, tot ik die lieve Randall tegenkwam. Nu zit hij er ergens over na te denken, alleen omdat ik tegen hem heb gelogen. Niemand houdt van me zoals de mannen van jou houden.

'Zelfs Drake houdt nog steeds meer van jou dan van mij, wat ik hem ook vertel. Ik kan het zien.'

Ze wendde zich af en we zwegen allebei. Het was stil, op het geluid van haar snikken na.

'Je kunt mensen niet dwingen van je te houden, Fanny,' zei ik door mijn tranen heen. 'Je doet te veel je best ervoor; je eist liefde voordat iemand de kans heeft je die te geven. Je moet wat meer vertrouwen hebben en het vanzelf laten gebeuren.'

Ze schudde haar hoofd.,

'Je verwacht een kind, net als ik,' zei ik, terwijl ik het brok in mijn keel wegslikte. 'En niemand zal die baby van je afnemen. Je zult de kans hebben van je baby te houden en je baby zal van jou houden. Daar zul je van leren, Fanny. Je zult zien dat liefde zich langzaam ontwikkelt, en dan een sterkere liefde is.

'Maar je kunt niet gelukkig worden door Drake bij je houden en proberen hem te dwingen van je te houden, alleen om iemand te hebben die meer van jou houdt dan van mij. Je zult het zien. Het spijt me,' ging ik bijna fluisterend verder. 'Ik heb spijt van een hoop dingen. Het spijt me dat ik niet harder gevochten heb voor Darcy; het spijt me dat ik je in Nashville alleen heb gelaten en je zo lang heb genegeerd, en ik heb spijt van wat het je allemaal heeft aangedaan en wat je bent geworden.'

Ik stond op, maar ze keek me niet aan.

'Dag, Fanny,' riep ik huilend uit, en liep naar de deur.

'Heaven.'

Ik draaide me langzaam om en veegde mijn tranen met een zakdoekje af.

'Ik neem het miljoen en jij kunt Drake krijgen,' zei ze.

Drake zat op zijn bed in Fanny's huis, zijn handjes in zijn schoot gevouwen. Hij keek op toen ik binnenkwam, en ik zag dat hij in de war en van streek was, maar toch blij me te zien. Er lag een warmte in zijn ogen die zijn innerlijke gevoelens verried.

'Hallo, Drake. Mag ik je weer met me mee naar huis nemen?' Ik glimlachte door mijn tranen heen. Hij gaf niet onmiddellijk antwoord; hij boog zich naar voren om te zien of Fanny achter me stond. 'Ik weet dat je hier een verwarrende tijd hebt doorgemaakt, maar het is nu allemaal voorbij. Je gaat mee terug naar Hasbrouck House en je eigen kamer en je speelgoed. Logan wacht op ons,' ging ik verder, toen hij zich niet verroerde. 'En alle nieuwe vriendjes die je hebt gemaakt en meneer Appleberry...'

'Fanny zegt dat je mijn vader haatte,' zei hij aarzelend en met een vertrokken gezicht.

'Ik haatte hem niet, Drake. Ik hield van hem, alleen geloofde ik niet dat hij van mij hield. We hadden een erg moeilijk leven toen we zo oud waren als jij.' Ik knielde naast hem en nam zijn handjes in de mijne. 'Soms is het niet gemakkelijk van iemand te houden, ook al wil je dat nog zo graag.'

'Waarom niet?' Hij keek sceptisch, maar ik moest even lachen om zijn nieuwsgierigheid. Ik dacht aan Luke en aan Troy en aan Tony, en hoe hun liefde voor mij en mijn liefde voor hen was misvormd en verloren gegaan.

'Omdat ze je niet toestaan van ze te houden. Ze zijn bang voor hun eigen gevoelens. Ik hoop dat het voor jou gemakkelijk zal zijn om lief te hebben, Drake. Ik weet dat het voor mij gemakkelijk zal zijn van jou te houden.'

Hij nam me lange tijd zwijgend op. Ik kon zijn gedachten bijna horen.
'Waarom is het zo moeilijk?' vroeg hij. Ik lachte en omhelsde hem.
'O, het hoeft niet zo moeilijk te zijn. Je hebt gelijk, schat. Het hoort gemakkelijk te zijn van iemand te houden en moeilijk om te haten. Laten we zorgen dat het altijd zo tussen ons blijft, oké?'
Hij knikte en ik stond op, nog steeds zijn hand vasthoudend.
'Gaan we nu?' vroeg hij.
'Ja, schat.'
We liepen naar de zitkamer, waar Fanny op de bank zat. Drake staarde haar vol verwachting aan.
'Je gaat uiteindelijk toch bij Heaven wonen, Drake. Ze heeft een groter huis en bedienden en kan beter voor je zorgen, maar ik kom je van tijd tot tijd opzoeken. Wees een lieve jongen en vergeet je zusje Fanny niet,' voegde ze eraan toe en stak haar armen naar hem uit. Drake keek me even aan voor hij naar haar toeging, en ik knikte. Fanny omarmde hem, gaf hem een zoen en liet hem toen los.
'Tot ziens, Fanny.' Ze staarde me aan en keek uit het raam. Weer zou ze alleen zijn. Misschien zou Randall terugkomen, dacht ik, vooral als hij hoorde hoeveel geld ze zou krijgen. Maar het maakte me niet geruster. 'Laat je advocaat niet van je profiteren, Fanny,' adviseerde ik. Ze knikte zonder naar me te kijken. 'Oké, Drake,' zei ik, en we liepen naar buiten.
Ik keek achterom toen Drake in de auto zat, en zag haar gezicht tegen de ruit gedrukt, een toonbeeld van eenzaamheid. Ze zou rijk zijn, rijk genoeg om het idee te krijgen dat ze me had ingehaald, maar ze zou zo arm zijn.
Drake zweeg in de auto toen we terugreden naar Hasbrouck House, maar toen we de oprijlaan insloegen, begon zijn gezicht te stralen als een kerstboom.
'Is mijn brandweerauto er nog?' vroeg hij.
'Natuurlijk, schat. Al je speelgoed is er nog.'
Hij deed het portier aan zijn kant open en holde om de auto heen. Ik volgde hem naar de deur. Zodra we binnen waren kwam Logan uit de studeerkamer en zijn gezicht klaarde onmiddellijk op.
'Hallo, makker,' zei hij. 'Welkom thuis.'
Ik begon bijna weer te huilen toen Logan naar Drake toe holde, hem in zijn armen nam en hem zoende.
'Hij heeft nog niet gegeten, Logan.'
'O, nee? Mooi zo, want Roland heeft een prachtige biefstuk gebraden. Hou je daarvan, jong?'
Drake glimlachte en dacht toen na.
'Ik hou van biefstuk, dat is mijn lievelingseten. Dat kreeg ik altijd op mijn verjaardag. Ben ik vandaag jarig?'
Logan en ik begonnen hard te lachen. Het was zo'n heerlijk gevoel. Ik wilde dat het nooit zou ophouden. Onze uitbarsting verbaasde Drake, maar tenslotte begon hij mee te lachen.
Hij was voorgoed thuis, en we vormden nu al een echt gezin.

19. DE MUZIEKDOOS

Thanksgiving was waarlijk een feest van de dank dat jaar, met Logan en Drake en Logans ouders en mijn baby die in me groeide. Tegen Kerstmis voelde ik het kind schoppen. Drake legde vaak zijn warme handjes op mijn dikker wordende buik om de baby te voelen bewegen. Voor het eerst in mijn leven had ik mijn eigen huis, mijn eigen gezin, mijn eigen geluk.

Logan vroeg me nooit wat ik Fanny had geboden voor het voogdijschap van Drake. Ik had hem nooit verteld dat ik Steine had getelefoneerd om Tony te vragen een miljoen dollar over te maken aan Fanny. Ik wist dat Tony het zou doen. Ik wist dat hij nog steeds hoopte mijn genegenheid te kunnen terugkopen. Maar ik had hem niet bedankt en zelfs de transactie niet bevestigd. Dat zou een andere keer gebeuren, als de oude wonden beter genezen waren.

Op een avond vóór we naar bed gingen, zei Logan glimlachend: 'Drake is een fantastisch jongetje. Ik ben blij dat we hem terug hebben.'

'O, Logan. Dank je.' Ik omhelsde hem.

'Dank je? Waarvoor?'

'Dat je zoveel van ons houdt,' zei ik. Hij moest lachen.

'Ik zou niet anders kunnen, al zou ik het willen.' Hij kuste me zacht op mijn voorhoofd.

Een paar dagen later kwam Logan terug van de fabriek om me te vertellen dat hij gehoord had dat Randall Fanny had verlaten en teruggegaan was naar de universiteit, maar dat Fanny het zich niet erg aantrok.

'Een paar mensen van het personeel praatten over haar tijdens de lunch. Het schijnt dat Randall een paar mensen vertelde hoe ze hem had behandeld. Ze zei,' ging Logan verder, Fanny nabootsend, 'Nou ik net zo rijk ben als Heaven wil ik niet dat je terugkomt. Ik heb meer geld dan ik kan uitgeven en een hoop knappe jongemannen zullen bij me komen aankloppen. Dus je hoeft hier niet met je staart tussen je benen terug te komen en te verwachten dat ik in je armen vlieg.' Hij zweeg even en keek me vol verwachting aan. 'Waar heeft Fanny het geld vandaan, Heaven?'

Ik vertelde hem de waarheid en hij luisterde zonder een woord van kritiek. Hij zei niet dat ik met Fanny hetzelfde had gedaan als Tony met Luke. Hij glimlachte slechts en zei: 'Dan zal ik nog harder moeten werken om een enorm succes te maken van de Willies fabriek en Tony al dat geld terug te betalen, zodat we hem nooit meer iets schuldig zullen zijn.'

Ik omhelsde hem en zoende hem; hij was de liefste echtgenoot ter wereld.

We leefden verder, hoorden nu en dan verhalen over Fanny, over de dingen die ze kocht en de mensen met wie ze omging. Nu en dan kwam ze bij Drake op bezoek. Hij was altijd erg beleefd tegen haar, maar ik kon zien dat hij bang was dat ze zou proberen hem weer mee te nemen. Altijd als ze kwam stelde ik hem gerust en zei hem dat dat nooit meer zou gebeuren.

De winter vloog voorbij en op een dag was het voorjaar. Het was alsof

God een cadeau had uitgepakt van bloemen en gras en warme blauwe lucht. Het geritsel van de bladeren, het suizen van de wind door het gras en de wilde bloemen die de lucht vervulden met een zoet parfum, deden een blijde hoop in ons opleven en de droeve dagen van de winter vergeten. Overal scheen de zon.

Appleberry snoeide en plantte en ons huis bloeide op. Drakes melancholieke buien werden steeds zeldzamer, tot ze praktisch verdwenen waren, al peinsde hij soms nog wel eens over zijn vader en moeder.

De fabriek ging fantastisch van start. Logan deed me versteld staan over zijn gevoel voor marketing. Hij reisde het hele land door en het duurde niet lang of hij moest het personeelsbestand uitbreiden, en de mensen in Winnerow werden nog trotser op hun fabriek.

Op een ochtend na het ontbijt ging de telefoon en ik nam op. 'Ik zou je man maar meteen hier naar toe sturen,' kirde Fanny. 'Mijn water is gebroken.'

'Wie is het?' vroeg Logan.

'Fanny,' zei ik. 'Start de auto maar vast. Haar water is net gebroken en ze heeft iemand nodig om haar naar het ziekenhuis te brengen.'

'Heaven, ik kan je nu niet alleen laten. Jij kunt ook elk moment bevallen,' zei hij. Hij probeerde de telefoon uit mijn hand te nemen, maar ik legde mijn palm op de hoorn.

'Schat, ondanks alles wat Fanny heeft gedaan, is ze mijn zuster, en ze heeft niemand anders.'

'Goed,' gaf Logan tenslotte toe. 'Maar jij gaat mee. Ik wil niet dat je hier achterblijft met alleen de bedienden om je naar het ziekenhuis te brengen. Bovendien,' zei hij grijnzend, 'zouden al die uren van de zwangerschapscursus en gymnastiek voor de bevalling verspild zijn. Ik haal je koffertje. Vraag jij aan Appleberry of hij op Drake wil passen. Hij vindt het altijd een feest als Appleberry met hem speelt.'

'We komen zo,' zei ik tegen Fanny.

'Ik zou maar opschieten, want het kan er elk moment uitploppen. Ik wil mijn baby niet onderweg krijgen. Zeg tegen Logan dat hij gauw komt, hoor je?'

Fanny stond op de veranda te wachten met twee enorme koffers.

'Leg ze in de achterbak, Logan,' zei Fanny, die mij in de auto zag zitten. 'Hé, Heaven, kom je zien hoe het in zijn werk gaat?'

Logan worstelde met de koffers. 'Fanny, wat heb je in godsnaam daarin zitten?'

'Al mijn kleren en nieuwe pantoffels en... Dacht je dat ik me op een gewone manier ga kleden nu ik al dat geld heb?' zei Fanny. Toen kromp ze ineen en greep Logans arm vast. 'Schiet op,' stotterde ze.

Logan reed snel naar het ziekenhuis en stopte op het pad waar gewoonlijk de ambulances rijden. Fanny schreeuwde en ging tekeer op de achterbank.

'Ik ga dood van de pijn!' gilde ze. '*Ik ga dood!* Geef me een paar van die pillen om me weg te maken! Gauw! Ik wil verdoofd worden!'

Een paar verplegers kwamen met een rijdende baar, legden Fanny erop en bedekten haar met een wit laken. Ze lag nog steeds te gillen toen de automatische deuren opengingen en ze haar door de gang reden.

'*Geef me iets om me te verdoven!*'

Logan keek naar mij en sloeg zijn arm om me heen. 'Hoe gaat het met je, schat?'

'Ik geloof niet dat het overbodige moeite was dat ik met jou en Fanny ben meegegaan,' zei ik glimlachend.

'Wat?!' stotterde Logan.

'De baby is onderweg,' zei ik.

'O, mijn God, ik ga onmiddellijk een draagbaar halen. Ik zal – '

'Dat hoeft niet,' zei ik lachend. 'Ik kan best lopen.'

Logan liep te ijsberen terwijl we zaten te wachten op een verloskamer. De weeën waren begonnen, maar de pijn was niet erg, helemaal niet erg. Eindelijk, vele uren later, terwijl die lieve Logan naast me zat en mijn ademhaling controleerde en de minuten tussen mijn nu erg pijnlijke weeën telde, kwam de verpleegster binnen om te vertellen dat Fanny een zoontje had. In het begin van de avond kwam mijn eigen baby ter wereld, schreeuwend met twee gezonde longen.

'Het is een meisje!' zei de dokter.

Een verpleegster maakte haar snel schoon, wikkelde haar in een dekentje en legde haar voorzichtig op mijn borst. Ik sloeg de deken weg. Ze had mijn korenblauwe ogen, maar donkerbruin haar. Troys haar, haar dat zelfs net als het zijne in de hals krulde. Zachtjes telde ik haar teentjes en vingertjes en zag dat haar kleine vingertjes dezelfde vorm hadden als die van Troy. Tatterton-vingers, die op een dag misschien miniatuur-mensen en -huizen zouden maken. Logan scheen van dat alles niets te merken. Hij was enthousiast en opgewonden over ons dochtertje.

'Wil je haar vasthouden, Logan?' vroeg ik.

'Ik ben bang dat ik haar breek. Ze is zo klein,' zei hij.

'Schat, jij bent de voorzichtigste man die ik ken. Hier is je dochter,' zei ik, en overhandigde haar aan hem.

Voorzichtig legde hij zijn hand onder het hoofdje en drukte het bundeltje tegen zijn borst. 'Heaven,' zei hij, terwijl hij in het gezicht van de baby staarde. 'Mijn leven lang heb ik jou als het mooiste meisje op aarde beschouwd, maar nu weet ik dat onze liefde een nog mooier kind heeft geschapen.'

'Logan, ik zou haar graag Annie willen noemen, naar mijn oma.'

'Annie,' fluisterde Logan tegen zijn dochter. Ze begon wild te schreeuwen.

We moesten allebei lachen. 'Ik denk dat ze haar naam al kent,' zei Logan en gaf de baby aan me terug.

Even later kwam de verpleegster, die erop aandrong dat Logan naar huis ging en mij liet rusten. Ze nam de baby mee naar de kinderzaal en ik sliep een paar uur. Ik droomde van mijn baby, van Logan en Troy, en werd wakker met Annies naam op mijn lippen. O, ik wist zeker, absoluut zeker dat ze Troys dochter was, en ik zwoer dat Logan het nooit zou weten – haar liefde voor hem, en mijn liefde voor hem, zouden alles goedmaken.

Pijnlijk kwam ik uit bed en liep langzaam door de gang naar de glazen wand van de babyzaal. Een rauwe stem begroette me aan het eind van de gang. 'Hé, kijk eens even wie eindelijk op is en rondstruint.'

Fanny zat in een rolstoel en werd door een particuliere verpleegster geduwd.

'Waar is jouw zoontje?' vroeg ik.

'Luke? Ik heb hem naar pa genoemd. Luke is daar, de mooiste baby in de rij,' zei ze. Ik zag dat ze echt van de baby hield en trots op hem was.

'Hij is een mooie baby,' gaf ik toe.

'Ik dacht wel dat je dat zou vinden, Heaven. Je bent met zijn vader getrouwd en hij lijkt precies op hem. Waar is je dochtertje?'

Ik wees naar Annie, die lag te brullen.

'Weet je het zeker, Heaven? Ze lijkt op niemand die ik ken.'

Er ging een koude rilling door me heen. Fanny kon het niet weten, kon de waarheid niet vermoeden. Ik plakte een glimlach op mijn gezicht. 'Maar, Fanny,' plaagde ik haar, 'als ze zo schreeuwt, lijkt ze een beetje op jou, gisteravond.'

Zelfs Fanny moest lachen.

'Ik zie je nog, zuster,' zei ze. Toen liet ze zich door haar verpleegster terugrijden naar haar kamer. 'En niet te snel, ik wil in alle kamers kijken,' gaf ze opdracht. 'Het is hier net General Hospital.'

Tien dagen later brachten we Annie naar huis. Ik gaf haar boven in bed de borst toen Logan thuiskwam uit de fabriek. Hij was zo dol op het kind dat hij vaak even wegging uit de fabriek voor wat hij noemde een "babybezoekje". Hij holde naar binnen, hield de baby even in zijn armen of keek naar haar terwijl ze lag te slapen, en ging dan weer terug naar de fabriek.

Deze speciale middag toen hij boven kwam had hij een doos in zijn armen. Er stond op BREEKBAAR.

'Wat is het?' vroeg ik.

'Ik weet het niet,' zei Logan. 'Het is net afgegeven.'

Hij maakte de doos open, haalde voorzichtig de inhoud eruit en zette die naast mijn bed.

'Het was een volmaakt weergegeven miniatuur van Troys bungalow. Alles was er, zelfs de doolhof erachter.

'Kijk nou eens,' zei Logan verbluft. 'Het dak kan eraf.'

Hij haalde het eraf en een tinkelend carillon speelde Troys lievelingsprelude van Chopin. In de bungalow lag een man, die precies op Troy leek, op de grond, met zijn handen achter zijn hoofd gevouwen. Naast hem zat een meisje dat sprekend op mij leek toen ik voor het eerst in Farthy kwam. Alles was precies zoals het toen was: de kleine meubeltjes, kleine bordjes, zelfs klein gereedschap om speelgoed te maken.

Alleen Troy had dit kunnen maken. Alleen Troy. Hij wist het. Hij wist dat ze van hem was. En hij wilde me laten weten dat hij het wist. Het was zijn manier om het me te vertellen, zijn manier om zijn dochter op te eisen. O, Troy, had het allemaal maar anders kunnen zijn. En ze was perfect. Zo perfect!

'Er is geen kaartje bij,' onderbrak Logan mijn overpeinzingen. 'Mal, hè? Een van onze handwerkslieden moet dit voor je hebben gemaakt en hebben vergeten er een kaartje bij te doen. Hoe moeten we hem bedanken? Ik zal een paar van onze mensen aan het werk zetten om uit te zoeken wie het gemaakt heeft. Het is prachtig, hè, Heaven? Zo'n aandacht voor details. Ik durf te wedden,' zei Logan plotseling, 'dat Tony er iets mee te maken heeft. Misschien is het zijn manier om zich te verontschuldigen, hè?'

'Ja,' fluisterde ik. Ik kon geen woord uitbrengen, zo overweldigd was ik door dit teken van Troys eeuwigdurende liefde. Logan dacht dat het kwam omdat ik zo onder de indruk was van het fraaie geschenk. 'Kun jij Annie terugleggen in haar wieg?' fluisterde ik hees.

'Natuurlijk,' zei hij.

Hij nam de baby uit mijn armen en legde haar voorzichtig in de wieg. 'Ik zal dit mee naar beneden nemen,' zei hij, en stak zijn hand uit naar de kleine bungalow.

'Nee, laat maar, Logan. Ik wil er nog even naar kijken.'

'Goed. Ik moet nu terug naar de fabriek. Ik zie je straks.'

'Oké.'

Hij kuste me op de wang en liep snel naar buiten.

Weer maakte ik het dak open en de magische tinkelende muziek vervulde de kamer. Een wolk die voor de zon was geschoven zweefde weg en het warme zonlicht stroomde door het raam naar binnen en liefkoosde de kleine bungalow.

Opnieuw hoorde ik de zachte pianoklanken. De melodie werd luider en leek gevangen in de bries die de gordijnen voor het raam van mijn slaapkamer luchtig tegen het glas deed dansen. Ik keek naar de blauwe lucht alsof ik de muziek zag opstijgen en zette toen het dak weer terug op de bungalow.

Ik zou het speelgoed op een plank in Annies kamer zetten tot ik haar op een dag, vele jaren later, zou vertellen wat die bungalow betekende. Ik wist zeker dat als ik dat deed ze zou begrijpen waarom ik zo had moeten handelen. Want ik zou haar altijd de waarheid vertellen, mijn eigen waarheid. En de waarheid heelt altijd.

Lees ook van A.W. Bruna Uitgevers B.V.

Virginia Andrews

M'n lieve Audrina

M'n lieve Audrina is Audrina Adare, mooi, verstandig en gevoelig, en zeer verliefd op Arden. Deze jongeman is volgens haar vader Damien beneden haar stand en hij werkt de romance dan ook zoveel mogelijk tegen.
Ook nadat Audrina met haar geliefde Arden is getrouwd, wordt ze achtervolgd door haar verleden en herinneringen, en door een vader die vastbesloten is haar in zijn macht te houden. Want negen jaar voor Audrina werd geboren, is er een andere Audrina geweest, een kind met helderziende gaven, dat op negenjarige leeftijd overleed.
Damien Adare is er zeker van dat zijn tweede Audrina over dezelfde krachten beschikt en dat zij hem kan en zal helpen om het verloren gegane familiefortuin terug te winnen.

ISBN 90 449 2543 1

Lees ook van A.W. Bruna Uitgevers B.V.

Virginia Andrews

Hemel zonder engelen

Van alle mensen die in de armzalige hutten op de bergketen 'The Willies' in West-Virginia woonden, waren de Casteels de minsten - het uitschot van de heuvels.
Maar Heaven Leigh Casteel was het mooiste meisje van de buurt, ondanks haar gescheurde kleren en haar vuile gezichtje... ondanks een vader die gemener was dan tien slangen samen... ondanks een slonzige stiefmoeder die haar als een Assepoester liet werken...
En Heaven had een droom - een droom die door een wreed plan van haar vader vernietigd dreigde te worden...

Dit is het eerste deel van de aangrijpende vijfdelige *Casteel*-serie.

ISBN 90 449 2593 8

Lees ook van A.W. Bruna Uitgevers B.V.

Virginia Andrews

De duistere engel

In het deftige huis van haar grootmoeder in Boston droomt Heaven Leigh Casteel van een heerlijk nieuw leven - met nieuwe vrienden, de beste school, prachtige kleren, en het belangrijkst: liefde.
Maar ook in de wereld van de welgestelden zijn duistere geheimen. En als Heaven zoekt naar liefde raakt zij langzaam verstrikt in een web van wreed bedrog en verborgen hartstochten.

Dit is het tweede deel van de aangrijpende *Casteel*-serie.

ISBN 90 449 2598 9

Lees ook van A.W. Bruna Uitgevers B.V.

Virginia Andrews

Bloemen op zolder

Vier gelukkige kinderen verliezen hun vader bij een verkeersongeluk. Hun verwende moeder wendt zich in wanhoop tot haar ouders die haar hebben onterfd toen zij vijftien jaar geleden wegliep om met een halfoom te trouwen. De ouders zijn bereid hun dochter te helpen en zo verhuizen de kinderen in het holst van de nacht naar het riante landgoed van hun grootouders. Ze worden verstopt op een donkere, muffe zolder en moeten daar blijven tot de ongelooflijk rijke grootvader is gestorven. Dat is slechts één kwestie van dagen, volgens de moeder. Maar dagen worden maanden en uiteindelijk jaren en nog steeds gaat de zieke oude man niet dood. De wegkwijnende kinderen worden 'verzorgd' door de grootmoeder die hen kwelt en vernedert. De twee oudste kinderen naderen de volwassenheid, worstelen met nieuwe verlangens en begeertes. En dan ziet de oude grootmoeder haar kans schoon. Wrekend... en moordzuchtig.

Het eerste deel van de macabere vijfdelige *Dollanganger*-serie.

ISBN 90 449 2474 5

Lees ook van A.W. Bruna Uitgevers B.V.

Virginia Andrews

Bloemen in de wind

Soms verschijnt er een boek dat zó apart is en zó succesvol dat er sprake is van een trend. Dat was in Amerika het geval met *Bloemen op zolder*, een macabere roman die geruisloos verscheen, waar geen reclamecampagne voor werd gevoerd, maar waarvoor zoveel mond-tot-mondreclame ontstond dat de verkoop omhoogschoot. In *Bloemen in de wind* vertelt Virginia Andrews de verdere avonturen van de kinderen die jarenlang op een zolder gevangen werden gehouden.

Cathy, Chris en Carrie zijn uit hun zolder-gevangenis ontsnapt en zijn eindelijk achter de verbijsterende waarheid gekomen - dat hun moeder er niet voor terugdeinsde haar kleine lievelingen te vermoorden om beslag te kunnen leggen op een groot fortuin. De kinderen beginnen een nieuw leven: Chris wordt arts, Cathy een prima ballerina en een blonde verleidster. Cathy's verleidelijke schoonheid stelt haar in staat wraak te nemen voor Carrie's gestoorde groei, voor Cory's dood, voor wat Chris en Cathy voor elkaar zijn geworden en voor alles wat zij hebben moeten verdragen van hun grootmoeder op die desolate zolder. Zij zetten het hun moeder betaald - op een verdorven en uiterst geraffineerde manier.

Het tweede deel van de macabere vijfdelige *Dollanganger*-serie.

ISBN 90 449 2478 8

Lees ook van A.W. Bruna Uitgevers B.V.

Virginia Andrews

Als er doornen zijn

Als er doornen zijn is het zelfstandig leesbare vervolg op de buitengewoon succesvolle romans *Bloemen op zolder* en *Bloemen in de wind*, waarmee Virginia Andrews de top van de bestsellerlijsten veroverde. Miljoenen lezers over de hele wereld hebben ademloos de huiveringwekkende belevenissen gevolgd van de kinderen die jarenlang op een zolder gevangen werden gehouden: Cathy, Chris en Carrie, en hoe zij na hun ontsnapping achter de waarheid kwamen en op een verdorven, uiterst geraffineerde manier hun wraak zochten.
Als er doornen zijn vertelt het aangrijpende verhaal van hun verdere lotgevallen: Chris en Cathy, inmiddels volwassen, leven als man en vrouw. Uit de as van het kwaad hebben zij een huis vol liefde laten verrijzen voor 'hun' kinderen Jory en Bart. Maar dan gaan de lichten aan in het verlaten huis naast het hunne en verschijnt de Oude Dame in het Zwart, bewaakt door haar vreemde oude butler. Onder hun invloed begint Bart te veranderen - een verandering die leidt tot geweld, zelfvernietiging en perversiteit. En terwijl de kleine jongen op de rand van de waanzin balanceert, wachten zijn gefolterde ouders, zijn hulpeloze broer, een geobsedeerde oude vrouw en de wraakzuchtige butler op de climax van de verschrikkingen die begonnen op een zolder, lang geleden, verschrikkingen waarvan de doornen nog altijd nat zijn van het bloed...

Het derde deel van de macabere vijfdelige *Dollanganger*-serie.

ISBN 90 449 2481 8

Lees ook van A.W. Bruna Uitgevers B.V.

Virginia Andrews

Dawn, het geheim

De vijftienjarige Dawn en haar twee jaar oudere broer Jimmy bezoeken een exclusieve school, waar hun vader conciërge is. Dawns leventje ziet er rooskleurig uit, vooral als ze begint uit te gaan met Philip Cutler, telg uit de rijkste familie van de omgeving. Maar dan verandert Dawns leven van de ene dag op de andere in een nachtmerrie.

Het eerste deel van de macabere vijfdelige *Dawn*-serie.

ISBN 90 449 2653 5